エリア・スタディーズ 177

リトアニアを知るための60章

櫻井映子（編著）

明石書店

はじめに

リトアニアという国を知っていますか。この問いにうなずく日本人は、果たしてどれほどいるだろう。知っているとしても、名前を聞いたことがある程度で、ごく断片的な知識しか持たないという人がほとんどではないだろうか。たとえば、第二次世界大戦中のリトアニアで、「命のヴィザ」を発行し数千人ものユダヤ人を救った外交官、杉原《すぎはら》千畝《ちうね》のことなら知っている、という人は多いだろう。20世紀末に東欧を揺るがした体制転換を記憶する世代なら、この国が、民族独立運動の急先鋒に立ち、非暴力を掲げた「歌う革命」によって、ソ連からの分離独立をやってのけた国であることを思い出すかもしれない。だが、一般的にいえば、日本人にとってリトアニアはマイナーで遠い国の一つであり、それについての情報量はきわめて限られたものである。そして、インターネットが普及した現在でも、あまり知られていない国についてのしっかりした情報をバランスよく集め、丸く全体像を摑むのは、やはり難しいことに違いない。

まずは、地図を広げてみよう。日本人にも馴染みある国の名が並んだ西欧から、北東方向に目を移すと、北欧諸国に囲まれるようにして、バルト海がある。その東岸に並んだ三つの国、いわゆる「バルト諸国」のうち、一番南に位置しているのが、リトアニアである。正式名称は、リトアニア共和国。現在は北海道の8割ほどの大きさだが、リトアニア大公国と呼ばれた中世には、黒海まで国土を広げ、東欧最大の国家として威勢を誇った。日本では、1990～91年に正式にソ連からの分離独立を果たして以来、隣国のラトヴィア、エストニアとともに、「バルト三国」と呼ばれることが多い。国土面積約6万5300平方キロメートル、人口約280万人（2019年現在）の小国ながら、フォークロアの宝庫として知られる。

さて、実際にリトアニアを訪れた人の印象は、だいたい似かよっているようだ。のんびりしていてどこか懐かしく、素朴で美しい国。これまで幾度もリトアニアを旅してきた私も、飛行機の窓から見える風景には、いつも見とれてしまう。国土の約3割を占めるという森林、なだらかに続く丘をゆったり流れる川、点在する大小様々な湖。夏は、草木の緑が目をなごませ、牧歌的な農村風景がのどかに広がる。冬は、雪に覆われる平原の向こうに、町の教会の尖塔がくっきり映える。古き良きヨーロッパの田舎を彷彿させる国、という近年定着しつつあるイメージに加えて、シャイで柔和なリトアニア人の民族性に親近感を抱き、この国に惚れ込んでしまう人は後を絶たない。

ところで、国際的に広く名の知れた人物の存在は、未知の国について、よりはっきりしたイメージを持つための助けとなるにちがいない。残念ながら、リトアニア出身の著名人の数は多くはないが、日本に熱心なファンを持つ芸術家が何人かいる。とくに、音楽と絵画二つの分野で天賦の才を発揮したミカローユス・コンスタンティナス・チュルリョーニス（1875〜1911年）、アメリカ合衆国で活躍した前衛的な映像作家にして詩人のジョナス・メカス（リトアニア語の発音ではヨーナス・メーカス、1922〜2019年）、イラストレーター・絵本作家のスタシース・エイドリゲーヴィチュス（1949年〜）の三人については、これからもっと紹介されてゆくべきであろう。ちなみに、メカスは親日家として知られる人物で、チュルリョーニスを日本に紹介するにあたり、次のように書き記している。

チュルリョーニスは日本で温かく迎えられるだろう。私にとって、日本はリトアニアと同じように汎神的な国であり、私たち日本とリトアニアはとても親密なのだから。日本にいるとき、私はいつも故郷にいるような気がする。

じつは、リトアニア出身の著名人以上に、リトアニア人の民族的アイデンティティを象徴し、この国の名を広めるのに一役買ってきたものに、リトアニア語がある。何しろ、リトアニア語が、インド・ヨーロッパ語族の現代語中で最も古風な言語であるということは、言語学の分野ではすでに一種の常識となっているほどなのだ。私自身、言語学を学ぶ学生時代、リトアニアという国のことは何も知らずに、リトアニア語の講義を受講した。ずっと後になって分かったことだが、私の出身大学は、ソ連時代の1970年前後、アジアで最初にリトアニア語の講座を開設した高等教育機関として、世界のリトアニア語教育史に名を刻んでいたのだった。また、私がリトアニア語を学び始めたのと時を同じくして、何かの導きのように、私の母校は初めてリトアニアからの留学生を受け入れた。数年後、親しい友人となっていた彼女に招かれて、首都のヴィルニュス大学の夏期講習に参加したのが、私の最初のリトアニアへの旅となった。こうして、幾つかの偶然と必然に導かれるようにして、私とリトアニアのつきあいが始まったのである。

それから数十年、リトアニアを見守り続けてきた私だが、どうしても関心は文化面に偏りがちで、バランスよく全体を把握できているとは言いがたい。また、この国への愛情ゆえに、私には見えずにいる短所や問題も当然あるに違いない。そこで、本著を編集するにあたり、できるだけ多面的・総合的にこの国を紹介することを目指して、章ごとに最もふさわしいと思う方々に執筆をお願いし、さらにリトアニアからもそれぞれの専門家に参加していただいた。結果として、これまで私がお世話になってきた、日本とリトアニアの恩師や友人たち、さらにはその知り合いの方々が集う、リトアニア・フォーラムとも呼べそうな本が出来上がった。編者の思い入れが強すぎたこと、また怠慢もあって、出版にこぎつけるまでに想像以上の年月を費やしてしまったが、この本が、手に取ってくださった方々にとってリトアニアとの幸福な出会いとなり、さらなる旅のきっかけとなれば、この上ない喜びである。

最後に、執筆にご参加くださったすべての方々に、心よりお礼申し上げるとともに、本著の刊行が大変遅れたことを深くお詫び申し上げる。また、ささやかだがとても貴重な私たちの集いの場を提供してくださった明石書店の編集部の方々、とくに、企画の段階からお世話になった小林洋幸氏と、彼が急逝された後に担当を引き継いでくださった佐藤和久氏に、ここに記して深い感謝の念を表したい。

2020年1月

編者　櫻井 映子

付記：リトアニア語のカタカナ表記について

リトアニア語をカタカナに転写するにあたり、本書では、一部の例外を除き、できるだけ実際の発音に忠実な表記を採用している。とくに問題となるのは、アクセントの有無による母音の長短の違いである。本書では次のように転写する：まず、アクセントが置かれた長母音文字は、明瞭に長く発音するので、長音符号（ー）を付す。一方、アクセントのない長母音文字の発音は、日本人には短母音のように聞こえるので、長音符号を付さない。また、短母音文字は、アクセントによっては長母音として発音することもあり、この場合は長音符号を付す。

スタシース・エイドリゲーヴィチュス画（1987 年）
（出典：Stasys Eidrigevičius, *Plakatai / Posters*, Vilnius: Lietuvos Nacionalinis Muziejus, 2002）

基礎データ

国　名	リトアニア共和国（Lietuvos Respublika）
面　積	6.5 万平方キロメートル
人　口	2,794,329 人（2020 年 1 月：リトアニア統計局）
首　都	ヴィルニュス（Vilnius）
言　語	リトアニア語（Lietuvių kalba）
宗　教	主にカトリック
政治体制	共和制
国　歌	「民族賛歌」（Tautiška giesmė）
国　章	白馬の騎士　ヴィーティス（Vytis）
通　貨	ユーロ（2015 年 1 月 1 日から導入）

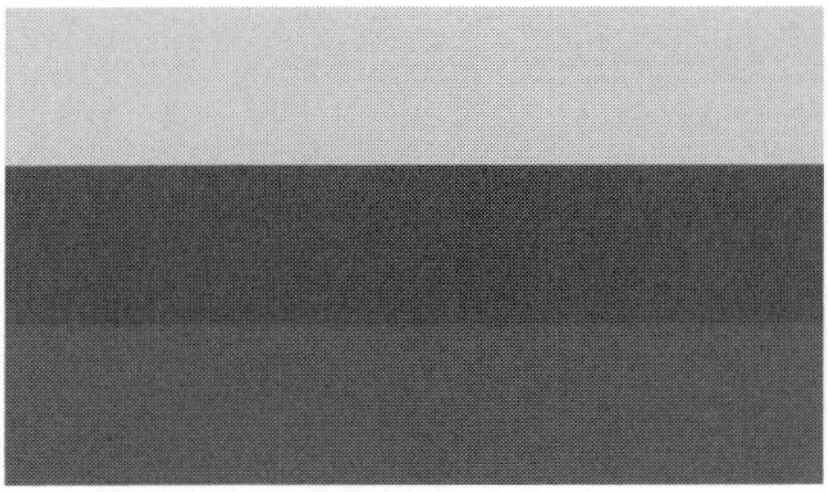

国旗（上から黄、緑、赤：カバー参照）

国章ヴィーティス（追走の意）

リトアニアを知るための60章

目次

I　リトアニアのあらまし

II　言語

Ⅳ 政治

Ⅴ 近隣諸国との関係

VI　経済・産業

Ⅶ　教育・社会

Ⅷ　文化・芸術

IX　生活・習慣

X　日本との関係

CONTENTS

※本文中、とくに出所の記載のない写真については、原則として執筆者の撮影・提供による。

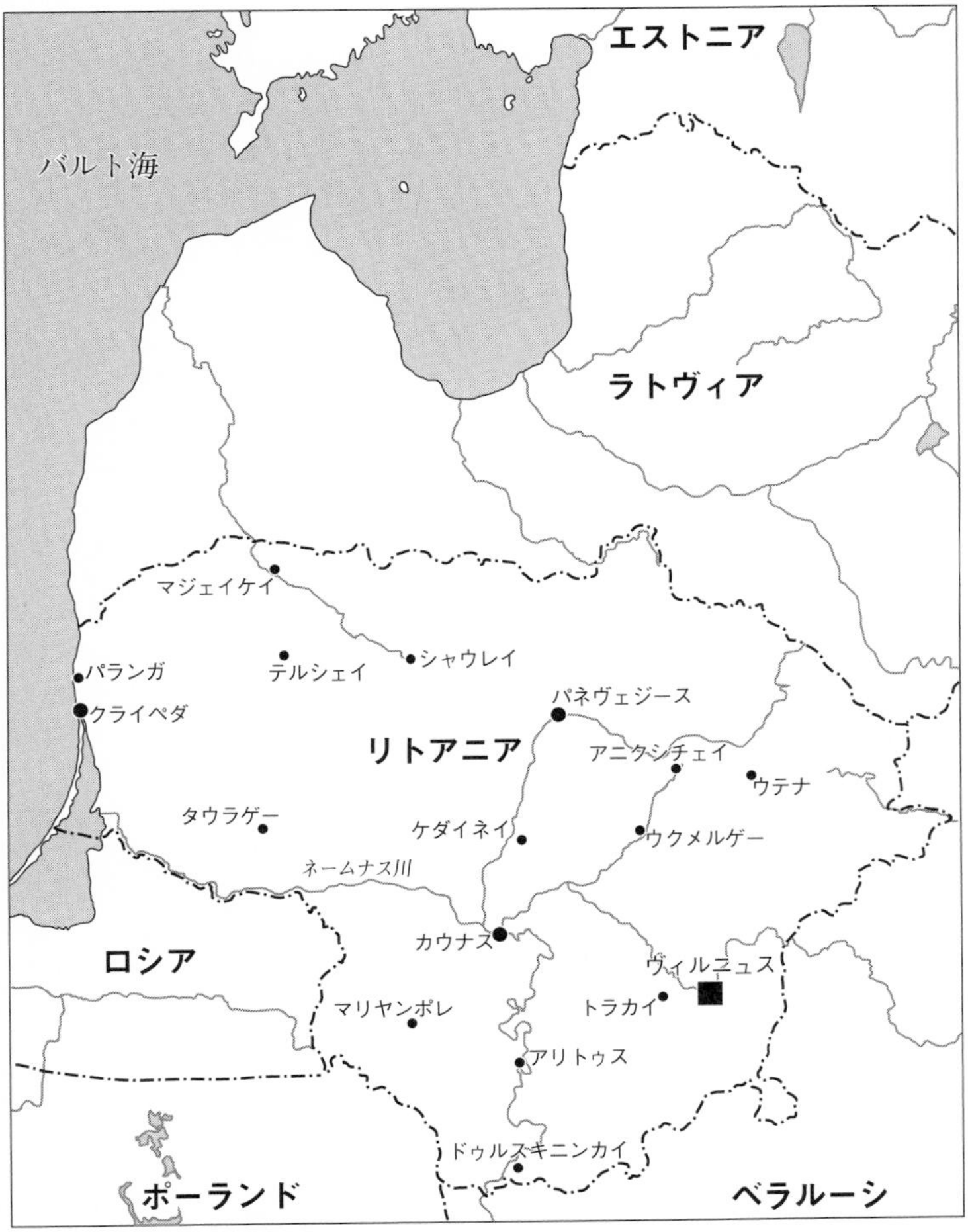

エストニア
バルト海
ラトヴィア
マジェイケイ
パランガ
テルシェイ
シャウレイ
クライペダ
パネヴェジース
リトアニア
アニクシチェイ
ウテナ
タウラゲー
ケダイネイ
ウクメルゲー
ネームナス川
カウナス
ロシア
ヴィルニュス
マリヤンポレ
トラカイ
アリトゥス
ドゥルスキニンカイ
ポーランド
ベラルーシ

リトアニア全図

I

リトアニアのあらまし

1

地理と自然

★東欧、中欧、それとも北欧？★

地理

リトアニアを含むいわゆる「バルト三国」は、これまで地政学的観点から東欧として括られることが多かった。だが、とくにソ連からの分離独立を達成して以来、東欧と見なされることに違和感を抱くリトアニア人は少なくない。確かに、地図を見れば、リトアニアの緯度は西のデンマークとほぼ同じ、経度は北のフィンランドと同じかむしろやや西に位置しており、歴史や文化を脇に置いて地理的特徴のみに着目するならば、北欧に入れても良さそうである。実際、国連の分類法では、北欧五カ国に加え、イギリス、アイルランド、アイスランド、そしてバルト三国も北欧に含まれている。一方、1989年にフランスの国立地理学研究所が発表した算定によれば、ヨーロッパの地理的中心は、リトアニアの首都ヴィルニュスの北約26キロメートルの地点にあるという。この発表はリトアニア人を大いに喜ばせ、リトアニアを中欧に入れるべきだという主張の根拠の一つにもなっている。さらに、広域的に生物地理学の観点から見ると、リトアニアの領域の南部分は中欧的地域、北部分は北欧的地域としての特徴がより顕著である。このように、東欧、中欧、北欧のいずれに入れるべきかについての議論はなかなか決着しそうにないが、裏返せば、どこにも馴染みそうでどこにも馴染まない多面性、それこそリトアニアの個性であり面白さと言えるだろう。

さて、かつて中世の時代に東欧最大の国家を築いたのも今は昔、現在のリトアニアの国土面積６万５３００平方キロメートルは、北海道の八割ほどに相当する。東西に最長でおよそ３７３キロメートル、南北に２７６キロメートルあり、やや横長の形をしている。隣接する周辺諸国は、ラトヴィア、ベラルーシ、ポーランド、ロシア（飛地のカリーニングラード州）であり、そのうち、ベラルーシとの国境線が６７９キロメートルと最長である。また、海岸線は99キロメートルであるが、バルト海に直接面している部分は38キロメートルに過ぎず、残りの部分は、南のロシア領の半島からリトアニア本土に向かって細長く伸びたクルシュ砂州に接している。海に対してより開かれた地形を持つエストニアやラトヴィアに比べて、海に直接面した海外線が短いことは、リトアニアの自然や風土により内陸的な性格を与えている。

とはいえ、リトアニアは、エストニアやラトヴィアと多くの共通した地理的特色を持っている。何よりもまず、ヨーロッパ大陸の北側の海沿いに弧を描くように広がった大平原に位置しているため、これらの国々の領域の大部分は低地であり、起伏の乏しいなだらかな平原と丘陵がその主だった景観をなしている。リトアニアの国土は、伝統的に地形に従って、西の沿岸部の低地地方（ジェマイティヤ）と東の内陸部の高地地方（アウクシュタイティヤ）に分けられるが、全体として標高差はきわめて小さい。何しろ、最も高い地点で標高２９４メートルしかないのだから、日本人の抱く「高地」のイメージとは程遠いものであることは間違いない。そう、日本のような山国から来た旅人をまず驚嘆させるのは、飛行機の窓から目に飛び込んでくる、そのあまりにも平坦な景色なのである。

リトアニアはまた、水の豊富な国である。氷河期に形成された平地の上を、大小様々な河川が蛇行しつつ緩やかに流れている。ヨーロッパ北部において最大級の可航河川であるネームナス（ネマン）川とネリス川を含めて、長さ100キロメートル以上の川は17に過ぎないが、3キロメートル以上の川を数えればおよそ4400にのぼる。これらの河川のほとんどが最終的にはネームナス川に合流し、クルシュ砂州によってバルト海から隔てられたクルシュ潟に流れ込んでいる。秋になれば海からサケやシートラウトが川に上り、ビーバーが川をせき止めて作った池には様々な種類の水鳥が棲む。かつてこの地方で重要な交通路の役割を担っていた川は、今では余暇にカヌーを楽しむ人々を呼び寄せている。

およそ6000もの天然の湖や池が点在し、沼地を含む湿地帯が多いことも、リトアニアの国土の大きな特色である。10平方キロメートルを超える大きさの湖が13あるが、中でも最大であるのはベラルーシとの国境にあるドゥルクシェイ湖で、その大きさは44・8平方キロメートルに及ぶ。また、リトアニアの湖の多くは、この地域を覆っていた氷河が溶けて後退した後に形作られたもので、その痕跡を残して細長い曲線を描いている。とはいえ、湖の起源にまつわる伝承には諸々あり、空に浮かぶ雲が地に下りて湖となった、あるいは、巨人の涙が流れ落ちて湖ができた、といった古い言い伝えは、人々の間で長く信じられてきた。

第１章
地理と自然

気　候

リトアニアは北緯53～57度に位置している。たとえば、首都ヴィルニュスの北緯54度は樺太北部と同じだから、日本と比べればかなり北にある。北国リトアニアの夏は涼しく短い。長い冬の訪れとともに、川や湖が凍りつき、森や野原は白い霜に覆われる。雪は毎年11月上旬から3月下旬にかけて降る。しかし、バルト海のもたらす海洋性気候のおかげで、リトアニアは高緯度に位置する割には冬の寒さが厳しくはなく、比較的穏やかな気候に恵まれている。年によってはマイナス40℃前後まで下がる冬もあるが、平均最低気温はマイナス５℃前後である。ただし、さほど大きくはないこの国の中でも、西部と東部の間で気候はかなり異なる。全体として東に向かうほどに寒暖の差が激しい大陸性の気候となるが、その一方で、海からの風が雨や嵐を運ぶため、降水量は年間を通じて西の沿岸部が上回る。

自　然

リトアニア人に国のイメージを表す色を問うと、ほどなく緑色という答えが返ってくる。リトアニアの国旗を彩る三色の一つである緑色は、リトアニアの自然を象徴するという。じつに、古来リトアニア人の生活・文化と密接な関係にある緑豊かな森林は、陸地のおよそ三分の一を占めている。とりわけ南部は森林の占める面積の割合が高く、人々の暮らしは、森で採れる蜂蜜、キノコ、ベリー、ハーブなど森の恵みによって支えられてきたといっても過言ではない。森に生える樹木の構成も地域によってかなり異なり、たとえば、マツは砂地の南部に、モミは鬱蒼とした暗い森が広がる西部に、また、広葉樹は肥沃な土壌に恵まれた中部に多く見られる。また、キリスト教化以前、樹木崇拝が盛んであっ

ヴィルニュス郊外の遠景

ヴィルニュス郊外の森（いずれもギエドレ・ユンチーテ撮影）

た多神教の時代には、オークの森は神聖なものと見なされ、祭祀も行なわれる特別な場所であった。

全国に五つある国立公園をめぐれば、リトアニアの自然の多様性を実感することができる。ソ連時代の１９７４年に設立された、高地地方の東端の湖水地方にあるアウクシュタイティヤ国立公園が最も古く、これを除く四つは独立回復後の１９９１年に設立された。まず、トラカイ歴史国立公園は首都ヴィルニュスから西28キロメートルほどの、32もの湖が点在するトラカイ城周辺の一帯を含む。また、５５９平方キロメートルと面積最大のズキヤ国立公園は国の南端の森林地帯にある。西の低地地方にはジェマイティヤ国立公園、さらに西端へ向かうと、バルト海に臨むクルシュ砂州国立公園がある。これらはいずれも、国が保護・管理する自然公園であって、観光地化がそれほど進んでおらず、シーズン以外は外国人観光客の姿もあまり見られない。街からさほど離れていないところにこれほどの大自然が存在することは、私たち日本人からするとうらやましい限りである。

（櫻井映子）

2

四つの地方と小リトアニア

★個性溢れる地方の文化★

リトアニアは地方色豊かな国である。伝統的に、地形によって西の低地地方ジェマイティヤと東の高地地方アウクシュタイティヤに二分されることについてはすでに第1章で触れたが、文化面に着目した民族誌学的区分では、さらに細かく四つの地方に分けられる。北西部のジェマイティヤ、北東部のアウクシュタイティヤ、南東部のズキヤ、その間に位置する中西部のスヴァルキヤ。さらに、リトアニアのバルト海岸から、ロシアの飛び地カリーニングラード州、ポーランドにまたがる、かつてのリトアニア人居住地、小リトアニアが加えられることもある。

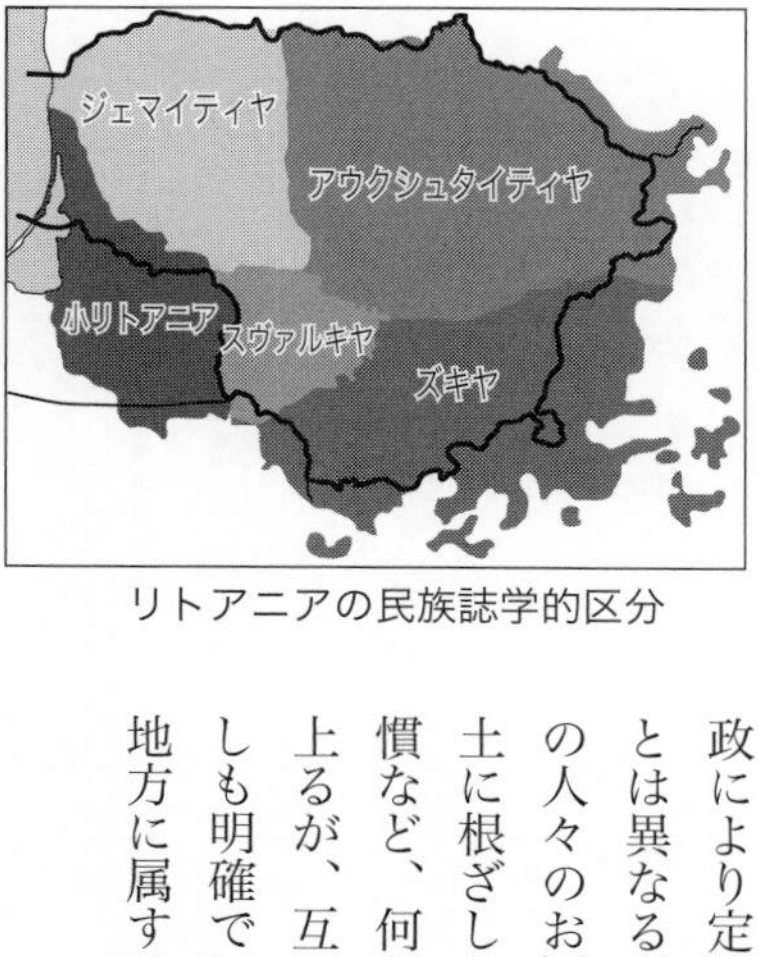

リトアニアの民族誌学的区分

これは、歴史的に形成されてきた文化区分であり、政治や行政により定められた地域区画とは異なる。それぞれの地方の人々のお国言葉や気質、風土に根ざした伝統的な生活習慣など、何かにつけて話題に上るが、互いの境界線は必ずしも明確ではなく、いずれの地方に属するか決め難い地域も少なくない。また、近年のリトアニアでは方言などの地域差は薄まりつつあり、国民の均質化の傾向が進んでいる。それでも、リトアニア人の多くはいまだに自らの地方に対する愛情や帰属意識を強く抱いており、この地方区分を行政単位として採用する案も議論されている。

ここでは、小リトアニアを含むそれぞれの地方の特色についてざっと紹介しておきたい。

アウクシュタイティヤ

アウクシュタイティヤの名を記した最古の文献は13世紀に遡り、その領域は時代とともに変遷してきた。15世紀のリトアニア大公ヴィータウタスの書簡からは、当時ジェマイティヤを除くリトアニアの地域全体がアウクシュタイティヤと呼ばれたことが伺える。それに対して、現在の民族誌学的区分によるアウクシュタイティヤという地方名は、そこからズキヤとスヴァルキヤを除いた北東地域を指す。中心都市パネヴェジースに加え、ウテナやアニクシチェイなど、幾つかの名の知れた町がある。豊かな水源に恵まれた湖水地方は、ビールの名産地として有名であるほか、19世紀に名詩『アニクシチェイの松林』を故郷に捧げたアンタナス・バラナウスカスら、リトアニアを代表する詩人や作家を輩出している。人々は陽気で進取の気性に富み、共同体意識が高いと言われる。リトアニア様式のサウナを好み、湯気に包まれながら家族や友人との憩いの時を楽しむ。

サウナ小屋

ズキヤ

ベラルーシおよびポーランドと国境を接する南東地域に位置している。13世紀の文献によれば、当時この地域はダイナヴァと呼ばれていた。ズキヤという呼称は、標準語の子音 d をこの地方の方言では dz と発音することに由来する。たとえば、「日、昼」は標準語で diena［ディエナ］だが、ズキヤの方言では dziena［ズィエナ］と発音する。リトアニア人なら誰もが知るズキヤ訛りであるが、ズキヤという地方の呼び名自体は比較的新しく、文献に初めて登場したのは19世紀のことであった。農業に適さないやせた砂地ゆえに暮らしは豊かではなく、人口密度はここで挙げた五つの地方の中で最も低い。一方で、この国で「美しい森」の代名詞になっている森林を始め、手つかずの自然が多く残されている。森でキノコやベリーを採集し、蜂を飼い、魚を釣り、この地の人々は貧しくもたくましく生きてきた。そんなズキヤ人は、明るく情熱的で逆境に強く、歌を愛することで知られる。19世紀以来リトアニアきってのリゾートである温泉街ドゥルスキニンカイは、天才芸術家ミカローユス・コンスタンティナス・チュルリョーニスを育んだ地としても有名だ。

スヴァルキヤ

ネームナス川の南に位置するスヴァルキヤは、五つの地方の中で最も小さいながら、標準リトアニア語の形成にとって重要な役割を果たした地域である。18世紀のポーランド・リトアニア分割によってプロイセン領となったこの地には、瓦屋根や樽風呂を始め、プロイセンの影響が色濃く表れた。それもあってか、厳格で勤勉な倹約家が多いと考えられている。歴史的にはスドゥヴァあるいはウジュネムネ（ネームナス川の向こう）とも呼ばれたが、19世紀末のポーランド王国時代にスヴァルキ（スヴァウキ、リトアニア語でスヴァルカイ）という県がおかれた時期に、スヴァルキヤという名称が定着した。土地は肥沃で農業の近代化がいち早く進み、他地域に先駆けて農奴制が廃止された。裕福な農家からヨーナス・バサナーヴィチュスやヴィンツァス・クディルカといった19世紀リトアニアを代表する民族復興運動の指導者たちが育った。とくに、19世紀末から20世紀初頭にかけて活躍したスヴァルキヤ出身の言語学者ヨーナス・ヤブロンスキスは、この地方の西部方言を基にリトアニア語文法を出版し、標準語の確立に貢献した。

ジェマイティヤ

国の北西地域に広がる低地地方を指す。歴史的にはラテン語のサモギティアという呼称が用いられてきた。最初にその名が文献に登場したのは13世紀のことだが、それが示す地方の領域は一定せず、歴史的に変動している。この地方に伝わる低地方言と、それ以外の地方で話される高地方言との間の違いは大きく、かつては互いに意思疎通が不可能なほどであった。低地方言に特有のゆったりと柔らかな抑揚は、概して聞く者に穏やかな印象を与える。だが、ジェマイティヤの人々の伝統を守りぬく頑固さと強靭な精神力はつとに有名で、中世には度重なるドイツ騎士団の攻撃にも怯まず戦ったことでも知られる。数世紀に渡り用いられてきたジェマイ

ジェマイティヤの紋章と旗の黒い熊

ティヤの紋章と旗に描かれた黒い熊は、住民たちの屈強なイメージに重ねられ、この地方のシンボルとして愛されている。なお、リトアニア写実主義文学の創始者ジェマイテの名はペンネームで、「ジェマイティヤ女性」を意味する。

小リトアニア

ロシアの飛び地カリーニングラード州と言えば、かつての東プロイセンとその中心都市ケーニヒスベルクを連想する人が多いかも知れない。だが、バルト海岸のリトアニアの領域から、ロシアのカリーニングラード州、ポーランドの北部にまたがる一帯には、かつてリトアニア人の居住地が広がっていた。13世紀から14世紀の初めにかけてドイツ騎士団が侵攻し征服したこの地域が、リトアニア大公国と区別して小リトアニアと呼ばれるようになったのは、16世紀初めのことである。小リトアニアでは他の地域に先んじて16世紀半ばからリトアニア語の書物の出版が開始され、リトアニア語による最初の書物であるマルティーナス・マージュヴィダスの『教理問答書』、クリスティヨーナス・ドネライティスによる優れた叙事詩『四季』を始め、最初期のリトアニア語による重要な文献の数々が誕生した。その一方で、ドイツ化は時を追って確実に進んだ。そして、小リトアニアの大半がソ連の領土と化した第二次世界大戦後、この地のリトアニア人はドイツ人とともに姿を消すこととなった。（櫻井映子）

3

首都と主要都市

★東から西への旅★

本章では、東から西へたどりつつ、リトアニアの四つの主要都市を巡ってみたい。国の南東に位置する首都のヴィルニュス、第二の都市であり臨時首都でもあったカウナス、北部の中心都市シャウレイ、そして、西端の港にある第三の都市クライペダ。過去と現在を結ぶ旅は、緑の木立を抜けて、大平原を横切り、おだやかに波打つバルト海へと続く。

ヴィルニュス

ベラルーシとの国境に近い南東の端にある、リトアニアの首都ヴィルニュスは、他にはない独特の雰囲気を持つ街である。伝説によれば、14世紀、時の大公ゲディミナスは、都であったトラカイからヴィルニャ川とネリス川交わる谷を訪れた折、丘の上で吠える鉄の狼の夢を見た。占い師の予言に従い、ゲディミナスはその丘に城を築き、緑に覆われた麓の谷間に新たな都を開いたという。街は、ヴィルニャ川の名に因んでヴィルニュスと名づけられ、やがて強大国となったリトアニアの都として繁栄したが、その後、時代の荒波に翻弄され、幾多の戦争、占領、破壊、そして再生を経験した。支配者が変わる度に建物や通りの名は塗り替えられ、住民構成も複雑に変化した。ロシア帝国領リトアニアに生まれ、大戦間期のポーランド領ヴィルニュス（ポーランド語でヴィルノ）に学んだポーランド詩人のチェスワフ・ミウォシュは、多民族・多文化が共存したこの街を「様々な宗教が混ざり合い、交錯する、不思議な街であった」と回想している。石畳の道が迷路のように不規則に入り組んだ旧市街には、バロックを始め、ゴシックから古典主義に至るヨーロッパのあらゆる建築様式が柔らかく調和する。とりわけ教会の数とその多様さは他の追随をゆるさず、「教会の街」とも称される。ミウォシュと親交の深かったリトアニア詩人トマス・ヴェンツローヴァは、やはり若き日を過ごしたヴィルニュスを題材にした著作の中で、首都でありながら国境に近い「境界の街」、異文化交流の懸け橋たる「ダイアローグの街」としての発展の中に、その未来像を描き出している。

ゲディミナス城から見下ろしたヴィルニュス（佐久間恭子撮影）

カウナス

リトアニア第二の都市カウナスは、ヴィルニュスから北西に走る列車で1時間半ほどの、この国最大の河川であるネームナス川とネリス川の合流地点にある。街路樹に縁どられた一本の大通りがまっすぐに延び、これに沿って主だった建物が整然と立ち並ぶ、端正なたたずまいの街である。街の歴史は古く、すでに14世紀の文献にドイツ騎士団によるカウナス城攻撃に関する記録が残されている。15世紀にハンザ同盟都市として商業的に大きく発展、旧市街には当時の繁栄を今に伝えるゴシック建築群が残る。ヴィルニュスが隣国ポーランドに併合された大戦

カウナスの旧市庁舎
（佐久間恭子撮影）

間期には、首都としての機能を担った。以後、常にヴィルニュスと肩を並べるリーダー的存在であるこの街は、リトアニア人の占める割合が高く、ジャズとバスケットボールを愛する市民たちの誇りである。第二次大戦下、数千人のユダヤ人の命を助けた日本人外交官、杉原千畝ゆかりの地であることから、日本との文化交流の盛んな土地柄で、日本語学習熱も高い。また、カウナスには、20世紀初頭のリトアニアが生んだ天才画家にして作曲家、ミカローユス・コンスタンティナス・チュルリョーニスの美術館がある。ロシア帝国支配下、リトアニアの文化復興に生涯を捧げ夭折した芸術家の作品は、彼の死のわずか数年後に誕生し、やはり短命に終わった第一次リトアニア共和国の臨時首都であったこの街にふさわしく、儚くも力強い輝きを放っている。

シャウレイ

カウナスから見渡す限りの草原を北へ向かうバスに揺られて3時間、リトアニア第四の都市シャウレイは、ラトヴィアとの国境から50キロメートルほどの北部リトアニアの中心都市である。13世紀、この地に繰り広げられたリヴォニア帯剣騎士団との「サウレの戦い」における大勝利は、その後のリトアニアの目覚ましい勢力拡大の序章となった。街はラトヴィアとの交易の拠点として栄え、とりわけ織物業や皮革業がめざましい発達を遂げた。だが、19世紀には、リトアニアを支配したロシア帝国に対する武装蜂起の中心地の一つとなり、多くの人々が反乱に殉じて命を落とした。彼らの鎮魂のために近郊の丘に建てられた十字架が、今やカトリック教徒の巡礼の地となった「十字架の丘」のおこりであると言われる。街はその後もチフスの流行や大火事といった厄難に見舞われ、さらには二度の世界大戦により無残に破壊されたが、その度に再建され甦った。現在のシャウレイは、そのような過去の栄光と悲劇の記憶をよそに、北ヨーロッパらしいモダンで清潔な趣のこぢんまりとした街である。

クライペダ

シャウレイから西を目指しておよそ2時間、沿道の木々がかすかに東にたわみ、車窓から潮風を感じれば、バルト海はもうすぐである。ダーネ川の河口に位置し、バルト海からクルシュ潟にかけて広がるクライペダは、不凍港を持つハンザ同盟都市として、古くから交易の要衝として栄えてきた。街の起源はリヴォニア騎士団がこの地に城を築いた13世紀に遡る。現在はリトアニア唯一の港町として重要な役割を担っているが、古いドイツ式の木組み建築が目立つ旧市街や、夏ごとにフェリーで運ばれてくるドイツ人観光客の群れは、この街がかつてドイツ語でメーメルまたはメーメルブルクと呼ばれ、長くドイツの領土に含まれたことを想起させる。だが、リヴォニア騎士団領となる以前、かつてこの地方を含むバルト海沿岸部には、リトアニア語と同じくバルト語派に属するクロニア語を話す民族が居住していたことはあまり知られていない。この言語は16～17世紀に死滅したが、今に残るクルシュ潟やクルシュ砂州の名は、彼らクロニア人の名（リトアニア語でクルシェイ）に由来する。プロイセンとそれに続くドイツ帝国の最東端に位置した街は、第一次大戦後にリトアニアに編入、第二次大戦中に再びドイツ領となったものの、戦後は再びリトアニア人の手に還り、文字通りバルトの港として海に開かれている。

（櫻井映子）

コラム1

有形世界遺産

佐藤浩一

○ヴィルニュス旧市街歴史地区

現在リトアニア首都であるヴィルニュスの旧市街歴史地区は、1994年にユネスコの世界遺産に登録された。街のシンボルといえば、ひとつは丘の上に聳え立つゲディミナス城（正確にはゲディミナス城跡の塔）で、塔の上からは、旧市街が一望でき、観光客だけでなく、休みの日には地元の人も訪れるヴィルニュスの定番スポットである。そのゲディミナス城を下って行くと、もうひとつの街のシンボルである大聖堂広場にたどり着く。白を基調にした大聖堂と時計のある塔が映える大変美しい広場だ。ヴィルニュスの旧市街はヨーロッパでも最大級の大きさを持つ旧市街と言われており、歴史地区にはヴィルニュス大学や大統領官邸などの歴史的な建物が多く、バロック式、ゴシック式、ルネサンス式など様々な建築様式の建物や教会も多く見られる。そんなヴィルニュスも、今でこそ、リトアニア首都として認知されているが、じつは歴史的にはロシア帝国に占領されたり、ポー

ゲディミナス城と旧市街（櫻井映子撮影）

ランド領になったりと、その支配者が変わるごとに、住んでいた住民も変わって来たという事実もある。ユダヤ人やポーランド人が旧市街の人口の大半を占めていた時期もあった。その名残は、街を歩いていると見かけることもできる。

大聖堂広場（櫻井映子撮影）

○ケルナヴェ

ヴィルニュスから30キロメートルほどの距離にケルナヴェという小さな町がある。一見、町というよりは小さな村のような感じだが、実はここは以前、中世のリトアニアに首都だった可能性のある町として知られている。このケルナヴェは、14世紀のドイツ騎士団によって破壊されてしまったが、現在、城砦の後を始めとする町の遺跡が残っている。２００４年にはユネスコの世界遺産に登録され、近年、観光客も訪れるようになった。この辺りは、遺跡以外には見る物はあまり何もないが、ここでは毎年夏至祭の時と7月6日のミンダウガス大公の戴冠記念日（リトアニアの建国記念日）にお祭りが開かれ、リトアニア各地から多くの人がやってくる。ちなみにリトアニアでは毎年夏至の時は祝日になる（第53章を参照）。

○クルシュ砂州

クルシュ砂州とはバルト海とクルシュ潟の間にある細長い砂州のことで、リトアニア側からロシアのカリーニングラード州にまたがっている。その全長は合わせて98キロメートルあり、リトアニア側の領土は52キロメートルの長さに及ぶ。バルト海のモレーンの島が繋がって、現在のような細長い砂州が形成されたのは紀元前3000年ほど前と言われている。クルシュ砂州がユネスコの世界遺産に登録されたのは2000年だ。この地はリトアニアの地元では通称「ネリンガ」とも呼ばれている。ネリンガとはこの辺りの神話に出てくる少女のことで、海岸で戯れていたネリンガが砂州を作ったという神話である。ちなみに「ネリンガ」という名前は、リトアニア人の女性によく名付けられている。夏季には地元リトアニア人やロシア人、ドイツ人を始め多くの観光客が訪れる。また、この辺りでは、昔から琥珀が採れることでも有名である。

○シュトルーヴェの測地孤

シュトルーヴェの測地弧とは、19世紀にドイツ出身のロシアの天文学者、フリードリヒ・フォン・シュトルーヴェらによって、子午線弧長の三角測量のために設置された三角点群のことである。北はノルウェーから南のウクライナまで、全部で265カ所の測量点が設置され、その内の34カ所が、2005年にユネスコの世界遺産に登録された。リトアニア国内に位置する観測点は3カ所あり、北から順にギレイシャイ、メシュコニース、パリエピュカイという場所にある。

II

言　語

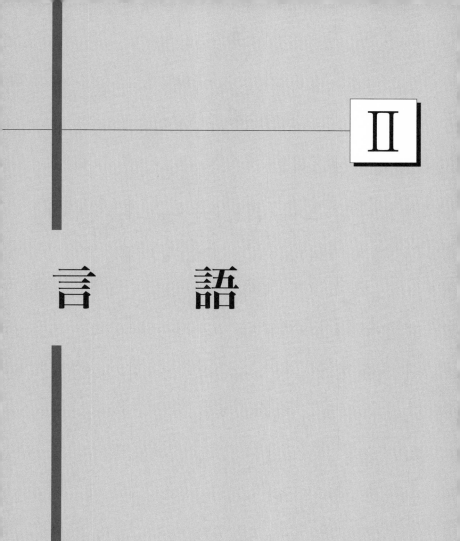

II
言語

4

リトアニア人とリトアニア語

★言語なくして民族なし★

リトアニア語の歴史について考えるとき、いつも思い出すエピソードがある。ヴィルニュス大学に留学してまもない頃、授業中に、年配の言語学者から、「日本には日本語しか話せない人がたくさんいますか」と尋ねられた。正直にうなずきながら、私は恥じる気持ちを隠せなかった。バイリンガルどころかポリグロット（多言語話者）も珍しくない国で、英語すらまともに話せないことに、コンプレックスを感じる日本人は、私だけではないだろう。ところが、彼女はそんな私を見て感慨深げに言ったのである——「日本人は、幸せですね」。

リトアニアの波乱万丈の歴史を知れば、この言語学者の言葉の真意が理解できるだろう。他民族に支配された時代、リトアニア人はそれぞれの支配者の言語を話さねばならなかった。リトアニア語が公用語として国の言語生活の中枢を担う現在でも、ソ連からの分離独立後に生を受けた若い世代はともかく、より年長の世代は完璧なロシア語を操ることができる。そのことが幸か不幸か自問する——件の言語学者は、その世代に属しているのだった。

文字通り、リトアニア人の民族的アイデンティティのシンボルとなり、リトアニアという国の存続を支えてきたリトアニア語は、ヨーロッパの諸現代語中で最も古風な言語として知られるが、かつては貧しい農民の言葉として蔑まれ、消滅の危機も経験した。周辺大国のはざまに揺れたリトアニア史はまた、リトアニア語受難の歴史でもあったが、リトアニア人の誇りと自立心は、言語学者らのこの言語の保存にかける情熱にこたえるように息を吹き返し、民族再生運動の豊かな流れとなった。

歴史を遡れば、リトアニアの名が刻まれた最古の文献が書かれたのは１００９年、統一国家となったのはそれから2世紀以上を経た13世紀半ばのことである。ヨーロッパの辺境の地であったリトアニアは、統一後、領土を東に拡大し、一時はスラヴ人の居住地を含んだ強大なリトアニア大公国となって威勢を誇った。だが、東欧最大の国家として栄えた中世後期のリトアニア大公国が、真にリトアニア人の国家であったと言えるかどうかは、意見の分かれるところである。実際、大公国における官房語はリトアニア語ではなく、古ルテニア語（古ベラルーシ語）であった。

ヨーロッパ最後の異教の地であったリトアニアが、キリスト教を受容したのは１３８６年のことである。リトアニア大公ヨガイラはポーランド女王ヤドヴィガと結婚してポーランドの共同統治者となり、この隣国との関係を強化した。さらに、１５６９年のルブリン同盟によって誕生したポーランド＝リトアニア共和国時代、リトアニアのポーランド化・カトリック化が進行し、貴族や都市住民はリトアニア人であってもポーランド語を日常的に話すようになっていた。他方、１５７９年に創立された東欧最初の大学、ヴィルニュス大学において重用されたのは、カトリック教会の言語であるラテン語であった。

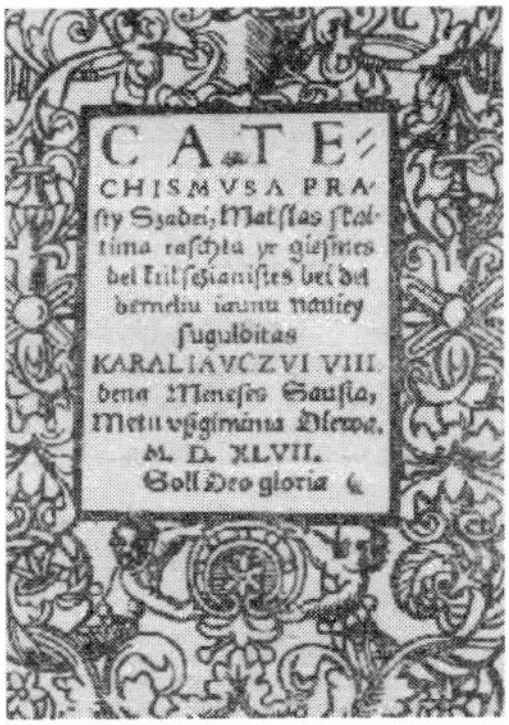

リトアニア語の最初の書物マージュヴィダスの『教理問答書』の翻訳（1547年）

政治的な諸事情により、リトアニア語による最初期の文献は、プロイセン領のリトアニア人居住区であったいわゆる小リトアニアにおいて書かれた。文語として初めてリトアニア語を使用したマルティーナス・マージュヴィダスによる新教派の『教理問答書』の翻訳（１５４７年）、ドイツ人の学者ダニエル・クラインによる最初のリトアニア語の文法書『リトアニア語文法』（１６５３年）、リトアニア古典文学の最高峰と称される、詩人クリスティヨーナス・ドネライティスの叙事詩『四季』（１８１８年）など、貴重な初期の文献が数多くこの地に現れた。なお、小リトアニアの出版物において用いられた高地西部方言は、リトアニア標準語の基礎となった。

小リトアニアに若干遅れて、ポーランド＝リトアニア共和国の一部であったリトアニア大公国でも、リトアニア語による書物の出版が開始された。大公国における初期のリトアニア語出版物では、ダウクシャの『カトリック教の説教』（１５９９年）、最初のリトアニア語辞典であるコンスタンティナス・シルヴィダスの『３言語辞典』（ポーランド語およびラテン語との対訳辞典、１６２９年）が重要である。17～18世紀にかけて、標準語形成への様々な試みが、リトアニア文化創造の中心地ヴィルニュス大学において実を結んでいった。

だが、18世紀末のポーランド分割によって、リトアニアの国土の大部分はロシア帝国領となる。強硬なロシア化・正教化政策の下、１８３２年にヴィルニュス大学が閉鎖、１８６５～１９０４年にはラテン文字を用いたリトアニア語による書物の出版は禁じられるに及び、民族再生運動は停滞を余儀なくされ、多くの学者や知識人が国を離れた。リトアニア語は農民たちの話し言葉の中に細々と守られるばかりであった。リトアニア文化活動はプロイセン領小リトアニアにおいてのみ続けられたが、ドイツ化が進行するにつれリトアニア語話者が減少、この言語が遠からず消滅の運命を辿ることは、確実視されるようになった。

ところが、19世紀後半、学問の世界で比較言語学が隆盛し、リトアニア語は、にわかに国際的な注目を集めるようになった。それに伴って、アウグスト・シュライヒャー、アウグスト・レスキーン、カール・ブルークマン、フィリップ・フォードロヴィッチ・フォルトゥナートフ、フェルディナン・ド・ソシュールら、国外の著名な言語学者がリトアニア語を研究、あるいは実地調査に訪れた（第6章を参照）。現存するインド・ヨーロッパ諸語中最も古風な言語として、国内外で学問的な資料価値を認められたという事実は、リトアニア人の誇りとなり、その後の困難な状況の下で、自分たちの言語を守り抜くための原動力となった。「標準リトアニア語の父」として今も人々に敬愛される言語学者ヨーナス・ヤブロンスキスは、『リトアニア語文法』（1901年）を地下出版し、標準語の基礎を作った（コラム3を参照）。彼が遺した「他言語を話せることは小さな誉れ、自分の言語が出来ないことは大きな恥」という言葉は、リトアニア語再生の鍵となったのが、リトアニア人自らの意識改革であったことを物語っている。

1918～1940年の独立リトアニア語共和国時代、リトアニア語は初めて国家語・公用語となり、社会的地位を保障されるに至った。だが、1940年以降のソ連邦リトアニア共和国においては、ロシア語の運用能力は不可欠なものとなり、リトアニア人のバイリンガル化が進んだ。その影響でリトアニア語が被った著しい変化は、言語学者の間では深刻な問題として憂慮されていたが、その状況もリトアニアがソ連からの分離独立をなし遂げることにより打開された。リトアニア語は名実ともに国家語の地位に返り咲いたのである。

そして現在、リトアニア語は、リトアニア共和国の国家語であると同時に、ＥＵの公用語ともなっている。人口約２８０万人のうちおよそ８割を占めるリトアニア人によって母語として話されている他、ソ連時代に移住してきた非リトアニア系住民も今ではリトアニア語習得に努めている。よく知られるように、ラトヴィアやエストニアとは異なり、リトアニアでは彼らの現地語の運用能力が市民権獲得の為の必要条件とはされていない。一方、リトアニア語は今や世界の様々な国で教えられている。日本では１９７０年代半ばに大学におけるリトアニア語教育が開始され（ちなみにこれはアジアで最初であった）、現在も東京外国語大学と大阪大学でリトアニア語を学ぶことができる。

主権と自由を保証されておよそ30年、英語からの新語を始め、現代を生きる言語ならば避けられない様々な変化をリトアニア語はどのように受け容れてゆくのか――これからも見守ってゆきたい。

（櫻井映子）

コラム2

メイルーテ・ラモーニエネ

リトアニア人の名前と名字

リトアニア人の正式な人名は、名前一つと名字一つからなり、書くときは名前・名字の順に並べる。このような現代ではごくふつうの人名の成り立ちは、リトアニアでは15世紀に遡る古い伝統を持つ。

かつて、キリスト教が導入される（1387〜1413年）以前、リトアニア人は名字を持たなかった。その頃とくに好まれたのは、古来の原始宗教に因んだ名前だった。最も起源の古いリトアニア人の名前としては、数百年来使われ続けて今なお人気を失っていない、ヴィータウタス Vytautas、ダウマンタス Daumantas、アルギルダス Algirdas、ヨーギレ Jogilė、アルギマンタ Algimanta などが挙げられる。これらの名前は、大よそ何らかの高貴な意味を表す二つの語幹からなるが、それぞれの意味は今ではよく分からないものもある。ちなみに、よく似た構造と意味を持つ名前は、かつて他のインド・ヨーロッパ語族の諸民族にも広く用いられていた。なお、このタイプの名前を短縮した、ギンタス Gintas、アルギス Algis、リマ Rima といった名前も昔から使われている。その他、後になってより起源の新しいリトアニア固有の名前も現れた。そういった名前には、たとえば、ラサ Rasa「露」、リータス Rytas「朝」、ギエドレ Giedrė「晴れ」、ヴェーヤス Vėjas「風」など一般名詞から取られたもの、ネリンガ Neringa、ニダ Nida、ヴィルニュス Vilnius など地名に由来するもの、ミルダ Milda「愛の女神」、ジェミーナ Žemyna「大地の女神」など神話に因んだものなどがある。

さて、キリスト教は、それ以前に定着して

カジース・クザーヴィニス、ブロニース・サヴキーナス編『リトアニア人名起源辞典』（1987年）（左）とアレクサンドラス・ヴァーナガス編『リトアニア人姓名辞典』上下巻（1985、1989年）（右）

いたリトアニア人の名前を大きく変えた。まず、本来はリトアニア的ではない、キリスト教に関わる名前が多く導入された。それらは長い時間をかけてリトアニア語化され、リトアニア語の体系に組み込まれた結果、今ではすっかりリトアニアらしいものとして受け取られる名前になった。たとえば、ヨーナス Jonas、ペートラス Petras、アドーマス Adomas、オナ Ona、バルボラ Barbora などがこのタイプで、現在でも人気の高い名前に数えられる。

　また、キリスト教の導入は、リトアニアに名字を名乗る習慣をもたらした。15世紀末に高貴な身分を示すものとして使われ始めたリトアニア人の名字は、18世紀末にはあらゆる社会層の人々の正式な氏名に組み込まれるようになった。まず、ペトライティス Petraitis、ヴァイティエクーナス Vaitiekūnas など、父称をもとにしてできた名字は数多くある。加えて、マジュリス Mažiulis（mažas「小さい」）、バルタキス Baltakis（baltas「白い」+ akis「目」）、ピクトゥルナ Pikturna（piktas「怒りっぽい」）、ヴィルカス Vilkas（vilkas「狼」）など、あだ名や何らかの特徴が名字となったものもある。ヴィルニシュキス Vilniškis「ヴィルニュス人」、カウニエティス Kaunietis「カウナス人」のような、地名に由来する名字もあるが、他の民族に比べて数はそれほど多くはない。さらに、ヨナイティス Jonaitis、ヴァイシュクーナス Vaiškūnas、ジュヴァリョーニス Žvalionis、ペトレーナス Petrėnas のように、-aitis、-ūnas、-onis、-ėnas といったリトアニア人の名字特有の接尾辞を持つものが目立つ。一方、ブラザウスカス Brazauskas の -auskas、リンケーヴィチュス Linkevičius の -evičius のようなスラヴ系の接尾辞を持つものもある。こうしたスラヴ的なリトアニア人の名字は、スラヴ系の名字の接尾辞を取り込んだ後、語尾をリトアニア語化することによって作られた。

ところで、リトアニア人の女性の名字は男性の名字から作られるが、伝統的に、既婚女性と未婚女性の接尾辞が異なるという特徴がある。既婚女性の名字は夫の名字に接尾辞 -ienė（または -uvienė）を、未婚女性の名字は父親の名字に接尾辞 -aitė、-ytė、-utė（または -ūtė）をつけて作られる。だが、21世紀になると、このような伝統的な名字のあり方に不満を持つ女性たちが現れ、議論を経て２００３年に法律が改正された。ヤクチョーニス Jakučionis（男性）からヤクチョーネ Jakučionė（女性）、ブドゥリース Budrys（男性）からブドレー Budrė（女性）のように、既婚・未婚の別なく男性の名字の語幹に語尾 -ė だけを付加した名字を登録できることになったのである。

（櫻井映子訳）

5

リトアニア語の概要

★インド・ヨーロッパ語族の骨董品★

リトアニア共和国の公用語であるリトアニア語は、言語学的には、インド・ヨーロッパ（印欧）語族のバルト語派に分類される言語である。バルト語派と最も近い関係にあるのはスラヴ語派である。バルト諸語のうち、今なお生き残っている言語は、リトアニア語とその姉妹語のラトヴィア語、二つのみ。ここでいう「バルト語派」、「バルト諸語」は一種の専門用語であり、同じくバルト海岸で話されている他の諸言語はこれに含まれないことに注意されたい。たとえば、同じ「バルト諸国」の一つエストニアの公用語であるエストニア語はインド・ヨーロッパ語族ですらなく、まったく系統の異なる言語である。

バルト諸語による最古の文献は、宗教改革時代（16世紀）の教会関係の文書であり、他の語派の古文献に比べてかなり年代は下るものの、非常に古い特徴をよく保存している。とくにリトアニア語は、古い屈折組織やアクセント法をよく保持しており、現存するインド・ヨーロッパ語族の諸言語の中で最も古風な言語と見なされている。比較言語学には貴重な資料を提供する言語であり、通時的側面からの研究が殊に充実している。言うなれば、インド・ヨーロッパ諸語の歴史研究に不可欠な、骨董品のような言語なのだ。

ところで、リトアニア語を専門としているというと、「ラトヴィア語と似ているか」とよく聞かれる。私の返事は、「他のどの言語よりもリトアニア語とラトヴィア語は近い」が、「互いに意思の疎通ができないほどには遠い」。ラトヴィア語は、その独自の発達過程においてゲルマン語やスラヴ語の強い影響を被っている。これと比べるとリトアニア語はより古態的であり、その諸形の多くがラトヴィア語の対応形の原型に近いと考えられている。二つの言語の基本的な仕組みは大変よく似ているが、語彙を始め異なる点も多く、互いの言語の学習にはそれなりの努力が必要だ。ちなみに、筆者はヴィルニュス大学留学中にリトアニア語を介してラトヴィア語を学んだのだが、文法構造を理解するのは比較的容易だったものの、話そうとすると語彙が混乱するという苦労を味わった。

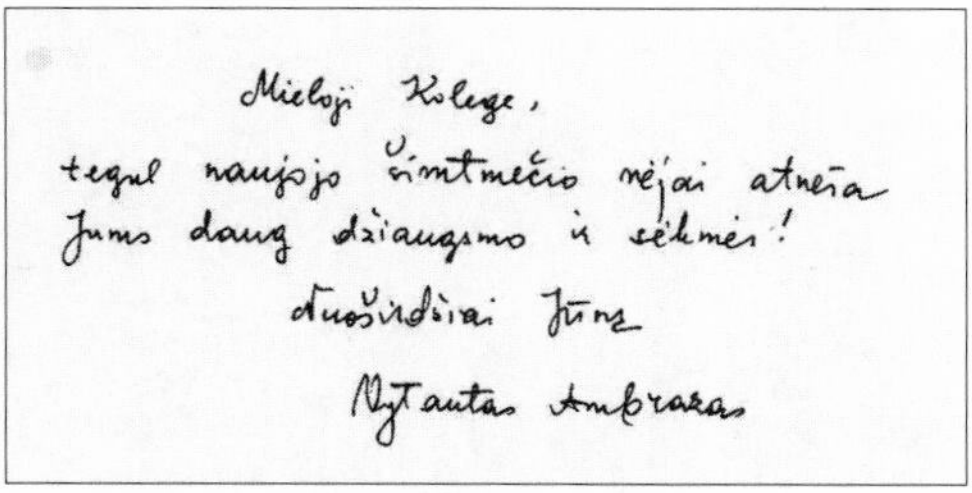
Mieloji Kolege,
tegul naujojo šimtmečio vėjai atneša
Jums daug džiaugsmo ir sėkmės!
Nuoširdžiai Jūsų
Vytautas Ambrazas

リトアニア語で書かれた年賀状

また、リトアニアではリトアニア人から判で押したように「リトアニア語と日本語のどちらが難しいか」と聞かれる。何しろ、リトアニア人の多くは「我らがリトアニア語こそ世界で最も難しい言語だ」と信じている。その一方で、「日本語も非常に難しい言語だ」という噂を聞いている。ということで、何となくライバル意識を持つのかもしれないが、そもそもどの言語が難しいか、などというのは相対的な問題であり、単純には答えられない。ともかく、リトアニア語と日本語はきわめて遠い関係にある言語であり、多くの日本人がリトアニア語を難しく感じることは間違いない。

それでは、リトアニア語に関心のある日本人の読者のために、この言語の特徴をかいつまんでお話することにしよう。

まず、リトアニア語のアルファベットは、23個のラテン文字と補助記号を添えた9個の特殊文字（ą、ę、į、ų、ė、ū、č、š、ž）、合わせて32文字からなる。

a ą b c č d e ę ė f g h i į y j k l m n o p r s š t u ų ū v z ž

文字は、基本的に1字1音を表し、綴り字の規則は比較的単純である。文字と発音に関して、日本人学習者が戸惑う点としては、まず、もっぱら長母音を示す長母音文字が8文字もあること（ą、ę、ė、į、y、o、ų、ū）。次に、英語でも用いられる文字がリトアニア語では異なる発音を表すこと。cは日本語のツの子音（たとえば、cùkrus［ツクルス］「砂糖」）、jは日本語のヤ行の子音（jū̃ra［ユーラ］「海」）、rは巻き舌のラ行の子音（rašýti［ラシーティ］「書く」）、といったところに注意しよう。その他、日本語にも英語にもない発音を表すchの説明についてはちょっと工夫が必要だが、日本人が大変驚いたり感心したりしたときに発する「ハァー」、あるいは、時代劇で家来が「ハハーッ」とひれ伏して言うときの出だしの部分の発音、と考えれば意外とうまくゆく（chèmija［ヘミヤ］「化学」）。

などと色々挙げたが、何と言ってもリトアニア語を志す日本人を悩ませる（そして楽しませる）のは、そのアクセントである。リトアニア語のアクセントは、語頭、語中、語末のどの位置の音節にも現れる自由アクセントで、名詞類や動詞類の変化語において、語の屈折変化に伴って移動する。ちゃんとした法則にのっとって位置を変えるのだが、初心者には勝手気ままにとびはねているように見える。その上、アクセントには、短母音に特有の短アクセント（`）、長母音または二重母音に特有の下降アクセント（´）および上昇アクセント（~）と3種類もある。さらに、これら三つのアクセント記号は、辞書や教科書類で用いられるが、一般の書物にはついていないので、ひたすら覚えるしかない。

また、リトアニア語は語形変化が豊富な言語の代表選手であり、非常に古風な名詞類の屈折組織を保っていることで有名である。名詞には、男性名詞と女性名詞があり、二つの数（単数と複数）、および、七つの格（主格、属格、与格、対格、具格、位格、呼格）の区別がある。ちなみに、格とは、大まかに言えば、日本語の助詞つまり「てにをは」に相当するもので、主語や目的語といった、文の中でのそれぞれの語の役割を表すものである。リトアニア語では、この格に従って語の形そのものが変化する。そして、形容詞、代名詞、数詞、分詞といった品詞類は、関係する名詞の性・数・格に一致する。たとえば、「これらの5人のよい学生たち／女子学生たち」を意味する次のリトアニア語の表現を見てみよう。

Šiẽ penkì gerì studeñtai　　Šiõs peñkios gẽros studeñtės
これら 5 よい 学生たち　　これら 5 よい 女子学生たち

男性名詞 studeñtas「学生」の複数形 studeñtai にかかる「これらの5人のよい」を意味する代名詞と数詞と形容詞は男性形だが、もしこれが「女子学生たち」なら女性形になるわけだ。

一方、リトアニア語の動詞には、基本的な時制として、現在、過去、未来がある。これらの時制形は三つの人称（1・2・3人称）と二つの数（単数と複数）を区別し、主語と文法的に一致する。これは、英語の be 動詞の人称変化と同じようなしくみと考えてよい。たとえば、動詞 kalbė́ti「話す」の現在変化の一部を挙げてみよう。

Àš kalbù.　Tù kalbì.　Jìs kal̃ba.　Mẽs kal̃bame.
私は 話す　君は 話す　彼は 話す　私たちは 話す

さて、語順については、リトアニア語は英語などと同様に、SVO（主語―述語―目的語）語順が優勢な言語である。ただし、形態変化の豊富な言語に広く見られるように、語順はかなり自由であり、文脈によってVS、OVなど多様な語順が可能。形によってそれぞれの語の文法的役割がはっきり示されるので、語順を固定しなくとも文の意味が伝えられるのである。たとえば、「学生はパスポートを持っている」という文のリトアニア語訳は、SVOだけでなく、SOV、VOS、といった様々な語順であり得る。

Studeñtas tùri pãsą.（SVO）　Studeñtas pãsą　tùri.（SOV）
学生は　持つ　パスポートを　学生は　パスポートを　持つ
Pãsą　tùri　studeñtas.（OVS）
パスポートを持つ　　学生は

また、リトアニア語の文法的な主語なし文（いわゆる非人称文）は、英語の形式主語やbe動詞に相当するものを必要としない。形容詞中性形を述語とするこのタイプの文は、日常会話でも出番が多いので覚えておこう。Įdomù「面白い」、Malonù「楽しい」、Leñgva「易しい」など、英語ならIt is interesting のように長くなるところ、リトアニア語では日本語と同じく一言ですんでしまう。

そう、リトアニア語は、リトアニアという国と同じく、日本人にとっては遠くて、けれど不思議に親しみのわく言葉なのだ。最初は難しく感じるかも知れないけれど、慣れるにつれて面白く、楽しく、易しくなることうけあいですよ！

（櫻井映子）

コラム3　ラムテ・ビンゲリエネ

ヨーナス・ヤブロンスキス
——リトアニア語の救急救命士

ヨーナス・ヤブロンスキス（1860〜1930年）は、リトアニア語規範文法の生みの親であり、「標準リトアニア語の父」と呼ばれる人物である。

1881年にマリヤンポレのギムナジウムを優秀な成績で卒業したヤブロンスキスは、1881〜1885年にかけてモスクワ大学で古典文献学を学んだ。当時のリトアニア知識人の多くがそうであったように、ヨーナス・バサナーヴィチュスによる月刊誌『夜明け《アウシュラ》』に触発され、次第にリトアニア民族復興運動に傾倒するようになった。また、モスクワ大学ではフォルトゥナートフに師事した。リトアニア語の価値を高く置き、現地で資料収集も行なった高名な言語学者は、ヤブロンスキスの将来に多大な影響を与えたという。

ヨーナス・ヤブロンスキス

モスクワでの学業を終えたヤブロンスキスは、ラトヴィア、エストニア、ロシアなど様々な国で教師としての経験を積んだ。帰国後は、リトアニア語の新聞社に勤める傍ら、密かにリトアニア語を教えた。リトアニア独立後の1922〜1926年にはカウナス大学の教壇に立ち、熱意溢れる優れた教師として名を馳せた。志を同じくする妻や子も仕事を手伝い、家には常にリトアニアの知識人が集った。

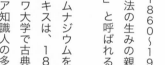

ヤブロンスキスが標準リトアニア語の規範作りの仕事に着手したのは1890年代の初めのことで、その後40年以上の歳月を費やした。1899年には友人医師と共に最初の文法書である『リトアニア語小文法』を執筆した。1901年には『リトアニア語文法』を出版したが、当時のリトアニアではロシア皇帝令によりラテン文字を用いたリトアニア語による書物の出版が禁じられていたため、本名は出さずにペンネームを用いた。これは、高地リトアニア語カウナス方言を標準語の基礎に定め、標準語と方言の関係についても論じた、画期的な文法書であった。

ヤブロンスキスの最も重要な仕事は、1919年にやはりペンネームによって書かれた『リトアニア語文法』である。これは、高等教育機関およびリトアニア語教師向けに執筆された教科書の中でも、最も包括的かつ網羅的な規範文法の一つに数えられる名著であり、今なお影響力を失っていない。この著書の中でヤブロンスキスが提案した基本的な文法用語——たとえば、単数・複数という数や主格・対格などの格の名称の他、時制や法、品詞の名称、主語・述語といった概念のリトアニア語訳——は現在の文法書に引き継がれている。

その他、リトアニア語研究・教育にとって意義深いヤブロンスキスの貢献としては、他に『リトアニア語統語論』（1911年）が挙げられる。また、『格と前置詞』（1928年）は、言語学史上初めてリトアニア語の格の意味と用法を説明したものであった。また、ヤブロンスキスのすべての著作において、リトアニア語の話し言葉、民話、文学作品から取られた例文が豊富に用いられていることも特筆に値する。

ヤブロンスキスはまた、標準リトアニア語の規範を定めるにあたり、当時のリトアニア語に多く含まれた他言語の影響を極力排し、それらに代わるリトアニア語らしい表現や新語を考案した。たとえば、月曜日・火曜日といった曜日の呼び名、未来・過去、マッチ、葉書、鉛筆、影響、裁判、教科書など、導入した語彙は多岐にわたる。また、文学作品の翻訳や編集、辞書の編纂などの仕事を通じて、リトアニア語の規範を定着させることに情熱を注いだ。さらに、リトアニア語の諸方言の語彙を収集し、方言研究にも大きく寄与した。

生前のヤブロンスキスは、すでに標準リトアニア語の確立に貢献した言語学者として、絶大な信頼と尊敬を勝ち得ていたにもかかわらず、終生謙虚な姿勢を貫いたと言われる。口癖は「私は学者などではない、ただの救急救命士に過ぎない」であった。

（櫻井映子訳）

ヤブロンスキスの肖像が使われた５リタス紙幣

6

印欧諸語比較言語学とバルト語学

★バルト諸国の研究者たちの貢献★

ロンドンからインドのカルカッタに高等裁判所判事として赴任していたイギリス人W・ジョーンズ（W. Jones）は、同地でのアジア研究会において『インド人について』と題する記念講演を行なった。その中でジョーンズは、インドの古代の聖典の言語であるサンスクリットと西欧の古典ギリシア語やラテン語との間に驚くべき類似点を「発見」したと報告した。1786年、インド・ヨーロッパ語（印欧語）比較言語学誕生の瞬間である。その後、ヨーロッパの大半の言語とインドおよびイランの言語が、ジョーンズが直感的に共通の源（common source）と想定した「印欧祖語」の下に次々と組み込まれ、19世紀ドイツの印欧語比較言語学者であるF・ボップ（F. Bopp）、A・シュライヒャー（A. Schleicher）、K・ブルークマン（K. Brugmann）などによる比較文法の構築を経て、20世紀初頭には、印欧語比較言語学は体系的にはほぼ完成を見た。

20世紀入ってからも、新資料の発見・解読などで比較言語学界が沸き立つ中、「未解決の問題」もまたそれぞれに急展開を見せることになる。印欧祖語のもとに「語族」として束ねられた印欧諸語は、「語派」という下位単位によってより親近性のある言語ごとにさらに束ねられた。20世紀中頃においては、10〜12の「語派」が数えられていた。ただし、すべての語派が印欧祖語の分裂後に一斉に独立したとは考え難く、分裂後もしばらく共通祖語の時代を共有したと推測される語派グループもあった。そんな中で、「バルト語派」と「スラヴ語派」が、果たして印欧祖語分裂後も「共通祖語」の状態で存在したか否かの問題が、20世紀を通じて残った（以下、賛否両論を含めて「バルト・スラヴ問題」とも呼ぶ）。

そもそも二つの語派が「バルト・スラヴ語派」として正当に印欧語族の中に位置づけられたのは、シュライヒャーの『印欧語比較文法要説』（1861〜62年）が最初であった。シュライヒャーはスラヴ諸語とリトアニア語を本格的に研究した最初の印欧学者であったと言われる。彼は、その「系統樹理論」に基づいて、印欧祖語分裂の後もいくつかの語派が親近性を保って「共通祖語」時代を共有していたと考えていた。その一つが、「バルト・スラヴ語派」である。この考え方はブルークマンにも踏襲され、浩瀚な『印欧語比較文法概要』（Ⅰ—1、1897年、§13）および『簡約印欧語比較文法』（1904年、§10）において「8項目の共通点」が具体的に挙げられた。しかし、これがその後の「バルト・スラヴ問題」論争の大きい火種となった。

フランスの印欧語学者A・メイエ（A. Meillet）はブルークマンの『簡約印欧語比較文法』のフランス語版（1905年）の監修者の一人でもあったが、同書にも翻訳されて挙げられた「8項目の共通点」に敏感に反応して、直ちにそれらはすべて「バルト・スラヴ共通祖語」の証拠とはならず、両語派の長期にわたる「平行発達」あるいは「共通改新」の産物であると反駁した。

メイエの強力な反対論の出現に意を得て、立て続けに反対論者が名乗りをあげ、その反動として新たな賛成論者が名乗りをあげるというように、論争はますます激化してきた。こういった状況の中で、以下では、「バルト・スラヴ問題」に対するリトアニア人とラトヴィア人のバルト言語学者の貢献に焦点を絞って紹介する。

J・エンゼリーンス（J. Endzelīns）は、「バルト・スラヴ問題」に対するラトヴィア人としての最初の発言者である。彼の見解では、両語派間の類似点は共通祖語時代に由来するのではなく、語派分岐後の一時期に形成された「言語共同体」時代に起源を持つものである。その意味ではブルークマン流の「共通祖語」にもメイエ流の「平行発達」にも与しない第三の主張（この主張は、著書『スラヴ・バルト試論』（1911年）において到達した結論であり、決して単純に「折衷論」では片づけられない深長な主張である）であって、追随する研究者も少なくない。

リトアニア人バルト語学者は概して「バルト・スラヴ共通祖語」の考え方に根強い反対の立場をとっている。そのこと自体、「バルト・スラヴ問題」を容易に終結させない逆説的な貢献であると言えるかもしれない。そういったリトアニア人学者の急先鋒に立つと考えられるのが、私見では、A・クリマス（A. Klimas）である。

クリマスは、リトアニア出身ではあるが、バルト語学者としての活躍は米国においてである。後で紹介するA・サリースもまた米国におけるリトアニア人バルト語学者の草分けである。さて、クリマスは、「バルト・スラヴ問題」に関して、2編の長論文（英文）を季刊誌「LITUANUS」（Lituanus Foundation, Inc., Chicago, Ill.）に寄せている。「バルト・スラヴか、あるいはバルトとスラヴか？——バルト諸語とスラヴ諸語の関係」（同誌、1967(Vol.13, No.2)）および「バルト・スラヴ再考」（同、1973 (Vol.19,

No.1)）の2篇である。いずれも内容盛り沢山で勢い余って本来の趣旨を逸脱するほどである。前者では、著名なハンガリー人印欧語学者O・セメレニー（O. Szemerényi）が論文「バルト・スラヴ統一体の問題」（1957年）で挙げた14項目の「最も重要な改新」に対して、クリマスの師でもあるA・セン（A. Senn）の反駁（1966年）に拍車を掛けるとともに、とりわけクリマスは、セメレニーのバルト語の素養自体を疑っている。そして反対論の立場から、19項目の「両語派間の重要な相違」を挙げて意気盛んである（クリマス自身、初めての試み、とある）。後者では、リトアニア人言語学者S・カラリューナス（S. Karaliūnas）の100ページに及ぶ長論文（1969年）において展開される、バルトとスラヴとゲルマンの3語派が、譬えは悪いが「三角関係」のようにそれぞれ2語派間の「言語共同体」を形成しては解消するダイナミックな理論を推奨する一方、情報提供の目玉として、リトアニア人言語学者A・サリース（A. Salys）が1969年にシカゴで行なった講演「バルト語とスラヴ語の発達における相違点」（残っている講演原稿とハンドアウト（次の注参照）から判断して講演は、おそらく、リトアニア語で行なわれた）の詳細な内容を英文で忠実に「再現」しており圧巻である（クリマスは、サリースの講演が速やかに印刷出版されないことを恐れて、当日配布されたハンドアウトと講演メモをもとに再現したと注記している。なお、1969年のサリースの講演原稿とハンドアウトが著作集第3巻（Roma, 1985）pp. 343-352, pp. 527-531. に収録されていることが、本章執筆の過程で判明した）。とりわけ貴重な資料として、サリース作成の「バルト・スラヴ問題」論争史のリスト（1960年代まで）がある。研究者名に発言の典拠となる論著の出版年が付され、賛成論者、反対論者がそれぞれ列挙されているだけの、一見、無味乾燥な一覧表示に過ぎないが、じつに便利な基礎資料であるので、本章の最後に再掲しておく。

賛成論者（exponents）：A. Schleicher (1861), J. Hanusz (1886), K. Brugmann (1897), W. Porzeziński (1911), J. Rozwadowski (1912), A. Brückner (1914), A. Šachmatov (1915), R. Trautmann (1923), A. Sobolevskij (1924), F. Specht (1934), J. Kuryłowicz (1934, 1956, 1957, 1958), T. Lehr-Spławiński (1946, 1958), T. Milewski (1948), O. Szemerényi (1948, 1957), A. Vaillant (1950, 1955, 1957), J. Otrębski (1954, 1958), M. Leumann (1955), P. Arumaa (1955, 1963, 1964), N. van Wijk (1956), V. Georgiev (1958), W. Ernitz (1958), V. Kiparsky (1958), E. Dickenmann (1958), P. Trost (1958);

反対論者（opponents）：J. Baudouin de Courtenay (1903), A. Meillet (1905, 1908, 1922, 1925, 1934), J. Endzelīns (1911, 1923, 1931, 1951, 1952), K. Jaunius (1908), K. Būga (1910, 1913, 1922, 1924), G. Bonfante (1935), Ch. Stang (1939, 1957, 1963, 1966), A. Senn (1941, 1954, 1966), E. Fraenkel (1950), W. Porzig (1954), A. Salys (1955), W.K. Matthews (1957), I. Lekov (1958), L. Bulachovskij (1958), B.N. Gornung (1958, 1963), J. Loja (1961), F.P. Filin (1962), A. Klimas (1967), S. Karaliūnas (1968).

ここに掲げられた各論者の論点を辿り、さらに70年代以降の論争の動向を探ったのちに、論争の新たな展開ないし終結が得られようが、もはや一研究者の手に余る問題になっているのかも知れない（筆者は早々にこの問題から退却した）。

なお、このリストに戦後リトアニア最高のバルト語学者V・マジュリス（V. Mažiulis）の名が含まれていないことには重大な意味がある。サリースもクリマスも、マジュリスの立場と見解について慎重に紹介しているが、一筋縄では論評できない議論であることだけを、付記しておく。

（井上幸和）

7

言語政策

★リトアニア語を守り育てるために★

リトアニアが世界に誇るものは何かと問われたら、リトアニア人の多くがバスケットボールを挙げるだろうが、他にもう一つ、古くからこの国のシンボルと見なされてきたものがある。リトアニアの名を世界に知らしめ、この国を紹介する際には必ず言及されるもの――それはリトアニア語である。

ゆえに、リトアニアが独立回復への第一歩を踏み出した１９８８年、新たに復興する国家の言語生活におけるリトアニア語の地位の回復は、真っ先に掲げられた目標のうちの一つであった。独立を回復するや、きわめて短期間で国家語政策の法的基盤が築かれ、言語に関する計画、管理、保護の役割を担う機関が設けられた。この時期に、独立国家と市民社会を統括するためにリトアニア語は不可欠な存在である、という認識が社会に急速に浸透した。

リトアニア語は、インド・ヨーロッパ諸語中でも最も古風な言語の一つとして重視され、国内外のインド・ヨーロッパ諸語およびバルト諸語の研究の拠点において研究されてきた。だが、そもそも20世紀まで、リトアニア語は国家語の地位とは無縁であり、国の統治は他の諸言語によって行なわれていた。また、20世紀の独立によって得られたリトアニア語の国家語・公用語としての地位は、他国による占領によってわずか数十年で失われたのである。

20世紀、リトアニア語にとって急務の課題は、言語政策と言語法の基盤の構築であった。1922年、リトアニア共和国議会（セイマス）によって可決された同国憲法には、「国家語はリトアニア語である」と書かれていた。この憲法には言語政策に関する特別な条文がなく、他の法律や省令によって、出版、ラジオ、教育・研究機関などの公的な領域における国家語の正確な使用が定められた。言語政策に関わる事項は、分野別に各省庁および他の国家機関によって管理されていた。

ソビエト占領期には、リトアニア語は母語として使用されていたが、国家語の地位は有さず、公的な場ではロシア語の方が優先されることもままあった。リトアニア語の地位は、まさに、リトアニアという国家の存亡と結びついていた。独立回復に向けた歩みの第一歩として、とりわけリトアニア語の法的地位の確立が重視されたのは、そのためである。1988年、リトアニア改革運動「サーユディス」の設立集会において、リトアニア語を国家語と認定する決議が採択された。同年11月18日には、当時の憲法に条文が追加され、リトアニア語は「国家と公的機関、教育、文化、科学、製造等に関わる諸施設、企業、団体において」使用されるものと修正された。リトアニアにおいて、リトアニア語はロシア語と同等の地位を与えられたのである。

独立回復後、リトアニア語は再び国家語の地位を取り戻した。それは、1992年に制定されたリトアニア共和国憲法において条文化された。また、2004年にはリトアニア語は欧州連合の公用語の一つに加えられた。それにより、欧州連合の諸機関において、公的な文書類はリトアニア語に翻訳され、リトアニア語による用語も整備されることとなった。

１９９５年１月31日、リトアニア共和国議会において国家語法が採択され、リトアニア語は公共活動および国家の統治において用いられる言語となった。リトアニアの言語政策の特徴は、何よりも、公共報道機関（新聞・雑誌、テレビ、ラジオなど）、書籍やその他の出版物、および、公的文書に適用される言語の正確性の要件が、法律において定められていることである。

１９９０年のリトアニアの独立回復後、国の言語政策の諸問題を解決するための主要機関である、国家リトアニア語委員会（ＶＬＫＫ）が設立された。リトアニア議会によって指名されたリトアニア語委員会の委員は、国家語に係る法律の施行に伴う様々な諸問題を解決するいわゆる言語議会を構成する。法的および行政的に国家語を保護すること、すなわち、言語の正確性の規範を定め、法律や科学関連の用語類を整備し、公的な場における国家語の使用状態を管理することが、彼らの任務である。

この１９９０年を、リトアニア語の管理体制が確立された年と見なすことができる。この年、国や自治体の諸機関を始め、リトアニア共和国のあらゆる施設、企業、団体等における、国家語法および国家リトアニア語委員会の決議の遵守を監視する、国家語管理局が設立された。

リトアニア語を改善し保護する役割を担っているのは、この目的のために設立された国家機関だけでない。リトアニア語リソースの蓄積、学術研究、および、その普及にあたる施設の中でも最も重要なものの一つが、リトアニア語の博物館たる活動を展開するリトアニア語研究所である。リトアニア語研究所では、リトアニア語の基礎を紐解く言語学研究が蓄積されている。２００２年には、数世代に渡る言語学者らによって１００年もの年月をかけて編纂された、20巻に及ぶ大辞典『リトアニア語辞典』が完成した。

リトアニア語とその諸方言は、様々な国の学者によって研究され、記述されている。その研究の裾野は、世界地図の上で、近隣諸国から海を隔てた日本、オーストラリア、米国にも広がっている。インド・ヨーロッパ諸語を対象とする伝統的な比較言語学の拠点においては、現在もなお、リトアニア語研究が続けられている。国外ではとりわけヨーロッパを中心に、大小様々な40もの研究機関において、リトアニア語あるいはバルト諸語とその文化の研究と教育が行なわれている。リトアニアは、国を挙げてこれらのセンターの開設と活動を支援している。毎年、20世紀に活躍した言語学者ブーガの名を冠した奨学金が、国外の高等教育機関でリトアニア語を学ぶ学生たちに付与されている。

また、国はリトアニア語の学習とその普及に最大限の努力を払っている。まず、国外移住者の増加に伴い、外国に暮らす子どもたちがリトアニア語およびその文化との繋がりを失うことのないよう、国外でもリトアニア語を学ぶことができる環境づくりを支援している。また、国内の少数民族学校におけるリトアニア語の学習を強化することにより、少数言語話者も公的生活に参加し、教育の機会を与えられ、必要な情報を収集し、交流することができるように努めている。

リトアニア語の将来に関心を寄せる人々により、リトアニア語協会やリトアニア語保護協会といった団体も組織されている。毎年、リトアニア語の口述筆記コンクールを始め、カリグラフィーや情報技術の分野における正確な言語使用など、リトアニア語能力を競うコンクールが開催されている。また、年ごとに、最も正確なリトアニア語で書かれた本、最も美しいリトアニア語の名称を持つ会社、最も美しいリトアニア語の単語などが選ばれている。こうしたリトアニア語のための各種コンクールやイベントは枚挙にいとまがない。

公的な領域での言語政策の問題には、現在きわめて多くの関心が集まっている。政治的および学術的な議論やメディアにおいてしばしば取り上げられているのは、今日の言語政策にとって重要なことは何か、また、言語の未来はいかにあるべきか、といった問題である。ヨーロッパの他地域と同様にリトアニアでも、言語政策上の最も重要なテーマは、デジタル空間における言語生活、移住に伴う他言語環境における言語の変化、言語と情報発信の関係等に広がりつつある。言語政策の抱える課題は、今や言語に対する脅威の特定やその標準化の問題に留まらず、きわめて広範囲に及ぶ。それは、言語が国家性のシンボルあるいはイメージであると同時に、個人の文化および自己表現の一部をなすためである。リトアニア語の地位と未来は、この言語を学ぶ若者が、建築家、技術者、政治家、詩人、目指す職業は何であれ、自分自身がその創造者であり保護者であることを、理解するかどうかにかかっている。

（ダイヴァ・ヴァイシニエネ／櫻井映子訳）

8

リトアニアの中のロシア語

★「ロシア語ができますか？」★

「あなたはロシア語を話しますか？」――30年前のリトアニアの街角で、こんな問いが投げかけられたとしたら、かなり奇妙に響いたことだろう。当時のリトアニアでは、ほぼすべての住民がロシア語を理解し話すことができたのだから。１９４０年以来、リトアニアはソ連に属しており、主要な言語は当然ながらロシア語であった。その後リトアニアが独立を回復する１９９０年まで、中等教育はもちろん、高等教育の場においてさえ、ロシア語の学習は義務として課されていたのである。

だが、その後の地政学的、経済的、および、文化的な生活の大転換を反映して、近年、リトアニアにおける言語状況は変わりつつある。社会文化的背景の変容は、リトアニアの言語政策に大きな影響を及ぼした。学校における第一外国語の地位は、事実上、英語に奪われた。英語は必要不可欠な国際語・共通語となり、古くからリトアニアの学校で第一外国語として教えられてきたドイツ語やフランス語といった他の外国語は、第二外国語の地位に落とされた。１９９０年代の半ばに外国語の地位を与えられたロシア語もそれに続き、選択科目のリストに移された。ただし、数十年の長きに渡り強制されたことを考えれば不思議なことだが、近年、リトアニアの学校において、ロシア語の学習希望者の数は、ドイツ語やフランス語などの他の外国語よりも多くなっている。

ロシア語はリトアニアにおいて母語としても話されている。最近の国勢調査（２０１１年）のデータによれば、ロシア系住民の数はポーランド系に次いで２番目に多い民族的マイノリティである。そして、ロシア人を自認する住民の大部分を構成する87・２％が、ロシア語を自らの唯一の母語と見なしている。だが、それがリトアニアに住むすべてのロシア語系住民（ロシア語を唯一の母語あるいは母語の一つと見なす人々）というわけではない。ロシア人の他にも、リトアニアには、ロシア語を唯一の母語と見なす人々が存在する――ポーランド人のおよそ10％、ベラルーシ人の56％、ウクライナ人の49％、ユダヤ人の56・５％、タタール人の43％、および、その他の民族（リトアニア人は含まれない）の回答者がこれに相当する。また、二つの言語を母語とする者に関しては、その最も一般的な組み合わせはリトアニア語とロシア語であり、全体の56％を成している。

２０１０～２０１３年にリトアニアで実施された社会言語学者らによる調査では、この国において、今なおロシア語を唯一の母語とする人の数は多く、国家語であるリトアニア語に次いで二番目である。とりわけ大都市においては、住民の95％がロシア語能力を有するという。このことは、リトアニアのロシア人の85・３％が都市に住んでいるという事実に関連付けられる。リトアニアの都市の中でも、住民に占めるロシア人の割合が最も高い「ロシア的な」街と言えば、ソ連時代の最後の10年に創設された原子力発電所の町ヴィサナギス（52％）であり、港町クライペダ（19・６％）、首都ヴィルニュス（12％）がこれに続く。これらの街の住民のうち、ロシア語を母語と見なす人の数はさらに多く、ヴィサナギスは77％にも上り、クライペダは29％、ヴィルニュスは27％である。すなわち、ヴィサナギスの住民のコミュニケーションにおいては、明らかにロシア語が優勢であり、また、ヴィルニュスやクライペダでも住民のおよそ三分の一がロシア語を話せることになる。

リトアニアにおいて、ロシア語は、ロシア語系住民の家庭で用いられるだけでなく、商店、市場、公共交通機関においても用いられ、日常生活においてよく耳にする言語である。また、国家語のリトアニア語や最大の少数言語であるポーランド語と並んで、今なお教育機関における主な言語の一つである。ロシア語系住民の数が多い東部および南東部に位置するヴィルニュスおよび他の幾つかの大きな街では、親は子どもをロシア語で教育が行なわれる保育園、学校、あるいはギムナジウムに通わせることができる。

ロシア学のための教室

大学教育においては、概して、国家語であるリトアニア語が用いられているが、ヴィルニュス大学およびリトアニア教育大学には、文系の専門分野の中に、ロシア語を主な教授言語とするロシア語・ロシア文学の専門課程があり、学生はその学士・修士課程を選択することができる。他の大学の教育プログラムの中でも、とくに、翻訳、ビジネス・コミュニケーション、観光、歴史、政治に関連する専門分野において、ロシア語は選択外国語として教授されている。

ロシア語の能力は、リトアニアの労働市場における求人の募集条件にもしばしば含まれている。たとえば、「英語とロシア語の能力が重要」、「英語とロシア語の十分な知識が必要」、「ロシア語の能力は必須」といった求人情報をよく見かける。そういったロシアと結びつきを持つ企業、サービス業や観光業といった関連する業種の仕事に就く人以外にも、今なおロシア語がリンガ・フランカとしての機能を保っている旧ソ連および他のロシア語圏の国出身の親戚や友人とのコミュニケーションを目的とする人などを対象とした、社会人向けのロシア語コースも充実している。

ロシア語読者向けに発行されているリトアニアの新聞5紙は、インターネット上にロシア語によるポータルサイトを運営している（最も利用者が多いのはru.delfi.ltである）。一方、リトアニアの国営ラジオは、毎日30分間のロシア語による報道番組を放送している。また、国営テレビは、毎週末、文化情報番組である「ロシア人通り」において、ロシア人の社会生活、リトアニア人とロシア人の共有する過去の諸相、リトアニアゆかりの著名なロシア人の紹介など、様々な情報を提供している。

ほぼすべてのロシア語系の中学校や日曜学校には、それぞれ、演劇スタジオ、フォークロアのグループ、アンサンブル、合唱団などがあり、おもにロシア語の作品をレパートリーとしている。現在、リトアニアにはそのようなロシア語学校における教育活動から発展したアマチュア劇場が幾つか存在し、そこで活動している成人の劇団は、リトアニアのみならず、ロシアを始めとする他の国々でも高い評価を得ている。

また、ヴィルニュスにあるロシア劇場の舞台では、毎晩のようにロシア語の作品が上演されている。

ヴィルニュスのロシア劇場

リトアニアがロシア帝国の一部であった１８６４年に設立されたこの劇場は、今ではロシア語で演じられているリトアニア唯一のプロフェッショナルな劇場であり、ロシア語を理解する様々な国籍の観客が訪れている。

さて、件のリトアニアの国勢調査では、回答者全体の63%がロシア語を話せると回答したという。一方、欧州委員会の調査では、２０１２年の時点において、リトアニア住民のおよそ80%が、レベルはまちまちだが、ある程度のロシア語能力を有するという結果だった。それならば、ソ連からの独立回復前と比較して、リトアニアのロシア語をとりまく状況は、基本的には大きく変わっていないことになる。ロシア語の教養の幅広さやモチベーションの高さという面ではリトアニアの独立回復前とは比較にならないものの、リトアニア住民の大半は、ロシア語能力に関する問いに対して、今なお肯定的な答えを返すことができると言えるだろう。

（アーラ・リハチョーヴァ／櫻井映子訳）

9

リトアニアでポーランド語を話す人々

★歴史がつくった文化遺産★

リトアニアにおける地域的変種としてのポーランド語は、16世紀から17世紀の変わり目に形成されたという説が有力である。1569年のルブリン合同により、ポーランド王国とリトアニア大公国が統合されたため、ポーランド王国のマゾフシェやポドラシエ地方からシュラフタと呼ばれるポーランド貴族がリトアニア大公国全土に移住し始め、様々な職人や芸術家たちも行き来し始めたことがきっかけとされている。また、ポーランドのアリウス派やカルヴァン派の聖職者たちがリトアニアの大地主の領地でポーランド語を積極的に用いたこともリトアニア地域でのポーランド語の普及に一役買ったのである。すなわち、この地域色の強いポーランド語は、ポーランド王国からの入植者のポーランド語を基礎に形成されていったわけだが、同時にリトアニア語やベラルーシ語のローカルな言語変種の特徴も少なからず吸収していったのである。

リトアニア大公国で使われていた他のローカルな言語変種の要素がポーランド語の体系に組み込まれたため、リトアニア地域のポーランド語に固有の特色が見られるようになり、またそれがリトアニア大公国領内での相違とバリエーションの発展の原因ともなったのである。その独自のポーランド語変種は現在でもリトアニア、ベラルーシそしてラトヴィアに住むポーランド系住民の間で日常的に用いられている。さらに、これらの地域から第二次世界大戦後の「回復領」である現在のポーランド西部と北部地域に移住した人々によっても話されているのである。

以前、筆者はリトアニア南東部にあるトラカイという町の周辺地域の農村に住むポーランド語話者、特にその地域がポーランド領であった1920～1930年代生まれの住民を対象にフィールド調査を行った経験があるが、その地域では「私はポーランド人です」と名乗る人々のすべてが必ずしもポーランド語を流暢に話せるわけではなかった。

地域によっては「私はポーランド人です」と名乗りながらもポーランド語が満足に話せない人と出会うことも少なくなく、ポーランド語話者を見つけるのに大変苦労した覚えがある。それではポーランド語が話せないのにどうしてポーランド人といえるのかと尋ねると、「私はカトリック教徒だからです」という答えがよく返ってきた。じつはポーランド語は地元のカトリック教会での宗教行事、神父やポーランドから来た親戚や知人との会話のために使うだけで、普段は状況に応じてローカルな言語変種を使って生活しているのである。つまり、彼らにとっては「カトリック教徒＝ポーランド人」であり、必ずしも「ポーランド語話者＝ポーランド人」ではないのである。彼らは歴史的に数度の国境変更を経験しているため、国境が変更する度に変更になった公用語よりも、常に変わらなかった宗教にポーランド人としての帰属意識を求めたと考えることもできる。カトリック教徒であることがポーランド人としての帰属意識を示すための最も大切な指標になったのである。

ただし、リトアニアの場合、ポーランドと同じカトリックの国なので、人々はカトリックという宗教よりもポーランド語という言語の方にポーランド人としての帰属意識を求めた人々も多いようである。ベラルーシに比べてロシア化の影響が弱かったことやリトアニア語がポーランド語とは系統の異なる言語のため言語同化しにくい環境にあったことなども幸いしてか、ポーランド語の保存状態が比較的よい地域が多く、筆者自身も「ここはポーランドですか？」と聞きたくなるほどであった。ある村で開催されたリトアニアの祝日を記念した行事を見学に行った時、次々と舞台に登場する民族合唱団の歌がすべてポーランド語だったことは当時の筆者には大きな「カルチャーショック」で、その時のことは今でも鮮明に覚えている。ポーランドの旧東部領土は現在、ポーランド語では「クレスィ(Kresy)」と呼ばれ、民衆レベルではポーランドの伝統は今も続いており、様々な民族の言語と文化が共存する多様性に富んだ、魅力的な地域といえる。

2006年にワルシャワで出版されたJanusz Rieger, Irena Masojć, Krystyna Rutkowska編『リトアニアのポーランド語方言語彙集』の表紙

言語面における特徴についても若干触れておくと、現地のポーランド語とリトアニア語との言語接触により、とくにポーランド語の統語構造にリトアニア語の影響が指摘されている。たとえば、ポーランド語の語尾 -szy (-wszy, -łszy) で終わる分詞構造が、リトアニアのポーランド語では標準ポーランド語よりも広い範囲で用いられており、過去完了時制の機能を果たしている。研究者たちはこれをリトアニア語の能動過去分詞からの翻訳借用の

結果であるとしている。また、複数生格＋jest の構造もリトアニア語の影響によるものと見なされている。さらに、本来であれば対格を要求する若干のポーランド語の動詞が与格を要求する現象もリトアニア語の影響であるという意見もあるが、ベラルーシ語の影響とする対立意見もあり、議論は絶えない。名詞の文法性のゆれも長期にわたる言語接触による結果として指摘されている。あとは、両言語間の語彙の相互借用が多数指摘されている。多言語国家であったリトアニア大公国時代の長年にわたる言語接触の歴史がつくった文化遺産といえるであろう。

リトアニアにおけるポーランド語の役割を考えるにあたって最も大切なことは、その歴史において、リトアニア大公国領内で共存していた諸言語から様々な言語的要素を吸収してきただけでなく、独自の方法で発展し、変化し、体系の簡略化を行ない、最終的には相互作用により接触するすべての言語変種をも豊かにするものとなっていったことである。

標準ポーランド語の規範に対する評価は、現在のポーランド国内で話されているポーランド語と同じ基準でなされるべきであろう。リトアニアで使われている地域的変種は、ワルシャワやクラクフまたはルヴフで使われているポーランド語の地域的変種と比べて、勝るものでも劣るものでもないのである。これらすべてのポーランド語の地域的変種は今も生きており、常に変化しているのであり、大切なことはそれらを可能な限り詳細に記述することにあるのではないだろうか。

（森田耕司）

10

トラカイで守られるチュルク系カライム語

★大公国時代に移住したカライム人と彼らの言語★

トラカイ城

リトアニアの首都ヴィルニュス駅前のバスターミナルからバスに乗って小一時間でカライム人の居住する観光拠点であるトラカイに到着する。バスを降りて、ガルベ（Galve）湖畔のトラカイ城を目指して2キロ弱の道をぶらぶらと歩いていく。トラカイ城に達する直前に黄色や緑に塗られ、道に面した三つの窓を有する木造の特徴的なトルコ系民族の住む家々が立ち並ぶ〝カライム通り〟がある。カライム人とは、トルコ系の言語を話し、ユダヤ教の一派を信仰するリトアニアの少数民族である。トラカイは首都ヴィルニュスから日帰りで気軽に訪れ、また豊かな自然に触れることができる人気の観

三つの窓のあるカライム人の住居

カライム料理のレストラン

光地でもある。カライム通りにはカライム人の郷土料理を楽しむことができ、そこではクブン（キビナイ）と呼ばれる肉入りのパイを食べることが出来る。店の看板には、ラテンアルファベットでトルコ語とすぐに分かる単語で店の名前とトルコ風の民族衣装を描いた看板がある。

カライムという語はヘブライ語の〃読む〃という動詞に関係づけられ、ここでは「聖典をよむこと」の意味になる。カライム人の宗教は、９世紀にバビロニア（バグダッド）で成立し、広く中東に広まったとされる。タルムード等の口伝律法を認めず、ヘブライ語で書かれた旧約聖書のみに従うことを特徴としている。６００年以上もトラカイ城の地に居住してきたカライム人の歴史は、リトアニア公ヴィータウタスがモンゴル系の金張汗国（Golden Horde）へ遠征し、クリミアから３８３家族のカライム人を城の傭兵として連れてきた１３９７年から１３９８年に遡る。バグダッドからビザンツ帝国を経てハザール帝国にまで達したカライム人の宗教はクリミア半島より、今日のウクライナ西部やリトアニアにまでカライム人が居住することで広がっていった。トラカイのカライム人は１４４１年には市民権を認められ、当時の自治区を形成することが出来たとされる。それ以来、農業や園芸、家畜業や手工業に従事し、徐々に中産階級に進出するようになった。さらにトラカイから、首都のヴィルニュスやポーランドの首都のワルシャワに移住した。２００３年の統計によると２７５人のリトアニアのカライム民族共同体の中で読み書きと会話ができるカライム人は28人に過ぎないとされる。

カライム語はトルコ系言語（チュルク語）の西キプチャクグループ（カラチャイ語、クムク語、クリミア・タタール語などがある）に属する言語であり、トラカイ方言、ハリチ方言、クリミア方言の三つの方言に区別される。リトアニアで話されていることばはトラカイ方言と呼ばれる西部グループに属しており、南部グループのクリミア方言との方言差は大きい。さらに、カライム語の置かれた環境より、ポーランド語やロシア語やリトアニア語などの文法的、語彙的影響が見られる。カライム語はもともとヘブライ文字で書かれており、聖書をカライム語に翻訳した手書きの文書が残されている。旧ソ連時代には、キリル文字が使用されていた。今日ではリトアニア語の正書法による宗教書や文学作品、初学者用の文法書などが出版されており、カライム通りに面している民族博物館等で入手することが出来る。

カライム語は言語学的な観点から見ると、母語話者だけでも1億7千万人程度は存在するチュルク語の中でも相当な程度に危機的な状況にあると認められている。つまり、放置しておくと母語話者が消滅してしまうということである。チュルク語はアルタイ型特徴と呼ばれる動詞終わりの語順や語幹に次々と接辞を付加することで述語や名詞を構成していく言語で、日本語をはじめとする朝鮮語やモンゴル語と文法構造から見て類似しており、我々にとっては親しみやすい言語であるといえる。しかし、ユーラシア大陸全体に分布するチュルク語話者の9割以上がイスラム教徒である中で、非イスラム教徒であるカライム語話者であるカライム人は特異な存在である。カライム人がトルコ系であることは、言語だけでなく民族伝承の踊りや音楽、衣装、文学作品、食べ物、習慣などに触れれば容易にトルコ風であることを実感することが出来る。カライム通りに面している民族博物館に立ち寄ると、このようなリトアニアのカライム人の民族文化に触れることが出来る。他のチュルク語には見られないことばの特徴を例として示すと、カライム語の名詞にはロシア語のように文法的性を示す派生接辞（例：haver「友人」、haver-ka「女性の友人」）や形容詞と名詞間で性の一致が見られる場合がある。また大多数のチュルク語がSOVの基本語順を持つ中で、カライム語はSVOの基本語順を持つのは特徴的である。これらの特徴はスラヴ諸語やバルト諸語からの影響による結果と考えられる。じつは、上記に示したような特徴を持つチュルク語はもう一つあり、それは現在のモルドバやウクライナの一部に主に分布するガガウズ語である。ガガウズ語はチュルク語のオグズグループに属し、系統的にはカライム語とは若干距離があるが、語順や文法的性の接辞の保持などのカライム語と同じ特徴を有する。ガガウズ語はチュルク語の中では唯一のキリスト教（正教徒）の少数言語であり、周辺のイスラム教徒のトルコ人とは隔離した独自のコミュニティを形成してきたという歴史があり、カライム人の言語状況と非常に類似しているのである。このようにカライム語は長い間、同系のチュルク語と接触を断ち、周辺の系統が異なる印欧諸語の強い影響のもとに置かれてきた。ポーランドの著名な言語学者コワルスキー（Tadeusz Jan Kowalski）はこのようなカライム語のことを〝琥珀の中で化石化した昆虫〟と例えている。つまり、カライム語の単語の中には古いチュルク語の言語特徴が保存されたまま見られ、

カライム人の礼拝所

チュルク語の歴史を探求する比較言語学的観点からも大変重要な言語なのである。

カライムの人々は、自分たちのことを明確にトルコ系民族であると認識しており、また自分たちの母語が手立てを講じなければ消滅してしまうということに危機感を抱いている。１９９６年にはカライム人の手による分かりやすい実用文法書が出版され、カライム語を研究する言語学者の協力のもとで夏には定期的にトラカイの地でカライム語を学ぶサマースクールが開かれ、地元の若いカライム人だけでなく、隣国のポーランドのカライム人やカライム語に関心のある人々が参加している。

数年前にトルコ国営放送が、イスタンブルに居住するカライム人コミュニティについてのドキュメンタリー番組を作成した。同じ宗教を信じるものとして、リトアニアのカライム人と連絡を取り合い、礼拝所を中心に50名程度のコミュニティを形成しているが、当地にはもはやカライム語の母語話者は残っておらず、また以前はカライム人同士で結婚していたものの、最近はコミュニティの縮小に伴い実質上不可能になったということである。一方、トラカイのカライム人も、決して先行きは楽観できないものの、高い教育レベルと自分たちについての確立したアイデンティティ故に、各界に有為な人材を輩出している。

（栗林　裕）

III

歴　史

11

先史時代

★バルト・リトアニアからリトアニアの形成まで★

現在のバルト地域に人類が登場したのは氷河時代の最終期、今から1万2千年前頃とされる。氷河は1万4千年前にリトアニア北東・南部から後退を開始し、北東方向に退き、最終的には紀元前9000年頃エストニア東・北部から抜けた。前10500年頃、バルト海は海ではなく氷湖だったが、その後、温暖化による洪水、海面上昇と土地隆起の間断ない繰返しにより、前6400年頃までにはスカンディナビア半島とバルト海の海岸線、リトアニア南東部からカリーニングラード（ケーニヒスベルク）にかけた砂丘と河谷、氷河で削られた低い平地、多数の大小川湖沼に見られる現在のランドスケープが形成されたと考えられる。この間、プレボレアル気候期（前8000〜7100年）に温暖化によってカバノキやマツが繁茂し、それまでのマンモス、トナカイに替わってヘラジカ、クマ、ビーバー、そしてウマが現れ、各種水鳥が南から飛来し、ボレアル気候期（前7100〜5800年）に松林や落葉樹が広がってアカジカ、ノロジカ、ウサギが生息し始めた。続くアトランティク期（前5800〜2800年）には温暖化がさらに進み、これまでの動植物に加えてバルト野牛や野生豚が繁殖し、広葉樹林が広がった。

第11章
先史時代

バルト地域に最初の集落が確認できるのはマンモス時代最終段階の紀元前11～10世紀である。氷河の後退に伴い、バルト海沿岸南西部（現デンマーク、北ドイツ、北ポーランド）と南方（現ポーランド、ベラルーシ）からトナカイ狩猟民がバルト海東南部に姿を現した（前10千年紀～8千年紀）。彼らはトナカイの群れを追って前7千年紀に東バルト地域に辿り着いて定住した。彼らの故地は、西はバルト海、東はドニエプル川上流域ないしオカ河東、北はダウガヴァ川（西ドヴィナ）川、南東・南はヴィスワ川とプリピャチ川までの広域、あるいはオドラ川西、ドナウ川流域、バルカン半島に及んだとも考えられ、さらに、フィンランドやスカンディナビア北部からの移動の影響があったことも明らかになっている。この原バルト人が登場した旧石器時代（前10000～6800年）はプレボレアル期とほぼ重なるが、その文化は、西からのマグダレン・アーレンスブルク（現ドイツ、デンマーク北西部）文化、ないし南のスヴィドリ文化によってもたらされた。彼らは石器時代の最後まで狩猟・漁労と採集を主な生業としたが、中石器時代（前9千年紀末～4千年紀半ば）に温暖化でトナカイは豊かな森の動物、さらにウマに替わった。当時のバルト地域は、発掘出土品の骨・枝角、石斧・石器の有無や時代によって、スヴィドリ文化から発達した東の新石器期クンダ・ナルヴァ文化（現エストニア、ラトヴィア、北リトアニア）と西のマグレモース文化、南のネームナス文化（前3500～2500年、南リトアニア、一部プロシア）に区分される。これらの古代ヨーロッパ社会は母系制ないし男女分業が平等で、武器やウマを知らなかった。

新石器時代のバルト地域に土器がもたらされたのは紀元前5千年紀半ばとされる。ハンガリー大平原周辺に登場してヨーロッパ全域に急速に広まった線帯文土器文化（前6千年紀～5千年紀）も部分的ながらバルトに影響を与えたが、櫛目文土器文化（前4200～2000年）は東からフィン・ウゴル系狩猟民が持ち込んだ。この文化は、スカンディナビア半島中部からウラル山脈、バルト南岸部、ヴィスワ川で囲まれた地域で発達したが、多様な骨・枝角ならびに石器を特徴としており、この地域が採集文化、一部農耕文化の段階にあったことが分かる。また、前1700年頃に出現した縄文土器文化も初期農耕文化として現在のドイツ中部からポーランドにかけて広がり、バルトにも影響を与えた。

原バルト社会に大きな影響をもたらしたのはインド・ヨーロッパ（印欧）諸族の移動である。リトアニア生まれの考古神話学者マリア・ギンブタスによれば、このインド・ヨーロッパ諸族の文化形成に大きな役割を果たしたのは前5千年紀から3千年紀にかけて黒海北部で誕生・発展したクルガン（高塚墳）文化である。クルガン文化は、前3500〜3000年に中央ヨーロッパ、バルカン半島、アナトリア、イラン北部に広がり、さらに前3千年紀にはエーゲ海域、地中海東部、そしてヨーロッパ北部に到達した。この印欧諸族は前3000〜2000年頃にベラルーシ方向からバルト地域、とくにオドラ川とネームナス川、ヴィスワ川とダウガヴァ川の間の地に移動し、最終的には前2000年頃までに定住して父系制と家父長的三層社会構造、家畜と男性神を持ち込んだ。原バルト民族がこの外来の印欧諸族と混交・同化することでリトアニア人、ラトヴィア人、プロシア（プロイセン）人を中心としたバルト諸族の祖先が形成されたと考えられる。

バルト地域では、自然条件が比較的快適で、暖流による気候温暖、土壌も比較的肥沃、多数の川や湖に魚が豊富、森に多種類の獣や鳥が生息し、蜂蜜の収穫が可能なこと、木材、粘土、石、沼の鉄鉱石が豊富で、川による交通の便も良いことが農業の発達に好条件となった。原始的農業の開始は前3千年紀後半の新石器時代中期であり、焼畑が始まり、木製プラウが使用され、家畜も登場した。縄目

第11章
先史時代

文土器文化、あるいは副葬品にちなんで名づけられた戦斧《せんぷ》文化（前2900〜2400年）は、新石器時代、銅器時代、青銅器時代初期までに及ぶが、前1500年頃に大きく発達した。その広範な流布からバルト地域で牧畜・漁業だけでなく、農業が定着していたことが分かる。その後の青銅器時代（紀元前1300〜後500年）、鉄器時代初・中・後期（前800／700〜後850年）には、鉄製農具の登場（後2〜3世紀）をはじめとして農業社会が大きく展開し、初期封建的社会が成立し、9世紀以後は、良好な農地に近く交易に便利な川湖岸に聳える丘上砦・城が発達した。これらの丘砦は、その後、封建諸侯や公国の中心地となったが、13世紀以降のキリスト教勢力の侵入時には要塞の役目を果たした。

リトアニア人を含むバルト諸族に関する言及は、地中海文明の直接的影響が波及せず、キリスト教の導入が遅れたことから少ないが、タキトゥス『ゲルマニア』に、バルト海東岸住民（アエスティー）に関する記述がある（ヘロドトスが記述したネウリ人等）。古代ローマ人は琥珀を「太陽の物質」と考えて珍重し（ホーマー『オデッセイ』）、バルト海東岸を「琥珀海岸」、ヴィスワ―バルト海―ローマを「琥珀の道」と呼んだとおり、琥珀はローマとバルト間の重要な交易品だった。その一方、ローマの品物（銅、銀貨、青銅、装飾、ガラス、エナメル等）がリトアニア西部を中心にバルト地域へもたらされた。

バルトでは各集団が統一して国家を形作ることがなく、地域毎に部族が散在していたが、徐々に地域差が認められ、鉄器時代後期に差異が明確化し、6〜7世紀の東スラヴ人のドニエプル中流域への北上とも対応して、1千年紀後半には有力な部族集団が誕生する。最初の大きな集団である原フィン・ウゴル系、バルト・フィン系が北部の地域に居住したのにたいし、南部はバルト系の人々が占めた。

南のバルト諸族は東西バルト系に分かれる。西のプロシア人は青銅器時代の前1800年頃までにバルト海沿岸南部に定住していた。同じく西のヨトヴィンギア（ヤトヴィンギア）人がリトアニア南部、ベラルーシ西部、ポーランド北東の一部地域に居住した。東は、今日のラトヴィアの領域に居住したラトガリア（ラトヴィアという名のルーツ。あるいはレット）人の他、ラトヴィア西部のクロニア（クルシ、クール）人は鉄器時代初期から登場し、中期・後期にはクルゼメから現在のクライペダにかけた地域に居住した。彼らが携わった琥珀の採集・交易は西ヨーロッパでも早くから知られた。セミガリア（ゼムガリア）人は現在のダウガヴァ川河口地域から現ラトヴィア中部に早くから居住し、その東のダウガヴァ川流域にはセロニア（セール）人が住んでいた。東バルト地域のリトアニアでは、東部高地に居住するアウクシュタイティヤ人、北西低地部からネームナス川までのリトアニア中部低地に居住するジェマイティヤ（サモギティア）人が大きな集団を形成した。このアウクシュタイティヤ人とジェマイティヤ人に、隣接部族を統合して形成されたのがリトアニア人である。

7世紀には、スカンディナビア人＝バイキングがプロシアの地に要塞を築いた。サガならびに西欧の年代記には、このバイキングとデンマーク人がバルト地域へ侵入し、その王がバルト海東岸を支配してコロニーを作ったと記されている。バイキングとの戦いは11世紀半ばに終了し、その後、バルト社会に侵入したドイツ騎士団とカトリック文化によってリトアニアの有史時代が始まる。リトアニア人形成の歴史は、バイキング、フィン、ゲルマン、スラヴの周辺諸族との緊張・抗争と融合・同化を経ながら、バルト内部の諸部族の統合と再編により、10世紀以降に国家を形成し、歴史の舞台へ登場していく過程であった。バルトの先史に関する理解は、隣接した古代スラヴ、ゲルマン諸族を含めた、モザイク状のヨーロッパ古代・中世史のミッシングリンクについて考える重要な鍵となる。（坂内徳明）

12

リトアニア大公国

★異教の大国から両宗派の架け橋へ★

リトアニアはヨーロッパで最後にキリスト教化された地域である。カトリックの騎士団や司教によって支配された他のバルト海沿岸の諸部族とは異なり、リトアニアは海岸や大河川、主要交易路から離れていたことが幸いして、外部勢力の攻撃を受ける前に政治的まとまりを有し、その後も独自の国家を維持した。

リトアニアの初期の歴史については自ら残した史料が限定的で、周辺の東西キリスト教諸勢力が残した史料の断片的な記述に頼るしかなく、不明な点も多い。「リトアニア」の名が初めて史料に現れるのは1009年のことである。13世紀初め頃までには東部のリトアニア（アウクシュタイティヤ）と西部のジェマイティヤを中心に、現在のリトアニアのおよその領域でバルト系の部族が政治的にまとまっていたと考えられる。リトアニアは周辺地域に略奪や侵入を行なう一方で、13世紀前半にバルト海沿岸に進出した帯剣（のちのリヴォニア）騎士団やドイツ騎士団から、布教を名目とした略奪や遠征をたびたび受けた。初期の戦いにジェマイティヤ人とラトヴィアのセミガリア（ゼムガリア）人の連合が帯剣騎士団を破った1236年のサウレの戦いがある。異教国リトアニアへの遠征はカトリック圏の騎士たちの間で宗教的な贖罪と騎士道の修行として「人気」を博した（『カンタベリ物語』にも言及がある）。リトアニアはまた正教のルーシ諸公国との間でも相互に略奪・戦闘を繰り返した。キリスト教改宗の圧力は東西からなされたが、実際には、カトリック勢力やルーシ諸公国、さらにその東方のモンゴル・タタールの勢力も一枚岩ではなく、リトアニアやその公家内部にも内紛はあり、宗旨を超えて複雑な合従連衡の抗争を繰り返していたといえる。

およそ１２３０〜40年代にリトアニア（と現在のベラルーシの一部）はミンダウガスによって初めて国家として統合された。国内外の抗争の中でリヴォニア騎士団と結んだミンダウガスは１２５１年にカトリックとして洗礼を受け、１２５３年にはローマ教皇の許しを得てヘウムノ（現ポーランド領）の司教によりリトアニア王として戴冠した。これは形式的な改宗とも目されるが、いずれにしろ１２６３年のミンダウガス暗殺ののちは指導者も社会も異教に戻った。後述のヴィータウタスも王位を目指したが失敗に終わったため、結果としてミンダウガスは史上唯一人の戴冠したリトアニア王となった。

14世紀に大公ゲディミナス（位１３１６〜41年）が現れ、征服や婚姻を通じてルーシ諸公国のうち現在のベラルーシ方面へも領土を拡大した。これにより、国家や君主の正式な改宗以前に東方正教のキリスト教徒が国内の貴族や住民の多数を占めるに至った。ルーシ諸公国の支配・統治のために派遣されたリトアニアの公の多くも現地で正教に改宗した。また、台頭しつつあったモスクワ大公国とルーシの地やキエフ府主教座を巡って軋轢を深めていく。ゲディミナスは１３２２／23年にローマ教皇に書簡を送り、カトリックへの改宗の意志を表明し、ドイツ騎士団の攻撃停止を要求した。彼が西方からキリスト教徒の商人や職人をヴィルニュスに招いた書簡も残っている。彼は息子や娘をルーシ諸公やポーランドの諸公の子女（のちのカジミェシュ三世大王を含む）と結婚させる婚姻政策も取った。改宗をめぐる彼の真意は定かではないが、武力だけではなく外交戦術を用いて巧みにキリスト教国と関わっていたことが分かる。ゲディミナスののち、息子アルギルダスが現在のウクライナへも領土を拡大するなど、彼の子孫が大公位を継承した。ゲディミナス朝と呼ばれる。

リトアニアが最終的にキリスト教を受容したのは、長らく改宗の圧力を受けてきた騎士団からでもモスクワ大公国からでもなく、ポーランドからであった。１３８５年に結ばれたクレヴォ合意に基づき、大公ヨガイラ（ポーランド名ヴワディスワフ二世ヤギェウォ）が翌年カトリックに改宗、ポーランド女王ヤドヴィガと結婚し、ポーランドの共同統治者（王）となった。以後ポーランドではヤギェウォ朝と呼ばれる。さらに翌１３８７年リトアニアのカトリック改宗が行なわれた（当時ドイツ騎士団の支配下に置かれていたジェマイティヤ地方のキリスト教化は、リトアニア大公国が支配を回復した後の１４１３〜17年）。以前はクレヴォ合意がリトアニアのポーランドへの併合と見なされたこともあった。現在ではこうした見解は少なくなっているが、いまだに研究者間で意見に相違がある。リトアニアではこれを両君主の婚姻のみに関わる契約と見なす研究者が多い一方、ポーランドではこれを国家同士の契約であり、両国家の合同過程の開始と見なす者が多い。またこの合意でヨガイラが用いた文言、「自らのリトアニアとルーシの地をポーランド王国王冠に永遠に applicare する」の applicare（付け加える）の解釈や法的拘束力についての評価も分かれる。

クレヴォ合意後も、ヨガイラは大公位ならびにリトアニアの支配権をめぐって従兄弟のヴィータウ

地図　リトアニア大公国（13～15世紀）

出典：Alfonsas Eidintas, Alfredas Bumblauskas, Antanas Kulakauskas, Mindaugas Tamošaitis, *The History of Lithuania*, Vilnius, 2013.

タスと周辺諸勢力を巻き込んだ熾烈な争いを繰り広げたが、劣勢を見て和解、彼をリトアニア大公に任命（位1392／1401～30年）し、自身はリトアニアの最高君主と名乗った。ヴィータウタスはヨガイラから自立的にリトアニアの統治を行ない、さらに版図を広げ、「バルト海から黒海へ」と称される広大な国を築いた。黒海沿岸に居住していたタタールやカライム（カライ派）がリトアニア本土にやって来たのも彼の治世下であるとされる。彼の活躍もあってリトアニア＝ポーランド連合軍がドイツ騎士団を破った１４１０年のジャルギリス（グルンヴァルト、タンネンベルク）の戦い以降、ドイツ騎士団の脅威も減少した。それゆえリトアニア人にとって、中世、とくにヴィータウタス大公時代は黄金時代と映る。一方で、ヴィータウタス没後のリトアニアは王朝・同君連合によりポーランドとの連携を強めた。とくにリトアニア大公アレクサンドラス（ポーランド名アレクサンデル・ヤギェロンチク）がポーランド王に即位した１５０１年以降は常に同じ人物が両国の君主になり、君主がポーランドに滞在することが多くなると、リトアニア大公国では有力貴族の評議会が実質的な統治を行なうようになった。

現在リトアニアはカトリックの国だが、歴史的にはカトリック圏と東方正教圏の境界域に位置しており、東方正教の大きな影響を受けてきた。カトリック改宗後も行政用語はキリル文字の官房スラヴ語（古ルテニア語、古ベラルーシ語とも呼ばれる）で、ラテン語の使用は限定的だった。リトアニア尚書局文書や年代記などのほか、リトアニア、ルーシ、ポーランドの法とともにローマ法の影響を受けた大公国の統一法典であるリトアニア法典（１５２９、１５６６、１５８８年の三版が存在）も官房スラヴ語で書かれた。また、住民の多数はリトアニア人ではなく正教徒の東スラヴ人（現在のベラルーシ人やウクライナ人の祖）であった。こうしたことから、現在ベラルーシの歴史家はリトアニア大公国をベラルーシ国家の萌芽としてのルーシ・リトアニア国家と見なしており、両国の間にはリトアニア大公国の性格とその継承国家をめぐる論争が存在する。

（梶さやか）

13

ポーランド＝リトアニア共和国

★複合国家の盛衰★

中世以来、ゲディミナス朝（ヤギェウォ朝）の同君・王朝連合によって結ばれていたリトアニアとポーランドは、16世紀半ばにジグムント二世アウグスト（リトアニア名ジギマンタス・アウグスタス、位1529／44～72年）を最後に同家の直系男子が途絶えるのを機に、制度的な国家同士の合同を行なった。1569年のルブリン合同である。これによってリトアニア大公国とポーランド王国は「二つの国家と国民から一つの民に集められ接合された、違わぬ一つの共通の共和国」となった。同一の君主と合同の議会によって結ばれ、外交・通貨は共通である一方、別個の宮廷、官職、軍、財政、法が維持された、相互に対等な二つの国家から成る連合国家「共和国」が成立したのである。「共和国」はカトリックや正教、プロテスタント等のキリスト教のほかユダヤ教やイスラム教も含む、多宗教・多言語・多文化の大国であった。

合同の際、リトアニアは南部の三県（現在のウクライナ中部・西部の一部）などをポーランドへ譲らざるを得ず、大貴族の反対もあった。それでも合同が成立した背景には、隣国モスクワ大公国の台頭、ポーランド側の東方進出の野心に加え、16世紀初頭までにポーランドの貴族が上下の別なく享受するようになっていた政治的特権（全国議会・地方議会への参加、全国議会の立法権、国王選挙権など）を含む諸特権がリトアニアの下層貴族を惹きつけたことが挙げられる。「共和国」人口の約８％を占めた貴族は排他的に享受する政治的権利ゆえに唯一の国民（能動市民）と見なされ、国政に大きく関わった。一方、貴族特権の拡大と、西欧向け穀物増産のための農民支配の強化はポーランドに再販農奴制をもたらし、合同の過程でリトアニア大公国にも広がることとなった。

16世紀にはリトアニア大公国にルネサンスや宗教改革の動きが広まり、文化も隆盛した。ポーランドでは貴族の起源神話として古代東方のサルマチア人を起源とする説が普及するが、それに対抗してリトアニアではより高貴なローマ起源説が持ち出され、19世紀まで力を持つこととなった。また、ドイツ系都市民にルター派、ラドヴィラ（ポーランド名ラジヴィウ）家など貴族にカルヴァン派が広まり、急進的なプロテスタントの宗派も存在したが、概ね宗派的寛容が保たれた。この時期にプロテスタント・カトリック双方によって初めてリトアニア語での出版がなされた。第４章でも解説したように、最初の書物は、マルティーナス・マージュヴィダスによってリトアニア語に訳され、ケーニヒスベルクで１５４７年に出版されたルター派の『教理問答書』である。カトリック側からは、ミカローユス・ダウクシャによって『教理問答書』が１５９５年にリトアニア語訳され、ヴィルニュスで出版された。これは大公国内で出版された初のリトアニア語書籍である。ちなみに16世紀初頭には、大公国出身のフランチシェク・スカリーナによって口語に近い教会スラヴ語訳聖書も出版されている。

大公国における宗派的寛容は、熱心なカトリックであったステファン・バトーリ（リトアニア名ス

地図　リトアニア大公国（16 世紀）

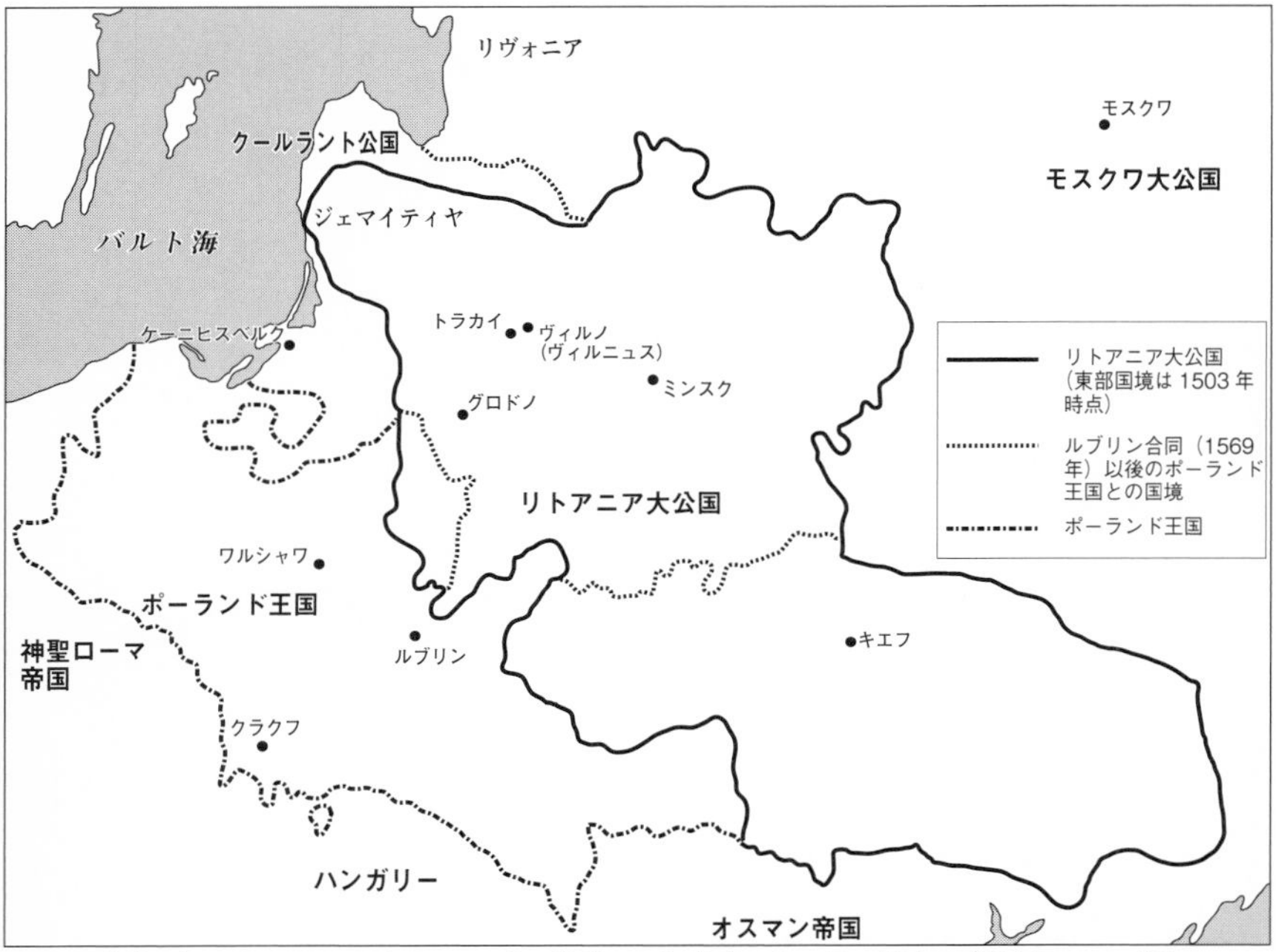

出典:イェジ・ルコフスキ、フベルト・ザヴァツキ『ポーランドの歴史』（創土社、2007 年）をもとに筆者作成。

テーポナス・バートラス、位1576〜86年）とジグムント三世ヴァーザ（位1587〜1632年）らが進めた対抗宗教改革によって徐々に変化した。1579年バトーリによってヴィルニュスにイエズス会のアカデミー（大学）が創設され、対抗宗教改革の拠点となった。同大学は18世紀後半「共和国」の教育改革によってリトアニア中央学校（大学に相当）に、1803年にロシア帝国下でヴィルノ大学になり、現在のヴィルニュス大学へと続く。対抗宗教改革は正教徒にも及び、1596年にはカトリックと東方正教会の合同（ブレスト教会合同）が行なわれ、合同教会（ギリシア・カトリック）が誕生した。リトアニア大公国では徐々にカトリックの貴族が増加し、18世紀初頭までにはプロテスタントや正教の大貴族が改宗や家系断絶で姿を消し、明確なカトリック優位に変わった。

ルブリン合同を機にリトアニア大公国の貴族には一層ポーランド語やポーランド文化が流入し、ポーランドからの入植も進んだ。大公国の官房では徐々にポーランド語の使用頻度が上昇し、１６９７年には行政用語が官房スラヴ語からポーランド語に変わった。合同後の１５８８年に編纂された第三次リトアニア法典は大公国の法的独自性を確たるものにしたが、官房スラヴ語の原典よりもポーランド語訳が用いられるようになった。リトアニアの貴族たちは、エスニックな帰属意識とは別に、リトアニア大公国の国民であるという意識を持つ一方、統合の進展によって17世紀以降徐徐に「共和国」の国民でもあるという多層的な帰属意識を持つようになったとされる。ただし、ポーランド化や「共和国」への帰属意識の度合いについては研究者の間でも見解が分かれ、「共和国」規模で活動した大貴族のみに限られるという意見もある。同時に、大公国の存在やリトアニア法典、貴族のローマ起源説はリトアニア貴族のポーランド貴族に対する独自性の根拠となり、二元的な国制は分割時まで根強く支持された。

17世紀以降、「共和国」には諸外国との戦争や、大貴族の派閥争いによる政治の停滞、国王選挙がもたらす対立と外国の介入など様々な難題が降りかかった。とくに１６４８～67年にはコサックの反乱や、ヴィルニュス占領を含むモスクワ国家のリトアニア大公国等への侵攻にスウェーデンの侵入が重なり、「共和国」は存亡の危機に立たされた（飢饉や疫病も重なって、この時期にリトアニア大公国の人口は約半減する）。その際、プロテスタントの大貴族ヨーヌシャス・ラドヴィラ（ポーランド名ヤヌシュ・ラジヴィウ）に率いられた一部のリトアニア貴族は、１６５５年に同じプロテスタントのスウェーデン軍とケダイネイで和約を結び、ポーランドとの合同の解消とスウェーデンへの合同・臣従を誓った。これが実現することはなかったが、この行為はポーランド側から「分離主義」と否定的に捉えられる一方、リトアニアではポーランドとは異なる地政学的状況・戦況におかれたリトアニア大公国の独自の動きとも捉えられる。

18世紀半ば以降、最後の君主スタニスワフ・アウグスト（位１７６４～95年）時代を中心に「共和国」では国制改革が議論された。四年議会（１７８８～92年）で成立した、ヨーロッパ初の成文憲法である五月三日憲法のもとでは、議会での自由拒否権の廃止や多数決制の導入、世襲の立憲君主政などが定められただけでなく、二元的・連邦的な国家体制の中央集権化も図られ、同憲法には「ポーランド王国」の国名しか現れない。ただし同年10月に成立した「両国民の相互保障」では、軍事・財務の中央委員会（省に相当）をリトアニア、ポーランド両国同数の委員で構成するなどの二元的な中央省庁の体制が定められ、別個の裁判制度や法が維持された。そのため、リトアニア大公国は憲法成立後も存続したと考えられる。五月三日憲法をめぐる内戦にロシアが介入して１７９３年に第二次分割が起こると、大公国出身のタデウシュ・コシチューシコが分割反対の蜂起を起こすも鎮圧され、１７９５年、ロシア、プロイセン、オーストリアによる第三次分割によって「共和国」、そしてリトアニア大公国は最終的に消滅する。

（梶さやか）

14

ロシア帝国下のリトアニア

★近代ナショナリズムの誕生★

18世紀末の分割の結果、リトアニア大公国のほぼ全域がロシア帝国領となった。ロシアのもとで、近世的な貴族を中心とした多言語・多民族のリトアニア大公国（またはポーランド＝リトアニア「共和国」）が、近代的な、全身分を含む、言語を基準としたリトアニア――リトアニア語を話すリトアニア人からなるリトアニア――へと変化を遂げていく。

とはいえ、ポーランド化したカトリックの貴族が言語や宗教が異なるリトアニアやベラルーシの農民を支配するという従来の社会構造がすぐに変化したわけではない。19世紀初頭にはヴィルノ（現ヴィルニュス）大学を中心とするポーランド的教育によって、ポーランド文化やカトリックが下層貴族にさらに浸透した一面もある。他方でヴィルノ大学は、リトアニア中世に取材した作品を残したポーランド語詩人アダム・ミツキエヴィチや、初めてリトアニア語でリトアニア史を著したシモナス・ダウカンタス、リトアニアの民衆歌謡（いわゆるダイナ）を収集・出版したシモナス・スタネーヴィチュスらを輩出するなど、初期のリトアニア文化運動においても重要な役割を果たした。

ロシア領では「共和国」再興を目指す運動が貴族によってた

地図　1815年以降のリトアニア（～1914年）

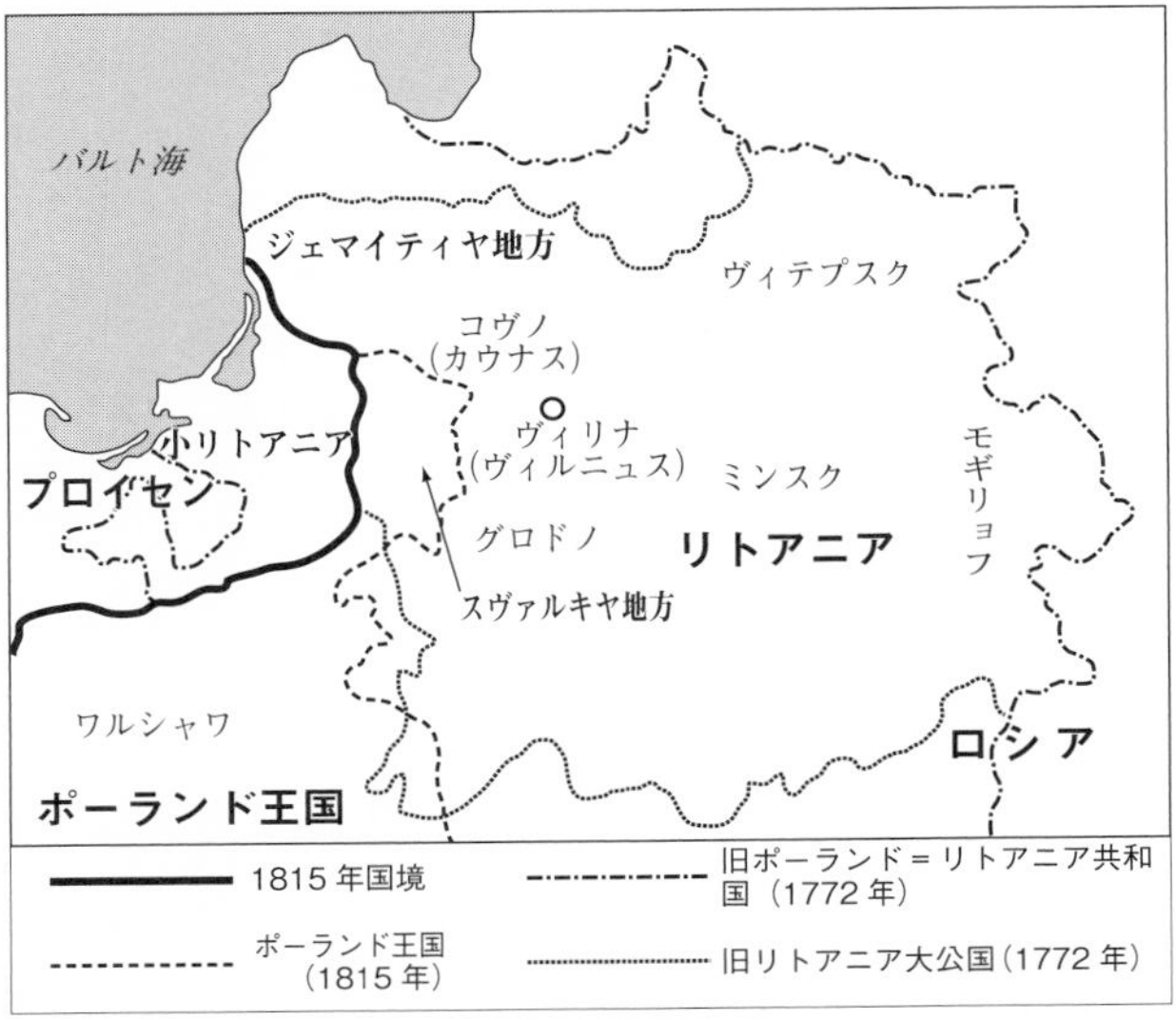

出　典：P. S. Wandycz, *The Lands of Partitioned Poland, 1795-1918*, Seattle-London, 1974, rep. 1984, pp.2, 66をもとに筆者作成

びたび起こされた。1812年のナポレオンによるロシア遠征の際、彼に「共和国」再興の夢を託したリトアニア貴族はナポレオン側について戦った一方で、ロシアのアレクサンドル一世に期待した貴族は別個にリトアニアの自治・憲法計画を練った。1830年のポーランド十一月蜂起は翌年リトアニアにも飛火した。ジェマイティヤ地方を中心に農民も参加し、「ポーランド軍団の歌」（後のポーランド国歌「ドンブロフスキのマズレク」）がジェマイティヤ語に翻案されて歌われた。同蜂起鎮圧後、ロシア政府はヴィルノ大学の閉鎖（1832年）やロシア語による教育の導入、合同教会の正教への強制的再統合（1839年）、リトアニア法典の廃止とロシア法への移行（1840年）など、この地域への統制を強めた。

1850年代半ばからロシア「大改革」の気運のなかで、高等教育機関を失っていたリトアニアにヴィルノ考古学委員会（1855〜65年）のような民間学術機関が創られた。農奴制廃止論とともに1860年代には自治・独立運動が再び高揚し、1863〜64年の蜂起（一月蜂起）が勃発する。リトアニア語やベラルーシ語などの民衆言語による政治宣伝が行なわれたほか、リトアニア語地域では貴族の部隊に加えてアンターナス・マツケーヴィチュスらカトリックの聖職者に率いられた農民が重要な戦力となった。しかしヴィルノ総督「首吊り屋」ミハイル・ムラヴィヨフが蜂起を鎮圧すると、蜂起参加者や支持者は絞首刑や流刑、所領没収などの厳罰に処され、旧「共和国」の貴族は大きな打撃を受けた。他方農民は、蜂起に対抗してロシア政府や総督が出した改訂版の農奴解放令によってロシア本土より良い条件で解放された。「共和国」再興を目指して旧領土各地の支持を得た貴族中心の独立運動はこれが最後となった。

蜂起鎮圧後、ロシア政府は、ポーランド語やリトアニア語による教区学校の閉鎖と官製国民学校の導入、教育全般のロシア語化、行政言語や公的言論でのポーランド語の禁止、没収所領のロシア人への譲渡などを行なって、リトアニアのポーランド的要素を排除し、旧「共和国」の貴族の影響力を減少させた。地方自治機関ゼムストヴォの導入も見送られた。一連の措置にはカトリックへの統制・弾圧と正教の拡大、ラテン文字でのリトアニア語の印刷・出版の禁止なども含まれた。そのためリトアニアの文化発展を阻害する側面も持ち合わせており、これらに抵抗する中で新たなリトアニア・ネイションの形成が進む。

抵抗活動の中心となったのが、リトアニア語を解する貴族が多く、農民も比較的豊かであったジェマイティヤ司教区である。カトリック教会、とくに上層部は長らくポーランド文化の牙城であったが、ジェマイティヤ司教区では、ヴィルノ司教区とは異なり、礼拝や教区学校において民衆向けにリトアニア語が用いられていた。とくに農民出身の同司教モティエユス・ヴァランチュス（１８０１〜75年）はリトアニア語で同司教区の歴史を著したほか、教区学校の増設、宗教書の出版、文化活動への援助などを通じて、教会内外のリトアニア語・文化の地位向上に努めた。また、酒類の醸造・販売を行なってきた領主と教区農民の関係変化につながる「禁酒運動」の組織化も行なった。１８６３〜64年の蜂起には反対したが、その後の「ロシア化」に対してはカトリック擁護の観点から、地下学校の創設や、小リトアニア（東プロイセンのリトアニア語地域）からのラテン文字によるリトアニア語出版物の密輸・運搬を組織して対抗した。教会の権威のもとで密輸・運搬に携わった者の多くは農民で、のちのナショナリズムにおいて英雄視されることとなる。一方の地下学校の普及は、国民学校への進学率の低さにもかかわらず、１８９７年の帝国全土の国勢調査において同司教区とほぼ重なるコヴノ県の識字率が沿バルト諸県に次ぐ高さとなったことに現れている。

また、スヴァルキヤ地方ではリトアニア語の授業が一定程度許されたことから、マリヤンポレのギムナジウムの卒業生を中心に、１８８０年代以降農民出自の世俗のリトアニア語知識人が新たに出現した。「民族の父」ヨーナス・バサナーヴィチュスや国歌を作ったヴィンツァス・クディルカらは同校の卒業生である。彼らによって、ポーランド文化を有する歴史的リトアニアとは別の、リトアニア語を話す民衆を主とした新たなリトアニアが形成されていく。それは、ポーランドとの合同、とくにルブリン合同以降の歴史を否定的にとらえる歴史観を伴った。ちなみにバサナーヴィチュスらが創刊した『夜明け《アウシュラ》』（１８８３〜86年）や、クディルカらによる『鐘《ヴァルパス》』（１８８９〜１９０５年）などの雑誌も小リトアニアで出版されてリトアニア本土へと密輸されていた。

農業社会であったリトアニアでも徐々に工業化が進み、1890年代になるとリトアニア人による政党活動が始まった。1905年革命時には政治的・社会的に様々な勢力が結集した12月のヴィルニュス大議会が民族的リトアニアの範囲での自治を要求するに至る。1904年にラテン文字によるリトアニア語出版の禁令が撤回されていたこともあり、その後はリトアニア語による新聞・雑誌の発刊やバサナーヴィチュスによるリトアニア学術協会の創設など、公共の場でも従来の高文化であるポーランド語社会との住み分けが進んだ。

だが、使用言語を基準にした新たなリトアニア・ネイションが1918年の独立までに完成したわけではない。詳細は第26章に譲るが、19世紀後半以降リトアニアのポーランド語エリートは、近代エスノ・ナショナリズムに基づいていずれかの国を選択するか、あるいは歴史的な多言語・多民族のリトアニアへの忠誠を保ち続けるかの選択を迫られ、非常に多様かつ個別的に態度を決定した。世紀転換期にも知識人の中には多言語を用いて活動する者や、使用言語をまたいだ交流が存在し、エスニックな基準に抵抗する潮流もあった。他方で民衆へのナショナリズムの浸透は独立後のことであった。

（梶さやか）

記念日から見るリトアニアの歴史的自画像

コラム4

梶さやか

ここでは、ソ連から独立後のリトアニアにおける自国史の理解、すなわち歴史的自画像について記念日から考えたい。リトアニアでは様々なレベルの記念日が法律で定められており、そのうち、とくに重要な記念日である祝日には歴史に関するものとして2月16日の「リトアニア国家回復の日」、3月11日の「リトアニア独立回復の日」、7月6日の「国家の日（ミンダウガス王戴冠の日）」がある。建国あるいは独立にまつわるものが3種類も存在するのである。記念する出来事が起きた年代順に見ていこう。

7月6日はリトアニア国家の起源として、唯一人の王であり、国家の創設者と見なされているミンダウガスの戴冠を祝う。歴史史料からは1253年7月という以上に詳細な日付は分からないが、彼の戴冠はリトアニアが13世紀にすでに西ヨーロッパと良好な関係を保持していたことを示すものとして、同国がNATOやEUへの加盟を進めた際に盛んに記念された。加盟前年の2003年7月6日に戴冠750周年記念が祝われた際にはヴィルニュス市内で王の像が除幕された。一方で西欧世界とのかかわりとは逆に、リトアニア大公国に存在した正教会や正教徒のスラヴ人、その文化はリトアニアでは周縁化されがちである。

戴冠750周年記念に除幕されたミンダウガス王像（ヴィルニュス、国立博物館前）

1990年に再建されたヴィータウタス大公像。足元にドイツ騎士団、タタール、ポーランド、ルーシの騎士を従える（カウナス、ライスヴェス《自由の》大通り）

また、リトアニアにおける中世の大公国の称揚は、ポーランドとの合同以降の近世史の軽視と一体である。通りや広場の名、銅像などを見ても、記念の対象となっているのはミンダウガスやゲディミナス、ヴィータウタスなど中世の偉大な君主であり、ポーランドとの連合時代の君主は主要な記念対象ではない。ポーランドからの独自性を保ったヴィータウタスが大公として称えられるのに比べて、ポーランドとの連合を開始し、リトアニアをカトリックに改宗して西欧世界への道を開いたヨガイラの人気は高くない。とはいえ、２００８年には、１７９１年の五月三日憲法の制定日——ポーランドでは伝統的祝日である——が、「両国民の相互保障」の公布日とともに、祝日ではないものの公的記念日に制定されるなど、最近ではリトアニアでも近世史に意義が見いだされている。

残りの独立記念日のうち、２月16日の「リトアニア国家回復の日」は１９１８年にリトアニア評議会（タリーバ）がロシア帝国からの独立宣言に署名した日を、３月11日の「リトアニア独立回復の日」は１９９０年にリトアニア・ソヴィエト社会主義共和国最高会議がソ連からの独立宣言を行なった日を、それぞれ記念する。両記念日にある「回復」という語は、リトアニア大公国から両大戦間期のリトアニア共和国を経て現在のリトアニア共和国へつながる国家の連続性を前提にしているといえる。とくに後者の記念日は、リトアニアは1940／44～90年にソ連によって不当に「占領」され主権を失っていたが、法的な国家の正当性は——国旗・国歌・国章とともに——両大戦間期のリトアニア共和国から現在へ受け継がれているという、エストニアやラトヴィアとも共通する現代史理解に基づいている。

しかし実際の歴史はそれほど単線的ではない。リトアニア大公国は多宗教・多言語の国家であったし、近世には貴族のポーランド化が進んだ。リトアニア共和国として独立したのちも、両大戦間期と現在では国家の領域も住民も異なっている。とくに、両大戦間期に公式の首都でありながら実際にはポーランドが占領していたヴィルニュスでリトアニア語話者が多数派になったのは、第二次大戦後のソ連時代のことである。否定的にとらえられるソ連時代であっても1950年代後半以降はリトアニアの文化活動も一定程度許容された。

このようないくつかの「忘却」あるいは「省略」を含みつつ、歴史的自画像が描かれているのである。

15

両大戦間のリトアニア

★独立宣言、議会制民主主義、そして権威主義体制★

第一次世界大戦の勃発によりドイツ軍はロシア帝国に進攻し、1915年、現在のリトアニアの領土のすべてを占領した。そしてリトアニア人の間では独立を求める声が高まっていった。1917年9月、リトアニア人の代表222名がヴィルニュスの劇場で会議を行ない（ヴィルニュス会議）、独立国家の建設を目指すことを決議した。新国家はかつてのリトアニア大公国の復活と位置づけられたが、他方でその国境線は民族的リトアニア人の居住地域に限定するとされ、大公国の版図よりも小さな領土が構想された。この会議でリトアニア評議会（タリーバ）の議員20名も選出された。なお、会議が開かれた劇場のある坂道は現在「バサナーヴィチュス通り」と呼ばれているが、これはヴィルニュス会議および評議会で指導的立場にあったヨーナス・バサナーヴィチュスに因む。

評議会は1918年2月16日、ヴィルニュス中心部のピリエス（「城の」）通りにある建物でリトアニアの独立を宣言した。2月16日の独立記念日は、現在でも最も重要な祝日の一つとなっている。ドイツは「ドイツとの連合」を条件にリトアニアの独立を承認した。評議会の議員の大半は、ドイツの意向に沿うようドイツから君主を招くことを検討していた。これは、大戦やロシア革命などの動乱の中、小国リトアニアが独立を達成するためにはドイツの協力が必要不可欠との判断があったためである。評議会は7月、ヴュルテンベルク伯ヴィルヘルムをリトアニア王ミンダウガス二世として選出した。しかし、ドイツの敗戦が濃厚となるとこの選出は取り消され、共和制が採用されるに至った。翌年4月、アンターナス・スメトナが初代大統領に就任した。

1917年の革命によりロシアで権力を掌握していたソヴィエト政府は1918年末にリトアニアに進攻し、翌年1月にヴィルニュスを占領した。リトアニア共和国の首都機能はカウナスに移された。この頃、リトアニアは白軍からの攻撃も受けた。さらにヴィルニュスはその後、ポーランド＝ソヴィエト戦争の舞台となった。ポーランドとの戦いに苦戦していたソヴィエト政府は1920年7月、リトアニアと講和条約を結んだ。8月にヴィルニュスがリトアニアに返還されたが、10月、ポーランド部隊がヴィルニュスに進攻し、ヴィルニュス地方はその後1922年にポーランドに編入された。ヴィルニュスを自国の首都としていたリトアニアは、これをポーランドによる「占領」とみなし、その後ポーランドとの間で領土問題を抱え続けることとなった（第26章も参照）。両国は11月に休戦協定を結んだものの、国交は1938年まで樹立されなかった（後述）。

「臨時首都」のカウナスでは憲法の制定と国会《セイマス》の設置が進められた。1920年4月に選挙が行なわれ、5月に制憲議会《セイマス》が招集された。制憲議会は1922年9月に憲法を採択した。10月にはその憲法の規定に基づいて国会議員選挙が行なわれた。カトリック教会に支持されたキリスト教民主会派が第一党となり、同会派のアレクサンドラス・ストゥルギンスキスが第二代大統領に就任した。この年には、憲法や国会のほかリトアニア大学（１９３０年に「ヴィータウタス・マグヌス《大公》大学」に改称）の設置や通貨リタスの導入も行なわれ、国家建設が着々と進められた。

リトアニアの西には、長らくプロイセン領だった小リトアニアと呼ばれる地方がある。その港湾都市クライペダ（ドイツ語でメーメル）を中心とするクライペダ地方（メーメルラント）は、１９１９年のヴェルサイユ条約によりドイツ領から切り離され国際連盟の統治下となり、フランス軍が管理していた。１９２３年1月、リトアニアの義勇兵が文民を装いクライペダ地方に侵入し、蜂起を起こした。その後クライペダ地方はリトアニアに編入され、日英仏伊の主要4カ国もこれを追認した。ドイツ人が多く住むクライペダ地方には自治が認められ、独自の議会（リトアニア語でセイメリス、ドイツ語でランタック）も設置された。ドイツは１９２８年にリトアニアと国境条約を結んでクライペダ地方におけるリトアニアの主権を認めたが、その後ナチが台頭すると、両国間で領土問題が再び顕在化することとなる（次章参照）。

１９２３年9月に国勢調査が行なわれた。総人口（ヴィルニュス地方およびクライペダ地方を除く）は約２０３万人で、うち民族的リトアニア人は82％であった。次に多かったのはユダヤ人で、人口の７％を占めた。当時は東欧諸国における少数民族の保護が国際的な課題として浮上しており、リトアニアは１９２２年に少数民族保護宣言に署名した。同年制定された憲法にも少数民族の保護に関する条項が設けられ、ユダヤ人自治が制度化されていった。しかし、１９２３年の国会議員選挙で過半数の議席を獲得したキリスト教民主会派は、１９２４年以降、ユダヤ人自治制度を廃止した。

１９２６年の国会議員選挙でキリスト教民主会派は過半数の議席を獲得できず、二つの左派政党（農民人民連合および社会民主党）と少数民族の議員らが連立を組んだ。そして農民人民連合のカジース・グリニュスが第三代大統領に選ばれた。この政権交代でそれまでの保守的な政策は転換され、比較的リベラルな政策が採られるようになった。それまで非合法とされてきた共産党の活動も合法化され、政治犯には恩赦が与えられた。言論の自由を重視した左派政権は、報道機関に対する制限も撤廃した。

しかし左派政権は長くは続かなかった。この年の末にクーデタが勃発し、スメトナを中心とする民族主義者らが権力を掌握したためである。これによりスメトナが再び大統領となり、リトアニアは議会制民主主義から権威主義体制へと移行した。共産党の活動は再び非合法化され、党幹部らは銃殺刑に処された。

クーデタの後、スメトナは国会を解散し、さらに憲法を改正することで大統領の権限を強化した。アウグスティナス・ヴォルデマーラス首相ら民族主義連合内の急進派はスメトナに不満を募らせていた。これに対してスメトナは１９２９年、ヴォルデマーラスを首相職から解任し、さらに１９３４年にクーデタ未遂の罪で彼を逮捕した。スメトナはその後、リトアニアがソヴィエトに編入される１９４０年まで大統領の座に居続けた。

１９３３年、二人の英雄が登場した。いずれも大戦前に家族とともに米国に渡っていたステーポナス・ダーリュスとスタシース・ギレーナスがこの年、「リトゥアニカ」と名づけられた飛行機で大西洋横断飛行に成功したのである。彼らがこの飛行で目指したのは祖国リトアニアであったが、リトゥアニカはドイツ（現在はポーランド領）上空を飛行中に墜落し、二人はドイツの森林で亡くなった。彼らの37時間を超す無着陸飛行記録は当時世界第二位であり、リトアニアでは偉業が讃えられるととも

「リトゥアニカ」が展示されている戦争博物館（1935年に開館）

に二人の死が悼まれた。ソ連解体後に再導入された通貨リタスの紙幣に彼らの肖像が描かれるなど、彼らは今もなおリトアニアの英雄として讃えられ続けている。カウナスの戦争博物館にはリトゥアニカの実物が展示されているので、リトアニアを訪れる機会があれば見てみると良いだろう。

リトアニアはヴィルニュスの領有権を理由にポーランドとの国交を結んでいなかったが、1938年3月、ポーランドとの休戦ライン近くでポーランドの警備隊員が殺害される事件が起こると、ポーランド政府はリトアニアに外交関係の樹立を求める最後通牒を突きつけた。リトアニアはこれを受諾した。

（重松　尚）

16

独立の喪失

——★モロトフ＝リッベントロップ条約と第二次世界大戦★——

戦乱の足音が近づいていた。ナチ・ドイツのヒトラーはクライペダ地方（メーメルラント）の領有権を公然と主張するようになっていた。１９３８年にドイツがチェコスロヴァキアのズデーテン地方を併合すると、１９３９年3月、ドイツのリッベントロップ外相はリトアニアのユオザス・ウルプシース外相との会談の席でクライペダ地方の返還を求めた。ドイツに対抗できるだけの軍事力を有していなかったリトアニア政府はこの要求を受け入れざるを得ず、両国の外相はクライペダ地方の譲渡に関する条約に署名した。ヒトラーは船でメーメル（クライペダ）に向かい、そこでパレードを行なった。民族的ドイツ人が多かった地元住民はヒトラーを熱狂的に歓迎した。他方で、リトアニア人やユダヤ人などドイツへの割譲を望まなかった住民の中には、リトアニア本国に逃れる者もいた。

同年8月23日、ドイツとソ連は不可侵条約を締結した（モロトフ＝リッベントロップ条約）。この条約には秘密議定書が付属しており、エストニアやラトヴィア、ポーランド東部などがソ連の勢力圏とされた代わり、リトアニアやポーランド西部はドイツの勢力圏に含められた。翌月には秘密議定書が改定され、リ

地図　第二次世界大戦期のリトアニア（1939～1941年）

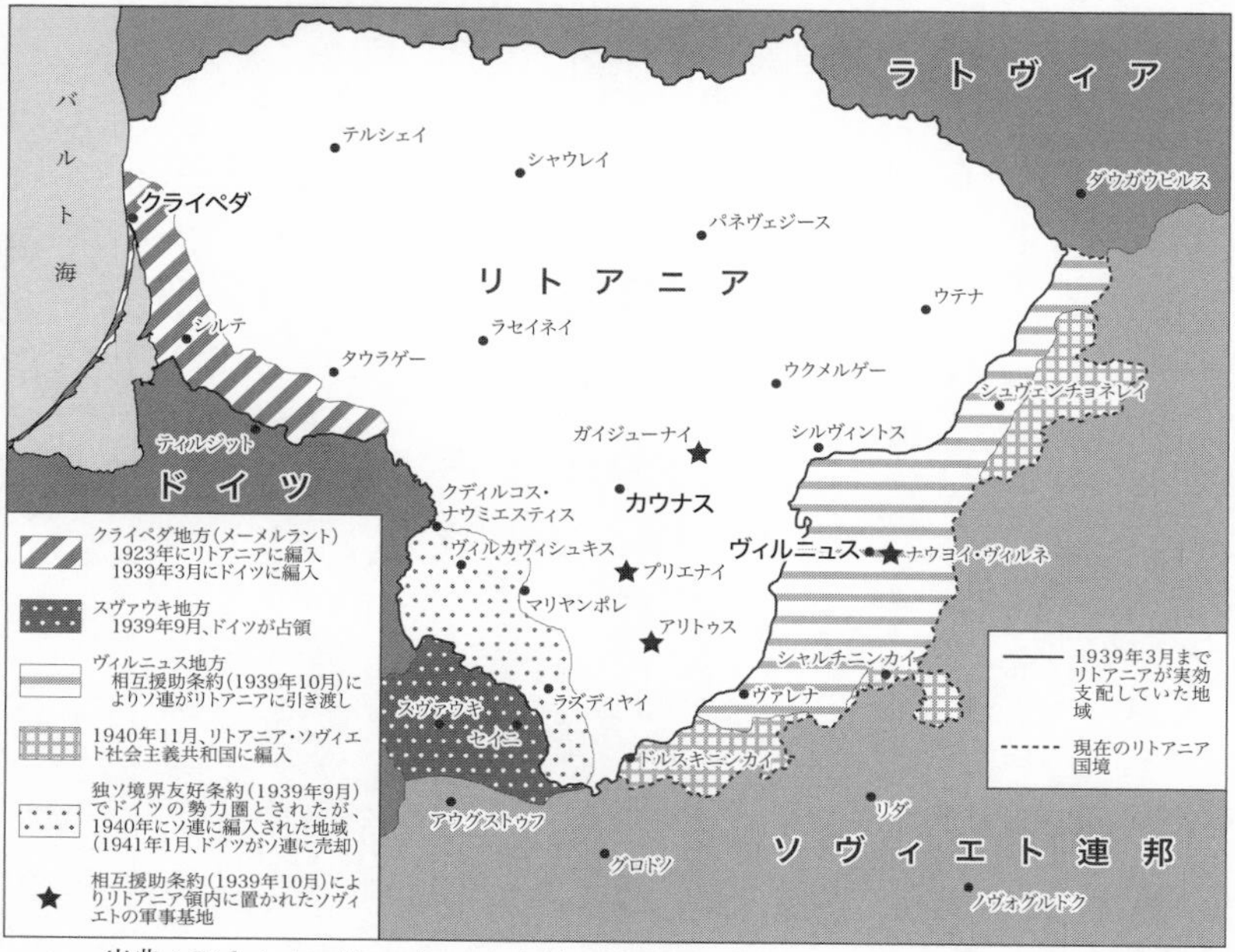

出典：*Didysis istorijos atlasas mokyklai: Nuo pasaulio ir Lietuvos priešistorės iki naujausiųjų laikų* (Vilnius: Briedis, 2014), 184 をもとに筆者作成。

トアニアはソ連の勢力圏に入れられた。

同年9月1日、ドイツがポーランドに進攻し、第二次世界大戦が勃発した。同月、ソ連もポーランドに進攻し、ヴィルニュス地方を含むポーランド東部を占領した。バルト諸国への赤軍駐留を望んだスターリンは、リトアニア政府に対してヴィルニュス地方の返還を持ちかけた。10月10日、両国政府は相互援助条約に調印した。これによりソ連はヴィルニュス地方をリトアニアに引き渡し、リトアニアは代わりに赤軍の自国内の駐留を認めることとなった。リトアニア人にとって首都の返還は望ましいことであったが、他方で赤軍の駐留は独立喪失に向かう第一歩でもあった。この条約に関しては、当時から既に「ヴィルニュスは我々のもの（ムースー）、我々はロシア人のもの（ルースー）」と皮肉られていた。

1940年6月14日、ソ連政府はリトアニアに対して「友好的」政権を樹立するよう最後通牒を突きつけた。このときもリトアニアが軍事力をもってソ連に対抗することは不可能と最終的に判断され、翌日リトアニア政府はこれを受諾した。赤軍は即日リトアニアに侵入し、重要拠点を占拠した。スメトナ大統領はドイツに亡命した。同月17日、ユスタス・パレーツキスやヴィンツァス・クレヴェー＝ミツケーヴィチュスを中心とする人民政府が発足した。

7月、人民議会《セイマス》選挙が行なわれた。選挙に立候補できたのは共産党の公認候補者のみであった。投票率は95%を超え、すべての共産党公認候補が信任を得た。これは明らかにソヴィエトが演出した選挙であった。同月、人民議会が招集された。人民議会ではリトアニアがソヴィエト社会主義共和国である旨が宣言され、ソ連への加盟申請も承認された。翌月、パレーツキス率いる代表団がモスクワに向かい、ソ連への加盟を申請した。ソヴィエト連邦最高会議はこれを承認し、リトアニアはソ連の構成共和国となった。このように、形式上はリトアニアが「自発的に」ソ連への加盟を申請するという形がとられた。しかし、現在のリトアニア政府は、これをリトアニア人の意志に反して行なわれたソ連による「併合」であったとしている。

第二次世界大戦が始まってから、ナチの占領から逃れるために多くのユダヤ人がポーランドからリトアニアに逃れてきた。また、ソヴィエト占領下のポーランド東部から逃れてきた者もいた。ヨーロッパで戦禍が広がる中、ソ連に編入されたリトアニアも安全ではないと考えたユダヤ人の中には、さらに遠方への亡命を望む者もいた。この頃、日本領事館の杉原千畝領事代理がユダヤ人に日本通過ビザを発行した事実は、現在ではよく知られている（コラム17と18も参照）。

また、リトアニアを離れるリトアニア人も多くいた（コラム6も参照）。とくに1940年以降、ソヴィエトによる迫害を恐れた政治指導者や知識人、聖職者の中には、西欧を経てアメリカに移住する者が多かった。とりわけシカゴには多くのリトアニア人が移住し、現在でもリトアニア系アメリカ人が多く住んでいる。後にリトアニアの大統領となるヴァルダス・アダムクスも、戦時中にリトアニアを逃れ、戦後シカゴに移り住んだ者の一人である。

ソ連の一部となったリトアニアでは、ソヴィエト化が進んだ。銀行や大企業が国営化され、土地の接収も行なわれた。また、通貨リタスの使用も停止された。さらに政治指導者や聖職者は逮捕され、モスクワで銃殺刑に処されるか、シベリアなどに強制移送されるかした。1941年6月14日未明、「人民の敵」とされた約1万8千人がリトアニアからシベリアへ強制移送され、そこで過酷な労働を強いられた。これは、現在ではソ連時代を通して最も悲惨な出来事の一つであったと記憶され、毎年6月14日にリトアニア各地で弔旗が掲げられる。

同月22日、ドイツ軍がソ連への進攻を開始し（バルバロッサ作戦）、独ソ戦が始まった。ドイツ軍が進軍する中、リトアニアでは対ソヴィエト蜂起が起きた（六月蜂起）。23日、リトアニア臨時政府の樹立が宣言された。臨時政府は独立回復にはドイツとの協力が必要と考え、ヒトラーを歓迎する声明を出した。しかし、ドイツ当局はリトアニアの独立を認めず、臨時政府は8月に解散させられた。その後はリトアニア人戦線（LF）が組織され、対ソヴィエト・対ナチ抵抗運動が進められた。

ナチは、リトアニアなどを占領した後、リトアニアと周辺地域を合わせて帝国管区オストラントとした。占領してすぐに、親衛隊行動部隊（アインザッツグルッペン）やリトアニア人協力者などがユダヤ人の多くを殺害したが、1941年秋になるとヴィルニュスやカウナスなどにゲットーが作られ、ユダヤ人はそこに強制移住させられ労働に従事させられたため、ユダヤ人殺害は一旦収束した。1943年、親衛隊全国指導者のハインリヒ・ヒムラーが各ゲットーの解体を命じ、リトアニアのゲットーは解体されるか強制収容所に変えられるかした。その後、赤軍が巻き返しを図りリトアニアへ進攻してくると、ナチはユダヤ人を別の収容所に移送するなどした。そして最終的に、戦前リトアニアに住んでいたユダヤ人の9割以上が殺害された。その被害は、ポーランドなどと並んでヨーロッパで最も大きかったと言われる。そのほか、ロマやロシア人戦争捕虜なども殺害された。なお、リトアニア人の中には危険を冒してユダヤ人を家に匿うなどして救出した者もいた。戦後、イスラエル政府はその偉業を称え、リトアニア国民800名以上に「諸国民の中の正義の人」の称号を与えた。

1944年、ソ連がリトアニアに進攻し、リトアニアをナチから「解放」した。しかし、これがリトアニアにとって解放ではなく新たな「占領」の始まりであったことは言うまでもない。（重松　尚）

コラム5

野村真理

リトアニアのユダヤ人――失われた世界

ヴィルニュス旧市街の「ヴォーキェチュウ」通りは、訳せば「ドイツ人」通りで、ピカチュウを連想するのは日本人だけかもしれない。第二次世界大戦前まで、その両側はユダヤ人街だった。店先ではイディッシュ語（東欧のユダヤ人の間で広く通用した言語で、ドイツ語に似るが、ヘブライ文字を用い、右から左に横書きされる）が飛び交い、安息日が始まる金曜の夜など、3000人を収容した大シナゴーグ（ユダヤ教の礼拝と学習の場）は、人びとで埋め尽くされたことだろう。17世紀以来ヴィルニュスは「リトアニアのエルサレム」と呼ばれ、ユダヤ教研究やユダヤ文化の中心だった。

第二次世界大戦中、ヴィルニュスがナチ・ドイツに占領されると、ユダヤ人街はゲットーに変じた。1931年の統計によれば、ヴィルニュスのユダヤ人人口は5万5000人（市の人口の28・2％）だが、そのうちホロコーストを生き延びた者は数千人にすぎない。ユダヤ関係の建物も多くが破壊され、いま旧ユダヤ人街を歩いても、メモリアル・プレート（写真）以外、彼らの生活の跡を見出すのは困難だ。大シナゴーグ跡は幼稚園になった。2010年現在で、リトアニアのユダヤ人人口はわずか3250人である。

リトアニアのユダヤ人とは、どのような人びとだったのだろうか。

リトアニアは第一次世界大戦後に独立したが、10万人以上のユダヤ人人口を持つヴィルニュス県は1939年10月までその領土に含まれず、隣国ポーランドに属した。したがって注意が必要だが、1923年のリトアニアのユダヤ人人口は約15万4000人（総人口の7・6％）で、たいした人数ではない。ところが、当時の首都カウナスその他の都市や、農村に点在する町を見ると、ユダヤ人人口は3分の1ないしそれ以上を占めた。歴史上、数世紀にわたりユダヤ人は、リトアニアの職人業や商業・金融業をほとんど独占し、1923年当時も、リトアニア人のなお84・5％が農業従事者であったのに対し、ユダヤ人は商業従事者の77％を占めていた。

独立後、リトアニアはリトアニア人の国家だと考える民族主義者は、宗教も言語も風俗・習慣も違うユダヤ人が自国の経済を握っていることに敵意を燃やしたが、両者の関係を最終的破局に追い込むのはソ連とナチ・ドイツという外部の力の介入である。

1939年9月に第二次世界大戦が始まった後、ドイツとソ連の交渉でリトアニアはソ連の勢力圏に入ることが決定され、翌40年8月、リトアニアは独立を喪失してソ連に統合された。リトアニア人の多くはこれに怒ったが、ユダヤ人の立場は微妙だった。彼らは共産主義の

ガオノ通り5番地のメモリアル・プレートに書かれたゲットーの地図。説明はリトアニア語（上）とイディッシュ語（下）で書かれている。通りの名はガオン（ヘブライ語で、ユダヤ教について深い知識を持つ者に対して用いられる尊称）に因む。ユダヤ教学者エリヤフー・ベン・シュロモ・ザルマン（1720～97年）は「ヴィルノのガオン」と呼ばれた。ヴィルノはヴィルニュスのポーランド語称。

支持者ではなかったが、ナチに比べればソ連は「ましな」支配者だったからだ。リトアニア人は、そのようなユダヤ人を売国奴呼ばわりした。1941年6月に独ソ戦が始まり、ドイツ軍がリトアニアに侵攻すると、再独立を求めるリトアニア民族主義者の一部は対ソ戦においてナチの協力者になったが、彼らは、彼らがリトアニアの裏切り者と見なしたユダヤ人に対してもまた、ナチのユダヤ人虐殺の協力者になった。

　このホロコーストへの加担は、現在のリトアニアが抱える重い歴史認識問題のひとつである（写真）。政府はユダヤ人に対して公式に謝罪を表明したが、もはや失われたヴィルニュスのユダヤ人街が甦ることはない。

ヴィルニュス郊外のパネレイの森に立つホロコースト記念碑。
中央の石碑には、上から順にイディッシュ語、ヘブライ語、リトアニア語、ロシア語で銘文が刻まれているが、イディッシュ語の銘文は次の通りである。「ここポナルの森で、1941 年から 1944 年までのあいだに、ヒトラーに率いられた占領者とその現地協力者が 10 万の人びとを殺害した。そのうち 7 万人はユダヤ人であった。」ポナルはパネレイのイディッシュ語称。（2003 年）

17

ソ連時代

★抵抗運動とソヴィエト化★

1944年にリトアニアはナチによる占領から解放された。1945年には第二次世界大戦も終結した。しかし、リトアニア人にとって戦いは終わらなかった。解放とともに始まった新たな「占領」に対する戦いである。

リトアニアの独立回復を目的とするパルチザンは、ソヴィエトとの軍事力の差が歴然としていたことから、広大な森林を舞台としたゲリラ戦を選んだ。次第にパルチザン同士の連携も図られるようになり、1949年にはリトアニアのパルチザンを指揮する「リトアニア自由戦闘運動」（LLKS）が組織され、「ヴィータウタス」という別名で活動していたヨーナス・ジェマイティスがそれを指揮した。エストニアやラトヴィアでも同様にパルチザンが自国の独立のために戦い、これら三カ国のパルチザンは合わせて「森の兄弟」とも呼ばれた。その中でも、リトアニアのパルチザンは、LLKSが組織されたこともあって最もよく連携して戦いを繰り広げた。またその規模も最大であったために、1953年までに約2万人という多くの犠牲者を生んだ。1953年、ソヴィエト当局に逮捕されたジェマイティスはモスクワへと移送され、拷問の末に翌年処刑された。なお、リトアニアが１９９０年代に独立を回復すると、国会は２００９年、ジェマイティスに「リトアニア大統領」の称号を与えた。

リトアニアの住民のシベリアへの追放も再び行なわれた。１９４８年から49年の間に、７万人を超す住民がシベリアなどに追放された。１９５１年には約２万人が追放された。彼らは当地で強制労働に従事させられ、中には劣悪な生活環境により凍死や餓死する者もいた。なお、これに関して、独立回復後の１９９２年、リトアニア最高会議がソヴィエトによる追放は「ジェノサイド」に該当するものだったと決議している。

第二次世界大戦後のリトアニアではソヴィエト化が急速に進められた。リトアニア共産党員の数は１９４５年には３５００人にとどまっていたが、１９５３年には３万６千人にまで膨れ上がっていた（そのうち、リトアニア人は18％のみであった）。集団農場化も進められた。クラーク（富農）が所有する土地の面積は30ヘクタールに制限された。さらにコルホーズ（集団農場）に加入させるために通常よりも50～１００％も高い税が課せられた。クラークの多くはシベリアに追放された。１９４９年の時点ではリトアニアの農民の４％しかコルホーズに入っていなかったが、１９５２年には94％が加入していた。

また、ヴィルニュスやカウナスといったリトアニアの主要都市では工業化も進められた。カウナスには水力発電所が、マジェイケイには石油精製工場が、ヨナヴァには窒素肥料工場が作られ、発電所のためにエレクトレーナイやヴィサギナスといった町が新たに建設された。工業に従事する労働者の数も１９６０年から１９８０年までに倍増し、１００万人に達した。増加する都市労働者のために、

リトアニアの民族構成（1938 ～ 2011 年）

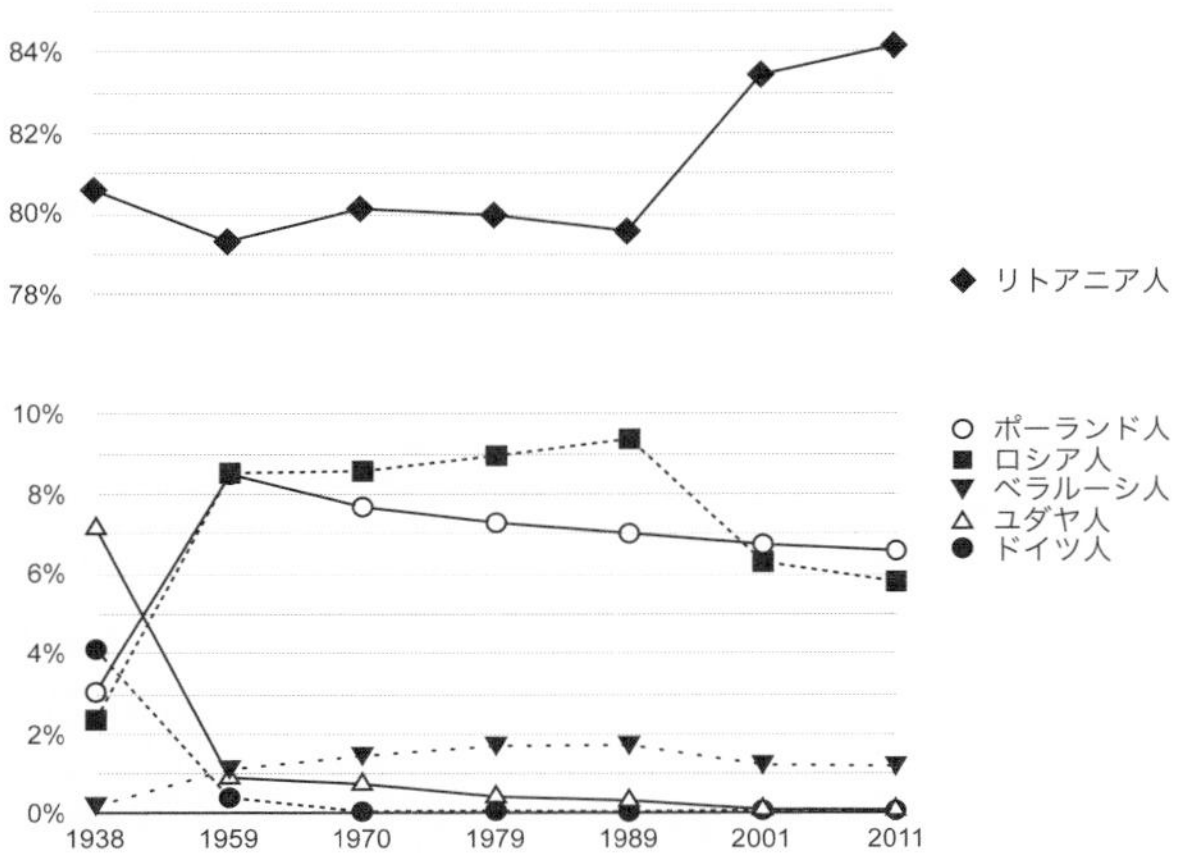

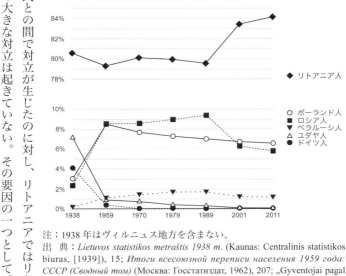

注：1938 年はヴィルニュス地方を含まない。
出 典：*Lietuvos statistikos metraštis 1938 m*. (Kaunas: Centralinis statistikos biuras, [1939]), 15; *Итоги всесоюзной переписи населения 1959 года: СССР (Сводный том)* (Москва: Госстатиздат, 1962), 207; „Gyventojai pagal tautybę, gimtąją kalbą ir tikybą: Lietuvos Respublikos 2011 metų visuotinio gyventojų ir būstų surašymo rezultatai," Lietuvos statistikos departamentas, 2013 m. kovo 15 d., 7. をもとに筆者作成。

ヴィルニュスやカウナスの郊外には画一的なアパート群が建設された。

工業化によりヴィルニュスやクライペダにはソ連の他の地域からロシア語系住民が移り住んだ。しかし、エストニアやラトヴィアと比べてリトアニアは相対的に工業よりも酪農などの農業が主体であったため、ロシア語系住民の数も他の二カ国ほどは増加せず、全人口に占めるリトアニア人の割合もおよそ8割のまま維持され続けた。独立回復後のエストニアやラトヴィアでは国籍法や歴史認識などの問題をめぐってエストニア人やラトヴィア人とロシア語系住民との間で対立が生じたのに対し、リトアニアではリトアニア人とロシア語系住民との間にそれほどの大きな対立は起きていない。その要因の一つとして、ロシア語系住民の人口流入がエストニアやラトヴィアほど多くなかった点があげられるだろう。

第17章
ソ連時代

ソ連時代、とくにスターリン期において、リトアニアの住民は様々な形で抑圧された。たとえば、宗教は弾圧され、カトリック教会などの宗教施設は美術館や博物館などに転用された。各地にあった神学校は、カウナス神学校を除きすべて閉鎖され、カウナス神学校も規模が大幅に縮小された。また、独立期の国歌や国旗、国章の使用も制限された。学校教育の現場ではリトアニア語で行なわれる授業数が減らされ、代わりにロシア語による授業が導入された。青少年は、少年団のピオネールや青年組織のコムソモールへの入団が求められた。カウナス大学（ヴィータウタス・マグヌス大学の後身）は、カウナス工業大学（現・カウナス工科大学）とカウナス医科大学（現・リトアニア健康科学大学）に分けられ、人文学や社会科学は抑圧された。出版物は共産党の検閲を受け、また独立期によく読まれていた書物の中には発禁処分を受けるものも多くあった。

スターリンの死後、フルシチョフの「雪解け」によりリトアニア人作家の著作などが再び認められるようになった。芸術に対する検閲や制限も緩められ、西側諸国の影響を受けた自由な芸術が育まれていった。また、政治的理由により逮捕される人の数も激減し、政治犯として収容されていた人には恩赦も与えられた。シベリアに追放されていた人も次第にリトアニアへの帰還が認められるようになり、1960年代までに8万人の被追放者および政治犯がリトアニアへと帰還した。

リトアニア共産党員数は1960年代以降も増え続け、1980年代には20万人に迫っていた。共産党を率いたのはアンターナス・スニエチュクスで、彼は1974年にこの世を去るまでリトアニア共産党の第一書記を務めた。彼の死後、ペートラス・グリシュケーヴィチュスが1987年に亡くなるまで党第一書記の座にとどまった。

パルチザンによる対ソ抵抗運動はジェマイティスの処刑後沈静化していき、その後は深い森の中ではなく言論の場で戦いが繰り広げられるようになった。とくに弾圧されていたカトリック教会が反体制活動を担った。その活動の中でも、カトリックの地下出版物『リトアニア・カトリック教会クロニクル』は、ソヴィエト支配に対するリトアニア人の精神的抵抗の支えとなった。また、同誌が創刊された1972年には、ロマス・カランタという19歳の青年がカウナスの目抜き通り、ライスヴェス（「自由の」）通りで「リトアニアに自由を！」と叫んで焼身自殺をした。彼の行動に共感した多くの市民が葬儀に集まり、ソヴィエト当局に抗議するスローガンが叫ばれた。抗議運動はその後も数日間続き、400名以上の逮捕者を生む結果となった。カランタは、現在では国の独立のために命を落とした英雄とされ、2000年には国から勲章が与えられた。

1960年代からはソヴィエト当局に異を唱える知識人も登場した。異論派と呼ばれる彼らは人権の尊重を訴え、1976年にはロシアなどの異論派とともに非政府組織「モスクワ・ヘルシンキ・グループ」を結成した。同年にはヴィルニュスでも同様の組織が作られた。1979年8月23日、リトアニアの市民がエストニアやラトヴィアの市民とともに国連に独ソ不可侵条約秘密議定書に関する覚書（「バルト・アピール」）を出した。秘密議定書が結ばれてから40周年にあたるこの日、バルト諸国の市民45名は秘密議定書の公開とその無効を宣言するよう国連に求めた。

1978年にはリトアニアの独立を目指す地下組織、リトアニア自由連盟（LLL）が結成された。当時非合法であった彼らの活動が公の場で展開されるようになるのは、1980年代後半になってからのことである。

（重松　尚）

コラム6

リトアニア人の離散

畑中幸子

18世紀末、リトアニア大公国が歴史の舞台から消え去るやリトアニア人の離散が始まる。第一次世界大戦以前のリトアニア移民、帝政ロシア下の政治難民、ソ連占領下で国外への脱出を余儀なくされた戦争移民、共和国再生後の労働移民と止まることを知らなかった。人口300万人足らずの小国で20％余りの人々の国外移住はユニークな現象である。

ロシア帝国領となったリトアニアでは農村の青年は皇帝の軍隊に徴兵され多くは極東の防衛にあたらせられ、彼らがリトアニアを離れる必然的な動機ともなった。ロシア支配下でリトアニアはポーランドから援軍を得て反乱を屢々おこしており、リトアニア人に対して組織的なロシア化が始まった。リトアニアからの大量移民は19世紀の80年代に始まりアメリカ、イギリス、カナダ、南アフリカに向かう一方、知識階級や上層階級は居留地をロシアの都市に作った。リトアニアからの移民はヨーロッパで最大集団の一つで63万5千人が出国していた。移民新聞によるとリトアニア全土でアメリカへ移民を出さなかった村は一つもなかった。初期の移民にとって貧困や困難な労働条件にもかかわらず、アメリカが魅力を残していたのは定住の可能性が約束されていたからであった。19世紀前半にアメリカに移住拡散したポーランド系リトアニア人はロシア帝国下の政治難民で貴族をはじめ上層階級に属し知識階級だった。彼らは上陸後、離散してアメリカ社会のホストグループに吸収されてしまった。

第二の移住の波は19世紀末から第一次世界大戦にかけてリトアニア社会の経済状況の悪化に

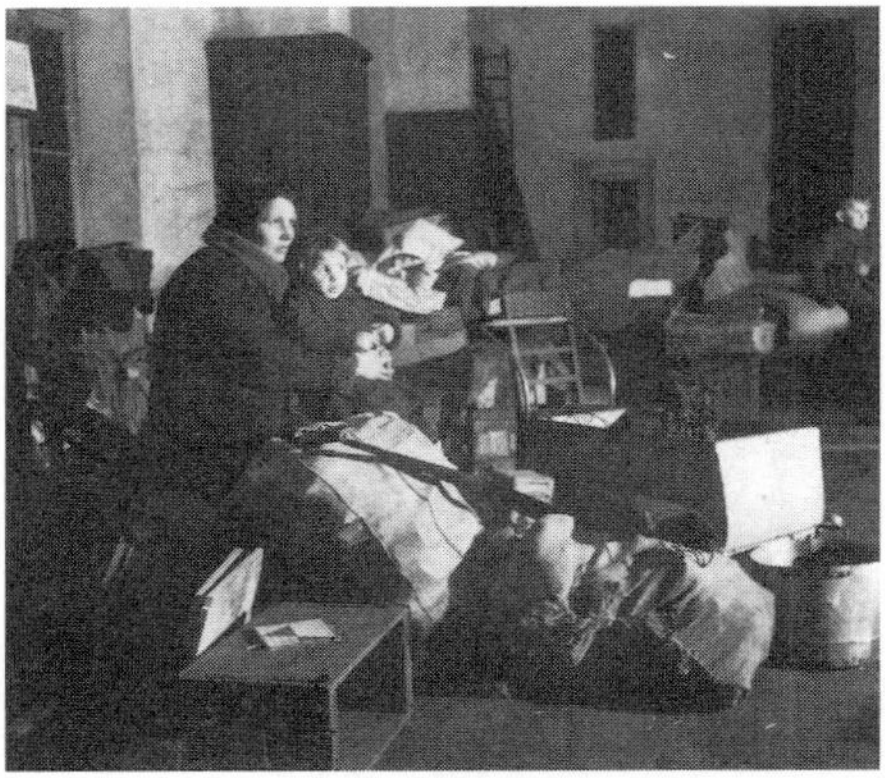
1944年、ドイツの戦争難民キャンプにたどり着いたリトアニア人家族（出典：畑中幸子『リトアニア――民族の苦悩と栄光』中央公論新社、2006年）

よる貧農や農奴の出国である。だが彼らは原始的な農業しか知らず、「文盲」であり都市での生活が出来ないため仕事の条件の良い地域へ移動した。彼らの多くはリトアニアで農地を買うための資金をアメリカで稼ぐための移住で東部の鉱山に殺到した。ここでも東欧最大の民族集団の一つであった。世界大戦でリトアニアは戦場となり荒廃した。リトアニア移民のリーダーグループが国民評議会を結成し、50万人に近い全米リトアニア人の名において祖国救援に立ち上がり、リトアニア共和国の建国に大きな力となった。個人レベルで保っていた故国との絆は民族レベルへと進んだ。リトアニア旅団が結成され数百人が独立のため祖国に赴き、1922年のアメリカ合衆国のバルト三国の法的承認をもたらした。

リトアニアは国民国家を樹立したもののヨーロッパ列強間の取引きのはざまで苦悶の20年を送った。ヨーロッパは第二次世界大戦に入り、独ソ攻防中のドイツ占領下で大勢のリトアニア市民が国境沿いの道を数百のワゴンを連ねてドイツへ逃れた。ドイツの敗北で連合国の占領地帯が決まったが、多くの者が安全のためアメリカ占領地帯に殺到した。バルト難民には大勢の専門家、教育程度の高い人々が難民キャンプにおり学校教育、種々の文化活動が始められた。廃墟と化したドイツの最も困難な状況下でバルト大学が国連救済復興機関の協力下でバルト三国、英、独、米が動き、古今東西を通して例のない奇跡に近いものを作り上げた。一方、リトアニア国内では最大の悲劇がおき、一般市民のシベリア追放が１９４１年６月14日の夜半から翌日の未明にかけて行なわれ、その数は２万人近くに及んだ。突如の難から免れた市民は三度目の反撃前に財産を処理し、撤退するドイツ軍について国外に逃れた。アメリカには１９４７年７月までにバルト三国から約６万９千人の戦争難民がすでに移住していた。新移民にはインテリが多かったため生活の再建も早く上陸後拡散した。大戦後のヨーロピアン・コミュニティー（ＥＣ）という土俵内での動きといえる。シベリア追放から逃れアメリカやオーストラリアに移住できたリトアニア人はシベリアから帰国が許された同胞が母国で冷遇されていることを知り、救援活動の先頭に立った。〝新移民〟はソ連邦に併合された母国から人情的に離れることができず、リトアニアの独立がソ連を含め国際的に承認されるまで救援の手を休めなかった。

18

独立回復までの道のり

★非暴力を貫いたリトアニアの市民★

１９８５年、ミハイル・ゴルバチョフがソ連共産党書記長に就任した。彼が推し進めたグラスノスチ（情報公開）およびペレストロイカ（建て直し）の影響から、バルト諸国では独立運動が活発化する。しかし、その初期においては、政治運動に先んじて環境保護運動が展開された。１９８６年にウクライナでチェルノブイリ原発の事故が発生したことを契機に、リトアニアでは反原発運動が高まりを見せた。リトアニアでは、チェルノブイリ原発とほぼ同型のイグナリナ原発一号機が１９８３年に稼働し、１９８６年にはその二号機も完成していた。その後三号機と四号機も建設される予定であったが、チェルノブイリ原発事故と反原発運動により建設は中止された。

ペレストロイカ期には歴史の見直しも主張されるようになっていった。とくに注目されたのは、１９３９年に結ばれた独ソ不可侵条約（モロトフ＝リッベントロップ条約）の秘密議定書である。秘密議定書が結ばれて48周年にあたる１９８７年８月23日、この秘密議定書に抗議するデモがバルト諸国各地で行なわれ、ヴィルニュスでもリトアニア自由連盟（ＬＬＬ）が主催する抗議集会がアダム・ミツキェヴィチ像の前で開かれた。

第18章

独立回復までの道のり

1988年にエストニアやラトヴィアで人民戦線が結成されると、その動きに呼応するようにリトアニアでもペレストロイカ支持運動「サーユディス」が結成され、音楽学者のヴィータウタス・ランズベルギスがその指導者となった。サーユディスは当初、ゴルバチョフの推し進めるペレストロイカを支持する目的で結成され、ゴルバチョフもサーユディスを支持する姿勢を示していた。しかしその後、サーユディスはリトアニアの独立を主張するようになり、ゴルバチョフと対立するようになった。1970年代に非合法組織として結成されたリトアニア自由連盟とは異なり、サーユディスは多くの知識人からの賛同を得た。また、多くの一般の市民が参画し、カウナスやクライペダなど各地にその支部が作られていった。1988年8月23日、サーユディスはヴィルニュス中心部のヴィンギス公園で独ソ不可侵条約秘密議定書抗議集会を行なった。そして指導者のランズベルギスはリトアニアの独立運動の一翼を担うことになる。

1988年には、のちに独立運動のもう一翼を担うことになる人物も表舞台に登場している。アルギルダス・ブラザウスカスがリトアニア共産党の第一書記に就任したのである。党内でも改革派であったブラザウスカスの就任を、サーユディスは歓迎した。ブラザウスカスは、美術館として利用されてきたヴィルニュス大聖堂の建物をカトリック教会に返還し、市民の支持を集めた。この頃、黄・緑・赤の三色旗がリトアニアの国旗として再制定された。

1989年3月、初の複数候補制選挙となったソ連人民代議員選挙が行なわれた。この選挙ではサーユディスの支援を受けた候補が市民から支持され、勝利をおさめた。5月にはエストニアの首都タリンでバルト議員会議が開かれた。そして独ソ不可侵条約締結からちょうど50年にあたる1989年8

月23日、ヴィルニュスからラトヴィアのリーガを経由し、エストニアのタリンまで続く人間の鎖「バルトの道」が結ばれた。200万人の市民が約650キロメートルにわたって手をつなぐことで、独ソ不可侵条約秘密議定書に抗議した。これほど多くの人数が参加した非暴力抗議運動は世界的にも珍しく、世界各国でこの様子が報じられた。「バルトの道」の起点の一つとなったヴィルニュスの大聖堂広場には、現在、参加者の足あとをイメージしたプレートが埋め込まれている。

1989年後半にサーユディスは政治運動に発展していき、リトアニア共産党もまた独立志向を強めていった。12月に行なわれた党の臨時大会で、リトアニア共産党はソ連共産党からの分離を宣言した。ゴルバチョフは翌年1月に説得のためにヴィルニュスを訪問したが、ブラザウスカスが考えを変えることはなかった。他方で、民主化を拒みモスクワとの連帯を主張する共産党内の強硬派は、対抗して族際戦線「エジンストヴォ」（統一）を組織した。

1990年2月から3月にかけて行なわれたリトアニア・ソヴィエト社会主義共和国最高会議の議員選挙は、初めて自由選挙で行なわれた。ここでサーユディスの推薦を受けた候補者が続々と当選し、過半数の議席を獲得した。3月11日に最高会議が招集され、サーユディス指導者のランズベルギスが最高会議議長に選出された。ここで最高会議は、国の立法機関である国会《セイマス》を復活させたものとして位置づけられ、名称も「リトアニア共和国最高会議」に変更することが決められた。そして、リトアニアのソ連からの独立が宣言された。3月11日の独立回復記念日は現在、2月16日の独立記念日と同様に最も重要な祝日の一つとなっている。

リトアニアの独立を認めないゴルバチョフは、リトアニアに対する経済封鎖で対抗した。6月、リ

第18章

独立回復までの道のり

トアニアが独立宣言を保留《モラトリアム》とし、モスクワとの交渉を続けていくことを条件に、経済封鎖は解除された。しかし交渉は進まず、12月、リトアニア最高会議はモラトリアムの終結を宣言した。

　翌年1月、ソ連軍の部隊がリトアニア各地の重要施設の占拠に動いた。リトアニアの市民は最高会議周辺にバリケードを築いて施設を守った。また、テレビ塔の周りにも占拠の阻止のために人間の盾が作られた。1月13日早朝、テレビ塔を守っていた市民14名が戦車に轢かれるなどして犠牲となった。この事件は後に「1月13日事件」（日本では「血の日曜日事件」とも）と呼ばれるようになり、死者の他にも５００名を超える怪我人を出す大惨事となった。７月には、ソ連（ベラルーシ）との国境沿いにあるメディニンカイで、リトアニアの国境警備兵７名がソ連内務省特殊部隊（ＯＭＯＮ）によって殺害された。

　リトアニアの独立を承認する国は当初アイスランドなど数カ国のみであったが、同年８月にモスクワで起きたクーデタ未遂によりゴルバチョフの権威が失墜すると、事態は大きく進展した。ヴィルニュス中心部に立つレーニン像は倒され、ソ連という「帝国の崩壊」を象徴するできごととして世界中でこの様子が報じられた。リトアニアの独立を承認する国も相次ぎ、９月６日にはソ連もリトアニアの独立を承認した。なお、日本も同日にリトアニアの独立を承認している。同月17日、リトアニアはエストニアやラトヴィアとともに国際連合への加盟を果たした。同年末にソ連は解体し、世界は新たな時代へと移っていった。

（重松　尚）

IV

政　治

19

独立回復と制度形成の政治

★サーユディスと共産党改革派の協調と対立★

前章までで示されたように、リトアニアは1990〜91年にソヴィエト連邦からの独立を回復した。その過程にはいくつもの出来事があったが、二つの象徴的な出来事があった1988年10月は重要な転機の月であった。一つは学者や芸術家らによる一つの社会運動組織が結成されたことである。名前はそのまま「サーユディス」（運動）、その目的はソ連ペレストロイカ路線の推進とソ連からのリトアニアの主権回復であった。もう一つは、リトアニア共産党のリーダーに改革派の人物（アルギルダス・ブラザウスカス［詳細第21章］）が就任したことである。このリトアニア共産党改革派の目的はソ連共産党支配からの脱却であった。つまりこの月を一つの端緒として、草の根と体制内部の双方から、リトアニアをソ連の支配から解き放たんとする動きが本格化し始めたのだ。

一般的に、ソ連崩壊時の各共和国の独立や民主化は、支配勢力たる共産党に対抗する草の根の民主化運動の勝利によってもたらされたと考えている人も多いかもしれない。しかしそれはかなり一面的な見方であって、実際には現地共産党もが独立と民主化を達成するための駆動力になったケースも多く、リトアニアはその一例であった。

草の根の独立運動であるサーユディスとリトアニア共産党（の改革派）らもリトアニアの自主性を回復するという基本的な目的は共有していた。そのため、サーユディスには多くのリトアニア共産党員が所属していたし、またリトアニア共産党もサーユディスの活動を全面的に認めていた。両者の違いは、主権獲得のための戦略であった。リトアニア共産党改革派は、まずは経済的独立を確保してから政治的独立を目指すことや、エストニア及びラトヴィアの独立運動と歩調をあわせることが戦略的に重要だと考えていた。サーユディス派はペレストロイカと改革が進むモスクワ側の対応が変質する前にできるだけ早く独立を獲得することを目指していた（とくに、モスクワで最高会議の新しい会期が始まる3月12日の前に決定的な行動をとることに腐心していた）。

サーユディス本部があった場所の銘鈑

1990年2月にリトアニアソヴィエト最高会議の選挙が行なわれた際、当時のリトアニアは共産党以外の出馬を許可した。複数政党の競争選挙が許可されたのである。選挙の結果、サーユディス派が4分の3の議席を獲得した。この中には共産党員を兼任するものもいたが、全体としては少数にとどまった。サーユディス派が議会で多数派を占めた結果、選挙直後の1990年3月11日に電撃的な独立宣言が世界に向けて発せられた。サーユディス系のメンバーの一部は、この宣言によって西欧諸国がリトアニアを独立国として国家承認してくれることを想定していた。だがそれはすぐに幻想であったことが明らかとなる。諸外国はこれを黙殺、まっていたのはモスクワからの経済制裁であった。モスクワ（ソ連共産党）とのパイプを持つリトアニア共産党がフォローに回り経済制裁は解除されるものの、その後も交渉は長期化する。1991年1月にはソ連軍が武力介入し、戦車を伴って放送塔などを制圧し現地メディアを掌握する一方、住民が自ら盾となってリトアニア議会を守るという危機的状況も発生した。同年2月の国民投票、同年8月のロシア側のクーデターとその失敗などの波乱を経て、ようやく国際的な国家承認を得られるようになり（アイスランドだけが例外的に2月の国民投票直前に独立国家承認を表明していた）、9月6日にはついに他のバルト諸国と同時にその独立がソ連からも承認された。

独立後の国づくりは上記のプロセスと並行して行なわれていた。1990年に召集された議会は、3月11日の独立宣言以降、制憲議会であると再定義され、ここがリトアニアの国づくりの場となっていた。ところがこの頃には既に、サーユディスと共産党改革派の距離は相当開いていた。サーユディスの理念優先かつ強硬な方針によって独立宣言を出したのは良いものの、その雲行きは芳しくなく、苦境は内部に軋轢を生み、サーユディスが右傾化を強めていたからである。リーダーのヴィータウタス・ランズベルギス（第21章参照）が、自身の路線と異なる同志に対し、対話ではなく排斥という手段を用いた事はその急進化に拍車をかけた。サーユディスの右傾化・急進化は、かつて手を取り合った共産党改革派との連携を決定的に困難なものとさせた。サーユディス右派から見ればリトアニア共産党は困難な時期に日和見主義的な行動をとる連中に写っていた。反対にリトアニア共産党改革派から見れば、サーユディスの言動はリトアニアに危機をもたらし、自分たちがモスクワと実質的な交渉を進めたからこそ祖国は破滅を回避できたという思いもあった。

独立宣言後の制度形成をめぐる政治は、このような二大陣営の対抗と相互不信の文脈で展開された。最も基盤となる憲法の制定に関して、サーユディス派と旧リトアニア共産党派の双方とも、一から新しい憲法を制定するという点については早々に合意することができたが、どのような統治機構を導入するかでお互いの思惑が異なっていた。共産党系の復活を防ぎたいサーユディス派らは、強力な大統領を設けることで（万が一議会選挙で旧共産党勢力が勝利してしまっても）議会に対抗できる制度を構築することを狙っていた。反対に旧リトアニア共産党派は、強力な右翼の大統領が存在することで移行後のリトアニア政党政治の活動が阻害されることを怖れていた。強力な大統領制を求めるサーユディスと、できれば大統領のいない［あるいは象徴としての力しか持たない］議院内閣制を求める共産党系の勢力は伯仲しており、結果的には両制度の中間（のように見える制度）としての半大統領制が採用されるに至った。国民から直接選ばれる大統領と、議会から選出されかつ責任を負う首相の双方が行政権を分有する制度である（日本の読者にはあまり馴染みがないかもしれないが、世界的には広範に見られる制度である）。リトアニア憲法の詳細については第23章で言及されるが、このような双頭体制を可能とする政治制度がリトアニアでは確立され、主に首相が内政を担当し外交は大統領によって担当するという役割分担が成立した。

選挙法も憲法と同時期に制定され、制憲議会の141議席を引き継いだまま新たな制度が導入された。ただし、どのような方式で議席を決定させるかをめぐって政治的な思惑がぶつかりあった。結論から言えばリトアニアは全議席のうち70議席を全国1区の比例代表制で決定し、71議席を定数1の小選挙区で決定する制度を導入したのであるが（選挙制度については第23章でも触れる）、ここでも二大陣営の均衡した関係が選挙制度の決定に影響した。サーユディス系は全面的な小選挙区制度、さらに上位2候補による決選投票つきの制度の導入を主張した。有権者からの人気があったサーユディスから見れば、1対1の戦いに持ち込むことができる制度ならば自勢力に勝てる候補はいないはずであり、選挙戦で有利だという考えがあった。反対に共産党系は、一党独裁終焉後の逆風の中でも一定の議席を確保し得る比例代表制度の導入を主張した。両者の議論は決着がつかず、結局は単純に足して2で割る制度が導入されたのである。ただし、皮肉なことに1992年の総選挙の結果は両陣営の思惑から外れるものであった。小選挙区では反サーユディス票を集約して旧共産党系候補が大きく議席をのばし、反対に比例区では、個別候補の事はよく知らなくともサーユディスの名前だけで投票ができる恩恵からサーユディス系の候補がある程度その議席を伸ばすことができた。

独立の回復後、リトアニアの政治の制度は細かい修正を繰り返しているものの、半大統領制度と混合的な選挙制度という大枠は維持し続けている。これは、しばしばバルト三国とひとまとまりにされるエストニアやラトヴィアとは異なる制度である。その背景の一つには、サーユディスという民衆勢力と旧リトアニア共産党という体制内勢力が協調して独立への歩みを進め、その後対決するに至ったという、リトアニアの（少しだけ特殊な）独立前後の政治環境があるのである。

（中井　遼）

20

EUとNATO加盟

★その熱意と困惑★

ソ連から脱却したリトアニアが国際政治の中で目指す目標は明確であった。それは自由で民主的な「西」の欧米社会へと回帰することであった。具体的にはEUに加盟することで、政治経済的に先進国の仲間入りを果たしつつ、アイデンティティの面からもヨーロッパ社会に復帰し、さらにNATOに加盟することで自国の安全保障を頑健なものにして「東から」の脅威に備えることであった。

EU加盟への道のりは平易なものではなかったが、独立回復直後から熱意をもって行動した。1993年には欧州評議会との接点を持ち、1995年には国会での全会一致を経てEU加盟申請を表明した。主権国家としての裁量を損なってでもEU加盟に必要な諸法規・諸条件の整備を進めることを決意し、1998年にEU側との実質的加盟交渉がスタートする。EU加盟に必要な基準をクリアし、EU側から加盟許可が出され、あとはリトアニア国民の声を聞くだけとなった後の国民投票（2003年）では、91%が加盟賛成という圧倒的な結果になった。これはあらゆるEU加盟国がその加盟時に行なった国民投票の中で、最も賛成率の高い結果であった。リトアニアはEU加盟に最も熱心な国だったと言えるだろう。２００４年にはＥＵ内の一国であることが憲法諸法規の一環として規定され、ＥＵ加盟国であることが文字通りその国是となった。

ＥＵ加盟に比べてＮＡＴＯ加盟はより困難な道のりであった。リトアニアに限ったことではないが、ロシアと国境を接するバルト諸国のＮＡＴＯ入りに対してはロシアが極めて強い懸念をかねてから表明していたからだった。とくにリトアニアはロシアの飛び地、カリーニングラードと陸路で国境を接している。さらにリトアニアを含むバルト三国が、欧州の軍事配備に上限をかけるＦＴＡ未批准である事が、ロシアの懸念をより強めた。自国と国境を接するＦＴＡ未批准国がＮＡＴＯ加盟国になることは、ロシアにとって真剣な脅威であった。

独立宣言 20 周年式典パレード（2010 年 3 月 11 日）

ところがリトアニアにとってのチャンスはまったく意外な形で外からやってきた。２００１年9月11日の同時多発テロ以降、イスラム圏でのテロリストとの戦いを標榜するアメリカが主導するＮＡＴＯと、同様にイスラム圏からのテロに悩むロシアの利害が一致し、急速にその距離感を近づけていったのだ。ロシアの対ＮＡＴＯ警戒視の緩和と、後述するような、バルト諸国の積極的な対米追従が、リトアニア含むバルト諸国のＮＡＴＯ加盟を可能なものとした。ＮＡＴＯミッションの一つとして、各国輪番でバルト空域を4機で警戒するようになったが、その拠点となったのがリトアニアのシャウレイ基地であった（なおウクライナでの紛争以降、ミッション参加機数は増加している）。筆者が2010年3月に独立宣言20周年の式典を観察した際、最も群集が沸いていたのはまさにこれらの機体による観閲飛行の瞬間であった。

ＥＵとＮＡＴＯはその加盟国も概ね重複しており、おなじ「西洋」社会の組織である。だがそれはかならずしもリトアニアがこれら二つの組織に加盟して万事上手く行っていることを意味しない。時にリトアニアはＥＵとＮＡＴＯの「二重の忠誠のジレンマ」に対応しなければならない。これはＮＡＴＯの中心であるアメリカ合衆国と、ＥＵの中核であるドイツ・フランスといった国々のどちらとの関係をより重視するかという問題として現れる。最も象徴的な具体例が、２００３年の対イラク戦争をめぐる問題だ。ＥＵ加盟のためにフランス・ドイツと歩調を合わせて対イラク戦争に参加しないのか、ＮＡＴＯに加盟する意義を示すためにアメリカに追従してイラクに軍隊を派遣するべきなのか。このときリトアニアは即座に後者の決断を採用した。それは政治エリートだけの独断ではなく、国民の大多数も同じ意見であった。かつて西欧の諸大国はミュンヘンで東欧を裏切り、アメリカだけが東欧の庇護者たり得るという言説も広く浸透していた。

リトアニアにとっての夢であったＥＵ加盟が現実には痛みも伴うことも、徐々に明らかになっていた。有名な例が、リトアニア最大のエネルギー源であるイグナリナ原発を、ＥＵ加盟基準に満たないとの理由で閉鎖しなければいけなくなった問題だ。リトアニアにとって本原発は、単なるエネルギー供給の設備ではなく、ロシア支配から脱却するための貴重な財産であった。同原発が無くなれば、電力需要を火力発電等でまかなわなければならず、その火力発電に必要なＬＮＧは１００％ロシアに依存していた。ソ連時代の電力網の都合上、西側から電気を買うこともできなかったリトアニアとって、同原発を閉鎖することは、東の隣人から喉元に匕首を突きつけられることを甘受するのと等価であった。本件については、国内の党派の左右を超えて、ＥＵ側にその延長操業を嘆願し続けた。ＥＵ側も妥協し、二つある炉うち一つの炉についてはＥＵ加盟後の２００９年まで操業することを許容したが、それ以上の操業強行を主張するならばＥＵ加盟基準未達成として扱うこととした。２００９年の廃炉のその日、多くの作業員は落涙した。日本のある新聞記者による「支配を繰り返さないための選択肢（ＥＵ加盟）が、新たな支配を招く皮肉な結果に」という言葉は、リトアニアがＥＵに対して持つジレンマを上手く表している。この蹉跌を脱するために、新たな原発をヴィサギナスに建設しようとしている。２０１２年の国民投票で建設反対派がわずかに上回ったが、大統領はこれを黙殺した（後に、反対運動を展開したＮＧＯ等に「某隣国」から迂回資金が流れていたことが判明している）。

無論、ＥＵに対する失望が蔓延しきったわけではない。経済的・社会的にはＥＵの恩恵を強く受け、多くのリトアニア人が欧州全域での自由を享受しているし（これが行き過ぎて頭脳流出という別の問題を引き起こしてもいるが）、ＥＵ加盟後のユーロ導入には熱心にコミットし続けた。２０００年代の経済危機にも屈さず、何度もその予定を後ろに延長させながらも、２０１５年についにリトアニアはユーロを導入した（このあたりの詳細は第33章も参照）。だが、リトアニア国民のＥＵに対する態度は、ＥＵに加盟したことによる利益と不利益の狭間の中で、幾分アンビヴァレントなものになっている。かつてはその加盟に際する国民投票において圧倒的な賛意を示したリトアニア国民だが、ＥＵに対する信頼や評価を問うた国際世論調査等では、大抵の場合で「下から○番目」という低い評価・信頼感を示す。欧州議会選挙への投票率も非常に低く、２００９年の投票率はたったの21％であった。

ＮＡＴＯに対する期待・態度は、ＥＵに対するそれに比べればさほど冷え込んでいないように思われる。もっとも、もしリトアニア国民がＮＡＴＯに失望するとすれば、それはリトアニアにとってＮＡＴＯ加盟による便益を受けられないという事態が明確になる状況（すなわち侵略を受ける事態）であるから、期待感が存在し続けていること自体は悪い状況ではないのだろう。

そんなリトアニアの首都ヴィルニュスの歴史的中心部にある、旧市庁舎の正面には、ある人物の言葉が掲げられている。それはリトアニア市長の言葉や、欧州統合を賛美した言葉ではない。ましてやリトアニアの歴史上の英雄の言葉でもなければ、独立運動を率いた者の言葉ですらない。それは、「リトアニアを敵とする者はアメリカ合衆国をも敵とする事になる」というブッシュ元米大統領の言葉である。この言葉を国家の最中心部のホールに誇らしく飾るあたりに、リトアニアの対外政策の要点が一面とはいえ象徴されているように思われる。

（中井　遼）

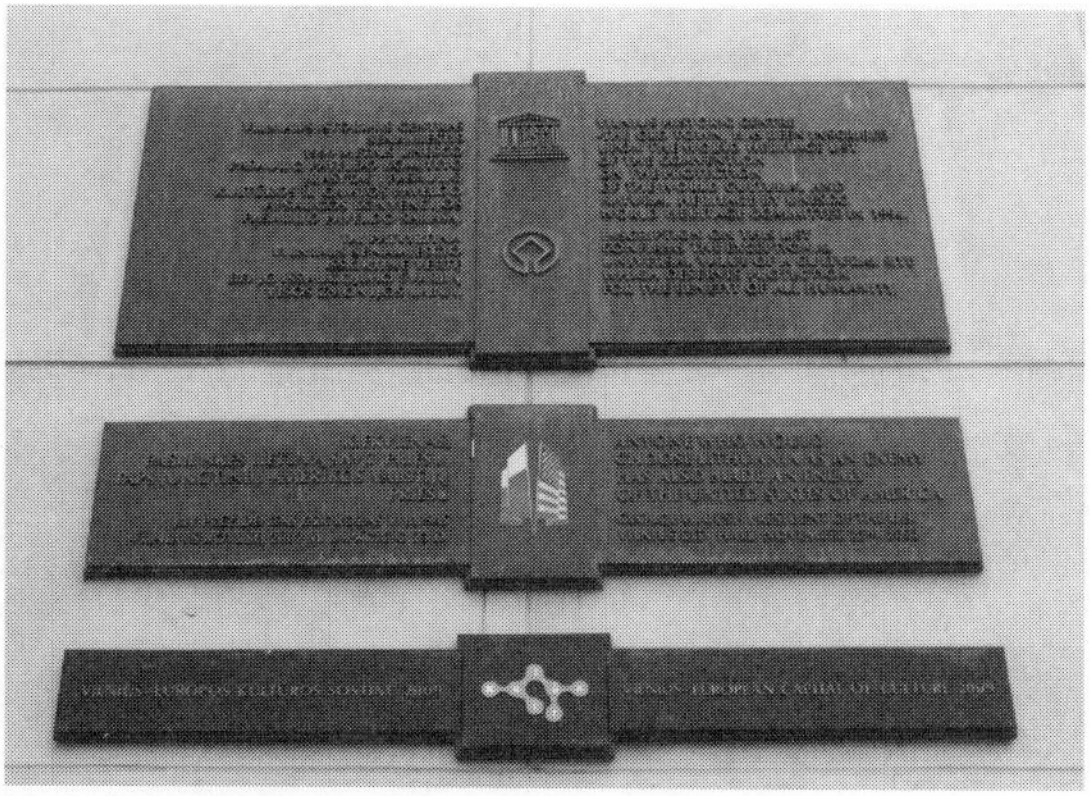

旧市庁舎正面に掲げられたブッシュ元大統領の言葉（中）

Ⅳ
政　治

21

国家元首

★個性ある５人の男女★

第20章でも述べたように、リトアニアでは大統領が政治の実権を一部有しており、「個人」の存在を無視してその政治を理解することはできない。独立を回復しておよそ四半世紀、この間５人の人物がリトアニアの国家元首として選ばれてきた。

本書を手にした読者の中には、最初の国家元首、ヴィータウタス・ランズベルギスの名を聞いたことがある方もいるだろう。ソ連末期の激動の時代に、リトアニアの独立運動を民衆の中から牽引した人物である。リトアニア人芸術家ミカローユス・コンスタンティナス・チュルリョーニスの研究者、かつ自身も音楽家のランズベルギスは、熱狂的な愛国者・理想家そしてリトアニア民族主義者であった。もちろんそれが行過ぎて国内外で議論を引き起こすこともしばしばあったのだが、１９９０年の独立宣言から１９９２年の憲法制定まで国家元首の座にあり、その後も旧サーユディス系の政党「祖国連合」のリーダーとして国内政治で活躍した。リトアニアがＥＵに加盟してからは欧州議会に活動の場を移し、ロシアの脅威を内外で喧伝することに情熱を注いでいたが、２０１４年の欧州議会選挙前に政界を引退し、孫にその議席を譲った（その孫は当選した）。なお、彼は

第21章
国家元首

正式にはリトアニア「大統領」であったことは無い。1992年の憲法制定以前は大統領職が存在せず、議会議長が国家元首だったからである。ランズベルギスはその議長であった。

そのため、その後を継いだアルギルダス・ブラザウカスがリトアニア最初の大統領である。彼は元リトアニア共産党第一書記であったが、だからといって独立リトアニアの改革が止まったわけではない。前出のランズベルギスが、「下から」の独立・民主化運動の牽引者であったとすれば、ブラザウスカスは「上から」の独立・民主化運動の牽引者であった。ソ連健在の時期に、リトアニア共産党のソ連共産党からの離脱を表明したのは、まさに彼が党首になった後である。前出のランズベルギスが情熱的ではあるが政治の素人であることに比べ、ブラザウスカスはその道40年の政治のプロフェッショナルでありリアリストであった（この2人の関係は第18、19章も参照されたい）。体制移行に伴う大混乱・大不況から穏やかな改革へと祖国を導き、また他のバルト諸国より一足早いロシア軍撤退も実現させた。夫妻揃っての汚職疑惑など旧体制の政治家らしい「黒い」部分も持ち合わせてはいたが、体制移行の混乱に巻き込まれた弱き人々たちを中心に広く愛された人物であった。1998年の大統領選挙には再出馬せず一旦は政界を引退するも、一転2000年の議会総選挙に出馬し、2001年から2006年まで2期5年の間、今度は首相としてリトアニア政治の頂点を担った。その評価は依然として分かれるところだが、新生リトアニアの成立において触れずにはいられない人物であり、2010年に逝去した際には国葬をもって送られた。

二代目の大統領、ヴァルダス・アダムクスはかつてヴォルデマーラス・アダムカーヴィチュスという名前であった。彼がこのような短い（そしてあまりリトアニア風ではない）名前に改名したのは、彼が亡命リトアニア人としてその人生の多くをアメリカで過ごしたからである。アメリカ国籍を所有し、一人のアメリカ人としてシカゴに住まい、地元の行政部局のトップまで上り詰めたアダムクスは、リトアニア独立後に望郷の念とある種の使命感から、リトアニアに戻り政治家になる事を志した。祖国に戻ってすぐの１９９３年大統領選挙では前出のブラザウスカスに敗北したものの、その次の１９９８年大統領選挙で勝利する。旧サーユディス系と旧共産党系それぞれが政権を担い、またそれゆえに双方への失望が広がり始めた頃、アダムクスがこの両党派から比較的中立であったこともその後押しとなった。２００３年に一度敗北するものの、２００４年から２００９年から再び大統領職を務め、欧州最高齢の大統領として、ＥＵ加盟・ＮＡＴＯ加盟といった節目の時代にリトアニアの顔を勤めた。彼の在任中におきたグルジア紛争の後には、ロシアとの関係正常化を模索するＥＵ内の首脳でただ一人最後まで反対論を唱え続けた老骨の戦士でもあった。

アダムクスの任期が途中で途切れているのは、２００３年大統領選挙でロランダス・パークサスが勝利したからである。元・スタントマンのパイロットから、ヴィルュス市長そしてリトアニア共和国首相と政界を上り詰め、（良くも悪くも）政治家らしくない諸言動で当時は非常に人気のあった彼は、同選挙で大統領として選出された。だがこの選挙活動の際にロシアのマフィア組織のサポートを得ていたこと、さらに活動支持の見返りにリトアニア国籍を与えていたことなどが露見し、祖国を売り渡した人物として弾劾される。これは近現代ヨーロッパで初めての大統領弾劾の事例であった。彼はその結果、公民権を剝奪されているので政治の表舞台には出られない時期があったが、今でも一部には熱心な支持者がおり、彼が立ち上げた政党が依然健在であるなど、その政治的影響力は消滅していない。

第21章
国家元首

アダムクスの後に大統領になり、2019年まで大統領であることが予定されているのが、ダレ・グリバウスカイテである。前述の「祖国連合」の支持に支えられている。彼女を形容する際によく用いられるのが、かつて英首相サッチャーを形容した「鉄の女」という言葉だ。彼女は容易に妥協しない。時間をかけた熟慮は好まない。痛みを伴う改革を容赦なく断行する。自らの信念あるところについては国民投票の結果さえ一顧だにしない。そのスタイルに対しては独裁的だという異論もあるものの、さほど大きな声ではないのが実情であり、2014年大統領選挙でも再選を決めた。大統領になる前には、駐米大使や欧州委員を務めており、エリートの中のエリートのように思われるが、彼女自身が「私の性格は生き残りの戦いを通じて作られた」「何の助けも無かった」と語るように、生まれた家庭は比較的貧しく、自身も工場で働いていた時期があるなど、苦学しながら政官界へと足を踏み入れた過去がある。そのような経緯もまた、彼女に対する国民の強い支持の理由であるのかもしれない。ちなみに報道の示すところによれば、空手の黒帯を保有しているとのことである。

なお、リトアニアでは大統領は特定政党のメンバーであってはならないという規定がある。そのためどこかの党員であっても当選して大統領に就任した際には無所属として活動することが原則となる。とはいえ選挙戦までは政党の公認や支持を得て活動できるし、またそのような政治的志向の違いもまた各人の個性の現れの一環でもある。

（中井　遼）

（本章脱稿後の2019年6月、新大統領ギターナス・ナウセーダが選出された。党派色の薄い、経済学者である。）

22

選挙と政党

★リトアニア民主政治の様相★

日本の読者から見ると「小選挙区と比例区それぞれに1票ずつ投じ、それぞれの票がそれぞれの議席に結びつく」という選挙の仕方にはあまり違和感がないかもしれないが、世界的にあまり多い制度ではない。日本とリトアニアの奇妙な共通性の一つに、両国ともこの混合的な制度（並立制）を採用しているという点がある。以下ではリトアニアの選挙の仕組みや、それを通じて当選する政党たち、そしてその政党によって生み出される政権パターンまで簡単に概説していく。

右に日本との類似性を示したばかりだが、当然違いも多くある。たとえばリトアニアの議会は一院制（141議席）である。そのうち70議席を全国1区の比例代表で決め、残りの議席は全国を71の選挙区に分けた多数決で決定する。71の選挙区では、最初の投票で過半数を取れた候補がいなかった場合に、上位2名による決選投票を2週間後に行なう。多くの候補が出馬する中で、1人の候補が50％以上の得票を取る事は殆どないので、たいていの選挙区では2週間後にもう一度選挙が行なわれる。つまり、実質的にリトアニアの選挙2週間かけて行なわれる。最初の選挙日に比例区用と小選挙区用の2票を投じにいき、その2週間後に小選挙区の決戦投票用にもう1回投票しに行くということだ。この際、1回目の投票だけ行ったり決選投票だけに行ったりしても問題はない。

一般的に、たくさんの政党に当選のチャンスがある比例代表制の方が、一つの政党しか当選できない小選挙区制よりも、小さな政党に有利だと思われているのではないだろう。ところがリトアニアではこの〝常識〟は通用しない。リトアニアでは、全国1区の比例代表を通じて大政党に票が集中し、反対に小選挙区が小規模勢力の議席獲得に貢献している。なぜなら、全国的には弱小勢力だが地元では圧倒的な支持を得ている候補（の政党）にとってみれば、地元の票のみで勝敗が決する小選挙区の方がありがたいからである。余談ではあるが、このようなリトアニアの選挙は、国際的な選挙研究の論文でも扱われることがある。それゆえに現代の政治学者は「小選挙区制だと二大政党制になる」という主張が、厳密には間違った議論であることを知っている。

このような理由によりリトアニアには多数の「ミニ政党」があるので、そのすべてを包括的に説明することは困難だ。だが間違いなく触れるべき政党が二つある。それは祖国連合と社会民主党だ。この両者はリトアニア政治の左右における重鎮かつ中核として、リトアニア政治のキープレイヤーでありつづけている。

祖国連合（Tėvynės Sąjunga）は、元をたどれば独立運動体のサーユディスにたどり着く（サーユディスがどのような組織であったかは第18章・19章を参照）。政党の性質としては右派・保守に属するといってよい。経済的な観点については市場原理を尊重し、価値観の面では伝統保守的・リトアニア民族主義的な傾向がある。長らく姉妹政党のリトアニアキリスト教民主党と連携していたが（リトアニアキリスト

リトアニア主要政党の位置づけ

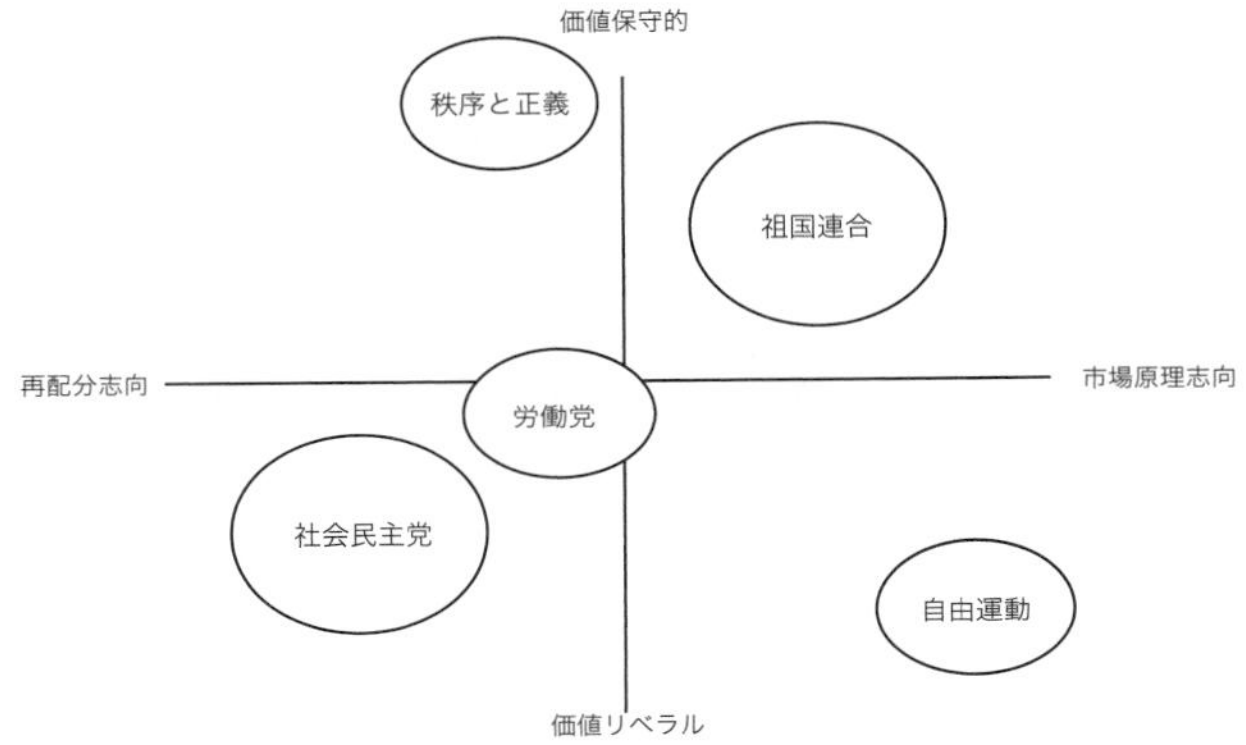

出典：米チャペルヒル大学の研究データをもとに筆者が簡略化

教民主党自体、サーユディスのカウナス支部といった性質が強かった）、２００８年に正式に合併し、現在の党名も正式名称としては「祖国連合＝キリスト教民主党」となっている。ヨーロッパ議会でも、キリスト教民主主義政党のグループである欧州人民党に属している。

一方の社会民主党（Lietuvos Socialdemokratų Partija）は、リトアニア共産党の後継政党たる民主労働党がその母体の一つだ。もともと別のリトアニア社会民主党という政党も以前から存在していたが、前者が共産党後継政党であるのに対して後者は共産主義化する前の時代の政党が復活したものであるという経緯から、独立回復後は暫くライバル関係にあった。だが２００１年に歴史的な合併を果たし新生社会民主党として生まれ変わったのである。名前は社会民主党の方を引き継いだが、党員数やそれまでの議席数、党内執行部などについては民主労働党系が優位であった。経済面では市場原理の歪みを正すことを念頭にいれ、価値観の面では相対的に保守色が弱い（とはいえエネルギー問題などでは祖国連合より保守的な態度を示すこともある）。ヨーロッパ全体では欧州社会民主同盟に属している。

独立回復後のリトアニア政治は、短期間の例外を除けば基本的にこの2政党のどちらかが政府首班となって運営されてきた。とくに1990年代はさながら両陣営の二大政党制にも似た状況であり、そのような政治が定着するようにも思われたが、両陣営の政権運営を経ても解決されない問題が出てくる中で、国民は新たな政治勢力に期待を寄せるようにもなってきた。現在もなお上記2陣営が二大勢力である構図自体はかわらないものの、2000年代に見られた新興勢力の出現・衰退から生き残り、基盤を形成しつつあるように思われる三つほどの政党を紹介しておこう。

まずは自由運動（Liberalų Sąjūdis）だ。2000年代初頭には、上記の右派（祖国連合）でも左派（社会民主党・民主労働党）でもない路線を標榜する政党の台頭が多く見られた。自由運動はその分派のひとつとして2008年に形成された新しいグループであるが、2015年現在、最終的に生き残っているのがこの政党である。価値観においてはさほど保守的ではないが、経済面で市場原理主義的な主張を有しており、ヨーロッパ議会では欧州自由民主同盟に属している。その経済政策の主張の近さから、祖国連合と連立を形成して政権与党を担当したことがあるが、価値観面では相当の開きがあり、リトアニア政党政治の第三極としての地位を確立できるかの正念場にある。

続いては労働党（Darbo Partija）である。2004年総選挙の少し前に結成され、その党首ウスパスキフのビジネスマンとしての評価を梃子にして劇的な勝利を収めた。当初は、党首ウスパスキフの個人的人気のみに依存するポピュリスト政党だと見られていたが、同氏が汚職疑惑でロシアに逃げたり議員特権を傘に逮捕を逃れ続けたりしても、党に対する支持は残り続けた。その背景には、地方農村の支持が強いという面に加えて、その政策志向が比較的中道的であるという穏健さが有るように思われる。経済的な主張の近さから社会民主党と一緒に連立政権を担当することが多いが、欧州議会での会派は自由運動と同じ欧州自由民主同盟である。

最後に、評価の難しい政党として「秩序と正義」(Tvarka ir Teisingumas) に言及しておこう。ヨーロッパ議会での所属が、反EUかつナショナリズムの「自由と民主主義のヨーロッパ」であったように、その性質はEU志向が原則のリトアニア政治の中ではやや異例である。当初は「自由民主党」という名称で2002年に党首パークサスによって結成されその特殊な性質から長らく連立交渉からは排除され続けた（2012年総選挙後に初めて連立政権入りした）。創設者パークサスの出身地であるリトアニア北西部での支持が強く、半ば地方政党として生き残っている面は否定できない。

この他、ポーランド系住民の利益を代表するポーランド人選挙運動 (Lietuvos Lenkų Rinkimų Akcija) という政党が、あまり大量の議席ではないものの独立回復以降コンスタントに議席をとっている。大抵の選挙ではリトアニア南東部の小選挙区のみで議席を獲得しており（ポーランド系住民の多い選挙区で議席を確保する）、小選挙区の恩恵を最も受けている政党といえるかもしれない。社会民主党政権時に連立政党として与党になることもあり、けしてリトアニア政治の中で排除されているわけではない。

（中井　遼）

23

立憲主義の発達と1992年共和国憲法

★憲法史における現行憲法★

リトアニア憲法の起源は大変古く、近隣諸国に比べてはるかに長い歴史を持つ。リトアニアの国家法の萌芽はすでに古い慣習法やより後の統治者の法令において見られるが、16世紀初頭にこれらの法が整備され、1529年、1566年、1588年のリトアニア法典として成文化されたのであった。このリトアニア法典は、リトアニアにおける立憲主義の伝統の基礎として位置づけられる。一方、ポーランド＝リトアニア共和国において採択された1791年5月3日憲法は、ヨーロッパで最初の成文国民憲法であり、憲法史上における重要な記念碑の一つと見なされている。だが、ポーランド＝リトアニア共和国自体は、1795年のいわゆる第三次分割により、事実上その存在を停止した。以来、独立国としてのリトアニアが復活する20世紀まで、リトアニアの大部分はロシア帝国の支配下に置かれた。

1918年から1940年までの独立共和国時代、リトアニアでは、1918年、1919年、1920年のいずれも暫定憲法、および、1922年、1928年、1938年憲法、合わせて六つの憲法が採択された。とりわけ1922年憲法は民主主義的であったが、これに続く1928年憲法は独裁主義的な色彩が濃く、1938年憲法ではその傾向がさらに強まった。1940年に採択されたリトアニア・ソヴィエト社会主義共和国憲法は、1990年までリトアニアで効力を有した。この憲法は、ソ連の1936年憲法をその原則から文面まで完全に踏襲したものだった。後の1978年には、さらにもう一つのリトアニア・ソヴィエト社会主義共和国憲法が採択されたが、これはソ連の1977年憲法をモデルとしていた。それに対して、1949年2月16日に発表された「リトアニア自由戦闘運動宣言」は、リトアニア国民の自由に対する闘いを反映しており、この時期の最も重要な文書に数えられる。この宣言書には、独立回復後のリトアニアが目指すべき統治体制は民主主義共和国であると明言されていた。その原則は、1992年のリトアニア共和国憲法に取り入れられた。

1990年代のリトアニアでは、政治的な民主主義の機運が高まりを見せた。改革運動のグループである「サーユディス」による一連の政治活動は、1990年3月11日にクライマックスを迎えた。自由で民主的な選挙によって選出されたリトアニア・ソヴィエト社会主義共和国最高会議は、リトアニア国民の意志を代弁した「リトアニア独立国家回復宣言書」を可決し、「1940年に外国勢力によって失われたリトアニア国家の主権が回復された」、「リトアニアは再び独立国である」と厳粛に宣言した。同日、1938年憲法の有効性が回復され、再びその有効性が停止された後に、新憲法の採択まで有効性を保った「暫定基本法」が採択された。新憲法の制定作業に際して、国の政治体制のあり方が議論の争点となり、議院内閣制と大統領制、二つの憲法草案が作成された。歩み寄りの結果として両者を組み合わせた妥協案が採られ、リトアニア共和国の政治体制は、議院内閣制を採りながらも大統領に一定の権限を持たせた混合体制、すなわち、半大統領制となった。憲法によって分立が定められた司法権、行政権、立法権のうち、立法権は国会《セイマス》が、行政権は大統領と政府（内閣）に分けられたのである。

リトアニア共和国国会（中井遼撮影）

現在のリトアニア共和国憲法は、１９９２年10月25日の国民投票によって承認された。国民投票には全有権者の75・26％が参加し、そのうち75・42％が憲法の採択に賛成した。この憲法は、世界の憲法史の観点からすると、１９９０年の全体主義体制の崩壊後に始まった、いわゆる第四発達期に採択されたものに含まれる。この時期に採択された憲法としては、他に、１９９１年のブルガリア憲法とルーマニア憲法、１９９２年のエストニア憲法、チェコ憲法、スロヴァキア憲法、１９９７年のポーランド憲法、２０１１年のハンガリー憲法などが挙げられる。

リトアニア共和国の現行憲法は、主要部分（前文と本文）、および、第１５０～１５４条の末尾規定から成る。後者は、１９９２年２月11日制定「リトアニア国に関する」憲法的法律、１９９２年６月８日制定「旧ソヴィエト東方同盟へのリトアニアの不参加に関する」憲法的法律、1992年10月25日制定「リトアニア共和国憲法の発効の手続に関する」法律、2004年7月13日制定「リトアニア共和国の欧州連合への加盟に関する」憲法的法律が憲法として追加された条項によって構成されている。

リトアニア共和国の現行憲法の導入部となる前文では、国の生活の根幹をなす諸原則、および、憲法の最も重要な価値と目的が述べられている。前文においてとくに強調されているのは、リトアニア国およびその憲法における長い歴史と伝統の継受である。すなわち、リトアニア国民は何世紀も以前にリトアニア国を創設したのであり、かつてのリトアニア憲章およびリトアニア共和国憲法に遡る現在のリトアニア共和国の法的基礎は、リトアニア大公国、1918〜1940年に存在したリトアニア共和国、そして、1990年に再び復活したリトアニア共和国を繋げる橋である。また、自らの父祖の地である独立したリトアニア国において、自由に生活し、創造することが、生来の人間の権利であり国民の権利であると定められている。さらに、国の自由と独立を守り、国民の精神、その母語、文書および慣習を保護し、リトアニアの地に国民の団結を育むことが唱えられている。また、前文で宣言された国民生活と憲法採択の最重要の目的は、開かれた公正で調和のとれた市民社会および法治国家を目指すことにあるとされる。さらに、前文には、この憲法が独立を回復したリトアニア国の市民の意思により採択され、公布されることが明記されている。

憲法第1章「リトアニア国」では、リトアニア国の体制基盤が定められている。すなわち、リトアニア国は独立した民主主義共和国であり、その主権は国民が有する。また、国会、大統領、政府（内閣）、裁判所が行使する国家権力の分立、および、憲法による国家権力の制限に言及されている。さらに、国および国民に関する最も重要な問題は、国民投票によって決定されること、リトアニア国の領土は不可分であり、いかなる国家的組織によっても分割され得ないことが定められ、リトアニア共和国の国籍、国家語、国旗や国歌等の国家のシンボル、および、首都についても規定されている。第2章「人と国家」、および、第3章「社会と国家」においては、人と他の主体に関係する主な権利と自由が定められている。第4章の「国民経済と労働」においては、リトアニア経済の基礎が定められている。第5章「国会」、第6章「共和国大統領」、第7章「リトアニア共和国政府（内閣）」、第8章「憲法裁判所」、第9章「裁判所」においては、国家権力を行使する機関の組織と機能、および、それらの相互作用の基礎が規定されている。

このように、リトアニア共和国憲法は、国の最も重要な法律である。憲法は、法制度の中でも、その優位性、安定性、整合性の点で特異なものであり、直接的に適用され得る現代的な法律行為である。憲法は、人権と自由の保障、および、現代的な国家権力の組織を規定すると同時に、社会を統合し、日常の中の民主主義の原則を反映する文書なのである。

（ダーリュス・ベイノラーヴィチュス／ミルダ・ヴァイニュテ／櫻井映子訳）

24

防衛

★NATO加盟によるロシアへの対処★

リトアニア軍は、陸海空の三軍と特殊作戦部隊、そして兵站・訓練・軍アカデミー（研究教育）の各部門などで構成される。現役の専従スタッフは、今世紀に入り7千人台を推移していたが、２０１４年以降要員数は増加傾向にある。とはいえ、予備役や徴兵制による動員を含めても、兵員総数は1万5千とコンパクトな軍隊を維持している。

また、軍に準じる組織として、内務省のもとにある国境警備庁（海上保安部隊を含め約5千人）もある。このほか、リトアニアならではの準軍隊組織として「リトアニア・ライフル操者連合」（約一万弱）を挙げることができる。これは、本来はスポーツ愛好と社会奉仕を旨とする団体であるが、第一次世界大戦後の独立に際し、カウナスの市街を防衛するなど軍事組織としての役割も担った。ソ連時代には解散を強いられたが、１９８９年に復活した。

国防省による『軍事戦略』（最新のものは２０１６年3月採択）に明記されているように、リトアニア最大の脅威はロシアである。これに対抗するため、米欧との集団安全保障体制であるＮＡＴＯ（北大西洋条約機構）に与していくことが、再独立後のリトアニアニアの一貫した政策である。リトアニアが米欧に接近し、NATO加盟国となるプロセスは、次の四つの時期区分によって整理できる。

第一は、再独立からNATO加盟の代替措置であった「米・バルト憲章」の調印（1998年1月）までの期間である。リトアニアはバルト諸国の中で逸早く、93年8月末までに国内駐留のロシア（旧ソ連）軍を完全撤退させた。その一方で、97年5月までにバルト諸国はロシアの強い反対にあって冷戦後のNATO第一次拡大の対象国からは外された。それに代わって、米国との安全保障パートナーシップ憲章が結び、安全保障上の担保を得たのである。

第二は、その後のNATO第二次拡大により、この同盟へリトアニアが加盟を果たすまでの期間である（1998年1月〜2004年3月）。前述のように、いったんは加盟候補国から漏れたリトアニアであったが、引き続きこの同盟への加盟を追求した。1990年代を通じて断続していたチェチェン紛争のように、依然としてロシアからの周辺地域に対する強制的な行動が顕著に見られたことは、その大きな動機の一つであった。他方で、この時期は概して安全保障分野でのロシアと米欧との協調が進んだ時期でもあった。9・11事件（2001年の米国における同時多発テロ事件）後、両者は「対テロ戦争」で協力する関係となった。NATOではロシアを対等なパートナーとして扱い定期協議を行なう「NATO・ロシア理事会」が設置されるなど（2002年5月）、ロシアの米欧への接近が著しい時代であった。このロシアの協調的姿勢のもとで、バルト諸国を含めた10カ国（通称ヴィルニュス・グループ）は、NATO加盟の働きかけを続けた。2004年3月には、このうちリトアニアを含む7カ国が一斉に加盟した。リトアニア軍はこの時期、予備役兵を大幅に増やすなど自主防衛能力を内外に示した。

第三は、NATOに編入された後、集団防衛体制のもとでリトアニアの活動が確立される約10年間である（2004～13年）。加盟直後の2004年3月からは、NATO諸国軍が3～4カ月ごとに交代して、バルト諸国領空の哨戒活動を担当する「バルティック・エア・ポリーシング」が始まった。それは2012年5月のシカゴNATO首脳会合の決定によって恒久的な活動と位置付けられる。この時期、ロシアと米欧の協調関係は次第に冷却化の道をたどった。2003年の米国による「テロとの戦い」の一環として行なわれたとはいえ、米国とその有志連合によるイラクへの軍事介入（2003年3月～11年12月）をめぐって米ロ間で対立が顕著となった。また、旧ソ連を構成していたウクライナやグルジアで現行政権が倒される政変（カラー革命）が相次ぎ、ロシアはこれらの変動の背後に米欧諸国からの作用があったと認識した。2008年8月、ロシアがグルジアに軍事介入したことにより、米欧との安全保障分野での協力関係はさらに悪化した。

リトアニアは、このようなロシアの近隣諸国への行動に懸念を表明した。この時期、国土防衛の強化策として、ポーランドやウクライナとの防衛協力を進め、合同部隊が構想された（2007年6月）。2009年11月には、これら三カ国の合同部隊「LITPOLUKBRIG」設立趣意書が締結された。また、2004年5月に加盟した欧州連合（EU）とともに、NATOでの「積極的かつ責任あるメンバーシップ」を防衛政策の主要課題の一つに掲げるようになる。リトアニア軍がアフガニスタンおよびイラクに派兵を実施したことはその象徴的事業であった。アフガニスタンでは2005年以降、NATOの国際治安支援部隊（ISAF）の活動に参加し、中西部ゴール州チャグチャランに駐留した地方復興チーム（PRT）を主導した（なお、このリトアニア主導PRTには、2009年より日本外務省からの職員が文民支援チームとして派遣された）。リトアニア軍は、２０１４年末のＩＳＡＦ撤退後も現地の治安機関支援を目的に少数（数十名程度）の要員をアフガニスタンに派遣している。

第四期は、２０１３年秋以降のウクライナ情勢の深刻化とともに始まった。同国の欧州統合政策をめぐり路線対立が深刻化。２０１４年2月には現職大統領の失脚をきっかけに騒擾がウクライナ全土に拡大した。この機に乗じたロシアによるクリミア半島の併合や、ウクライナ東部での親ロ派分離主義勢力による武装行動は現在（２０１７年1月）も収束の見通しが立たない。また、現状では、ロシアは軍事力や兵員動員能力の点でＮＡＴＯを圧倒している。ウクライナ危機以降、ロシアはバルト諸国やウクライナとの国境地域で繰り返し軍事訓練を繰り返している。また、リトアニアに隣接するカリーニングラード州には対艦ミサイルや核兵器搭載可能な戦域弾道ミサイルも配備されていると見られる。

三カ国合同部隊

　リトアニアを含めたバルト諸国は、このような事態を自国の安全保障に直結する危機と捉え、独立後に培ってきたＮＡＴＯ体制の下での国防のさらなる強化を進めている。リトアニアでは、まず、２００８年9月に停止した徴兵制を2015年に復活させ、実働要員の増強を進めている。第二次世界大戦以後、ソ連併合に抵抗したパルチザン活動の経験を踏まえ、有事にはそれを奨励する動きも現れている。また、前述のポーランドとウクライナとの三カ国合同部隊についても、2014年9月に結成を果たし、2016年1月には同部隊司令部がポーランドのルブリンに設置、同年12月には作戦遂行能力を完備する段階に至った。さらに、防衛予算について、リトアニアは国内総生産（GDP）比2％というNATOの基準を2018年にも満たす方針を固めている。

NATOとしても対応を急いでいる。バルト諸国領空の哨戒活動については、2014年5月以降、離発着基地が増設された。また、2016年7月のワルシャワでのNATO首脳会合ではバルト諸国とポーランドに4千人規模の多国籍部隊（4個大隊）を展開することが決定された。これまで、NATOはロシアを刺激しないため、ロシアと国境を接する国々への外国軍の展開を抑制していた。しかし、その従来の方針を変更したのである。2017年中にはこのNATO軍の前方展開が実現する見込みであるが、依然ロシアとの軍事力の格差は大きい。（2017年執筆時でのデータを反映している。）

（湯浅　剛）

V

近隣諸国との関係

25

ロシアとの関係

――★ロシアとリトアニアのはざまに生きた二人のバルトルシャイティス★――

ユルギス・バルトルシャイティス（Jurgis Baltrušaitis）というと、日本では『アベラシオン』『幻想の中世』などといった、近代合理主義から逸脱するイメージをヨーロッパ周辺の地域に広く探った美術史書の著者として知られている。かつてあの澁澤龍彦も愛読したという、驚異的に博識な異端の美術史家（１９０３〜１９８８年）だ。彼はソルボンヌで学位を取り、おもにフランス語で執筆したので普通はフランスの美術史家と見なされるが、じつはモスクワ生まれのリトアニア人である。

美術史の領域ではリトアニアの民俗美術に関する研究もあるが、ドイツ、イタリア、スペインからアルメニア、グルジアといったヨーロッパ周縁に至るまで、非常に幅広く視野に入れていた。カウナス大学で教え、パリ、ロンドン、ニューヨークなどでも講演をしており、無国籍的なコスモポリタンのようにも見えるが、彼自身は自分がリトアニア出身であることを常に強調していたという。実際、フランスではリトアニアのために外交的な仕事にも携わっていた。

ところで、もう一人、同姓同名のユルギス・バルトルシャイティスというリトアニア人がいて話がややこしくなるのだが、じつはこちらのバルトルシャイティスは美術史家の父（1873〜1944年）である。彼はリトアニア語を母語とするリトアニア人でありながら、モスクワで文壇の中心に迎えられ、ロシア語で書く詩人としても一家を成した。まずその経歴を簡単に振り返っておこう。

彼は1873年、当時ロシア領であったリトアニアの村で、カトリックの貧しい農民の息子として生まれた。幼い頃はリトアニアの豊かな自然に囲まれて牧歌的な暮らしを送ったが、カウナスのギムナジウムを苦学して終え、さらにはモスクワ大学の物理・数学学部に学んだ。大学在学中に友人となったポリャコフを通じてブリューソフやバリモントといった詩人たちと知り合い、彼らとともに出版や雑誌編集に携わり、ロシア象徴主義文学運動の中心に身を投じた。いかにも「小国」出身の知識人らしく、彼は外国語習得に天才的な能力を発揮した。ロシア語とリトアニア語の二カ国語で詩を書いただけでなく、十以上の外国語に通じ、バイロン、イプセン、ハウプトマン、ハムスン、メーテルリンク、ワイルド、ダヌンツィオなどの作家を次々とロシア語に訳している。彼はまた、演劇にも深く関わり、タイーロフ、コミッサルジェフスカヤ、メイエルホリドなどの同時代ロシアの演劇人と親しかったばかりでなく、イギリスの演出家ゴードン・クレーグとも親交を結んでいた。

バルトルシャイティス（父）

革命前のロシアの文化界でバルトルシャイティスがどのような地位を占めていたかは、ボリス・パステルナーク（『ドクトル・ジヴァゴ』の著者として知られるロシアの詩人）の自伝の、以下のような記述を見るとよく分かる――「旱魃と皆既日食があった一九一四年の暑い夏を、私はバルトルシャイティス家の別荘で過ごした。別荘はアレクシン市のそば、オカ川のほとりの大きな領地にあった。私はバルトルシャイティス家の息子と色々な学科を勉強し、クライストの喜劇『こわれがめ』をドイツ語から訳していた。その翻訳は当時創設された室内劇場のためのもので、バルトルシャイティスが文芸部長をつとめていたのだ。領地には、芸術界の多くの面々がいた。詩人のヴャチェスラフ・イワノフ、画家のウリヤーノフ、作家ムラートフの妻……」

つまり、若き日のパステルナークを家庭教師がわりにしていたこの「息子」が、将来の美術史家だったのである。当時バルトルシャイティスの別荘が、ロシア文化の粋ともいうべき人々を惹きつける場になっていたことがよく分かる。

こうして、すっかりモスクワの文化界に溶け込んだかのように見えたバルトルシャイティス（父）だったが、ロシア革命後に大きな転機が訪れる。１９２０年、独立国となったリトアニアの在モスクワ公使に、さらに翌21年は特命全権大使に任命されたのである。非共産主義国の外交官ということであれば、当然、ソ連の作家たちと以前のような仲間付き合いはできなくなる。イリヤ・エレンブルグの回想によれば、「バルトルシャイティスは以前通り作家たちと会いたがったが、彼はもはや外交官の一員であり、皆は彼のことを外交的に――つまり巧妙に――避けるようになった」。

こうして彼は１９３９年までソ連に滞在することになるのだが、息子のほうは20年代の初めにパリに出てからは、両親のいるモスクワを訪ねることはあったとしても、次第にロシアから縁遠くなっていった。そして１９３９年、父もついにモスクワ生活に終止符を打って息子のいるパリに移り、ここでリトアニア大使館の参事官となったが、やがて戦時下の窮乏生活のために健康を損なって病没した。哲学的抒情詩を本領とし、抑制された語彙とイメージのうちにより高次元の世界への憧れを歌う詩人であった。ロシア語の詩集に『山道』（1911年）、『地の階梯』（1912年）、『百合と鎌』（1948年）、リトアニア語の詩集に『涙の花冠』（1942年）などがある。ロシアとリトアニアの両国に挟まれた彼の二重のアイデンティティは、次のような短い四行詩によく現れている――「わが宿命よ、どうしてお前はこのはかない人生のために／暗いはざまを与えてくれたのか／そこで私は家を捨てた奴隷として／二つの世界に同時に所属するのだ」（1937年）。

親子の生涯の軌跡は、対照的に見えるかも知れない。リトアニアの片田舎から、大国ロシアの中心モスクワに乗り込んで行き、晩年までそこに踏み止まった父。モスクワの文化的エリートに囲まれて育ちながら、西欧に向かい、パリで美術史家となった息子。しかし、結局のところ、西欧とロシアの間に置かれたリトアニアという民族のアイデンティティにおいて、二本の線は交わったと言えるような気がする。父はリトアニアの代表者として生涯をまっとうし、晩年はリトアニア語による詩作さえ熱心に試みた。一方、息子がリトアニア、グルジア、アルメニアといったロシア帝国の「周辺」の領域を探ったのも、自らの中に流れる小国の血に突き動かされてのことではなかったのか。1915年に父は短い自伝的スケッチの中で、自分の信念について、次のように述べている――「……自分がこの世界の中でも小さな者の層の出身であること。それゆえにおのずと私の中にはぐくまれたのは、ただ一つ――人間の最も根源的な義務は、すべての人々が等しく公平で、等しく豊かな生活を送れるよう、一生闘い続けることだという感覚、信念だった」。

（沼野充義）

26

ポーランドとの関係

――★アンビヴァレントな「連合」関係のゆくえ★――

リトアニアにとってポーランドは、歴史を共にしてきた一方で、ポーランドの文化的・社会的影響下に長らくおかれ、そこからの脱却がナショナリズムの目的の一つであったことから、アンビヴァレントな存在である。ただし、20世紀半ば以降の直近の歴史において主要な対立を抱えた隣国はロシア・ソ連であり、ポーランドは現在常に大きな注目を集めているわけではない。ポーランド側の事情もほぼ同様で、リトアニアは歴史的には連合相手であっても、現在近隣諸国で主要な関心を向けているのはロシアとドイツである。そこで、ここではリトアニアとポーランドの歴史を中心にいくつかの問題を述べたい。

近世以来リトアニア大公国の貴族や知識人のあいだではポーランド語・ポーランド文化が主流であり、農民を含む一般の民衆にとってもそれらは「領主のことば」であり、ステータスであった。他方、都市にはイディッシュを用いるユダヤ教徒や、ポーランド系・ドイツ系の都市民が多く、リトアニア語を話す者の多くは農民であった。19世紀後半以降、ポーランド的高文化への抵抗を背景に、リトアニア語を話すリトアニア人という、民衆を中心とする新たなリトアニア概念が登場する。言語や宗教などによる民族・国籍・領土の決定という考えは、ポーランドやベラルーシでもほぼ同じ時期に支持を得、それに伴って旧リトアニア大公国のポーランド語エリートは、民族的《エスニックな》ポーランド、民族的リトアニア、民族的ベラルーシのいずれかの選択を迫られた。だが郷土派と呼ばれる人々は、エスノ・ナショナリズムへの批判と、歴史的リトアニアすなわち多言語・多民族のリトアニア大公国の市民としての意識から、こうした単純な選択を拒んだ。たとえばスタニスロヴァス・ナルターヴィチュスは1918年の独立宣言に署名したタリーバのメンバーだが、ポーランド語を母語とする貴族であり、彼の弟は独立ポーランドの初代首相ガブリエル・ナルトヴィチであった。ミーコラス・ロメリス（ポーランド名ミハウ・レメル）はポーランド化した貴族の出身でありながら、リトアニアの独立運動を支持し、独立後のリトアニアの法曹界で活躍した。彼の一族には第一次世界大戦後独立したポーランドを選んだ者も多い。第一次大戦前後のエリート・知識人層にとって国家・民族への帰属は言語によって決まるものではなく、個人の政治的選択の結果であり、ときに家族や親戚ですらその選択が異なったのである。

ポーランド語の文化的・社会的地位の高さと社会での浸透度はリトアニアのナショナリストにとっても例外ではなかった。ヨーナス・バサナーヴィチュスら雑誌『夜明け《アウシュラ》』に携わったメンバーもポーランド語の書簡を残した。ヴィンツァス・クディルカもワルシャワ大学時代にリトアニア人アイデンティティに目覚めるまでは好んでポーランド語を用いた。リトアニア語を母語とするナショナリストにとっても公の場でリトアニア語を用いることは大きな決断だったのである。また、リトアニア人というアイデンティティを選択するに伴って使用言語をポーランド語からリトアニア語に変えたミカローユス・コンスタンティナス・チュルリョーニスのような例もあれば、セイナイ（セイヌィ）司教アンターナス・バラナウスカスのように、リトアニア・ナショナリズムのポーランドからの分離が明らかになるにつれてリトアニア語による活動から遠ざかった者もいる。

ヴィルニュス大学。支配的な文化が変化してもリトアニアの文化・学術の中心である。

また、ポーランドとの関係を語る際、両者の対立点となったヴィルニュスの問題も指摘しておかねばならない。元来バルト系の都市で、長らくリトアニア大公国の首都であったヴィルニュスは、１９１８年の独立宣言によって「首都」と定められた。だが、19・20世紀転換期には市内のリトアニア語話者は２～３％にすぎず、ユダヤ系とポーランド系が大多数を占めており、周辺地域でも多数派はポーランド系やベラルーシ系などのスラヴ系であった。このためポーランド人がヴィルニュスを自らの都市と考えていたほか、ベラルーシ民族派も独立ベラルーシの首都として同市を想定していた。１９２０年に同市とその周辺がポーランドに占領、翌々年には併合されると、リトアニアはポーランドとの国交を断絶し、両国関係は極度に悪化した。この時期には同市の非ポーランド系マイノリティは圧迫された。１９

第26章
ポーランドとの関係

３９年第二次世界大戦勃発後、ポーランド東部に侵攻したソ連がヴィルニュスをリトアニアに返還すると、今度は同市のリトアニア化が進められた。翌年リトアニアがソ連に併合されるが、１９４１～44年のドイツ占領期にもヴィルニュス地域のリトアニア系住民とポーランド系住民は対立を繰り返した。同市でリトアニア語話者が多数派になるのは、第二次大戦中のホロコーストによるユダヤ人の激減と、戦後のリトアニア・ソヴィエト社会主義共和国と社会主義ポーランドによるポーランド系住民のポーランドへの「帰還」事業によってである。現在すっかりリトアニア的都市となったヴィルニュスだが、戦後そこを追放されたポーランド系住民やその子孫にとってはいまだポーランドの都市「ヴィルノ」であり続けている。

　現在、反ポーランド感情とソ連時代の階級意識に裏打ちされた「リトアニア民族＝《イコール》農民」という考えは見直され、リトアニアは貴族を含む多様な身分・社会層から成っていたと考えられつつある。背景には、貴族の中にもリトアニア語の使用者が一定数存在し、ナショナリズムに貢献した者がいたことや、ポーランドとの共通の歴史、とくにルブリン合同以後の歴史の再評価がある。従来ポーランド的とされてきた貴族の邸宅やカトリック教会などの文化・歴史遺産の修復・保存・公開なども積極的に行なわれている。現在のベラルーシに生まれ、リトアニアを祖国と呼び、ポーランド語で書いた、19世紀のロマン主義詩人アダム・ミツキェヴィチのような人物に対して、これまでは後世の国民国家的な観点から何人《なにじん》であるかが議論され、排他的に帰属を決めようとしてきたが、最近ではリトアニア、ポーランド両国が同一人物を顕彰（場合によっては利用）することも増えている。例えば、「最後のリトアニア大公国市民」を自称し、リトアニアの出身であることを終生意識しながらも、ポーランド語で詩作を続け、両国の民族主義を批判した、ノーベル文学賞詩人チェスワフ・ミウォシュ（1911〜2004年）の生誕百周年の例がある。

最後に現代的な問題にもふれておこう。リトアニアとポーランドは領域内にそれぞれの言語を用いるエスニック・マイノリティを抱えている（正確には、ベラルーシを加えた三国にまたがって三者の混住地域が存在し、場合によってはエスニックな境界線が個人レベルでも判然としない例があると言った方が良いだろう）。リトアニアにとっては首都を含むヴィルニュス県東部を中心にポーランドなどのスラヴ系マイノリティが暮らす領域が存在し、地区によってはポーランド系が多数派を占める。リトアニアのソ連からの独立時にはポーランド系住民の間に否定的な態度が見られ、リトアニア系住民との間で反目が生じた。現在は両国ともEUに加盟し、エスニック・マイノリティに関しては双務的に義務が存在するため両国関係が極端に悪化することはないが、ポーランド語学校や地名・人名のポーランド語表記（とくにリトアニア語と異なる文字・正書法の場合）、ソ連時代の集団化で接収された土地の返還問題、地方選挙の中立性などをめぐって、地元のポーランド系住民との間に軋轢が生じるほか、ポーランド本国からも注文を受けることがある。

（梶さやか）

27

エストニアとの関係

★意外と疎遠な二国間の外交問題を示すエピソード★

意外と疎遠な関係？

疎遠と言っては語弊があるが、バルト三国としてひとまとまりで扱われることが少なくないとはいえ、エストニアとリトアニアの間にそれほど緊密な関係があるという印象はない。ラトヴィアとの間であれば、Valga と Valka（エストニア人はどちらも「ヴァルカ」と発音）という国境を挟んだ町をはじめとして、領海の境界線の問題もあった。また『エストニアのラトヴィア人』などという本もある。一方、皆無とまでは言わないが、エストニアにおけるリトアニア人の存在はそれほど大きなものではないし、とり立てて大きな政治問題もない。

もちろん、いったんロシアとの間で衝突があれば、政府レベルから一般市民レベルまで、支持を表明して互いに支え合ってきた。たとえば、2007年4月に戦争記念碑の移設を直接的原因として、エストニアとロシアの国家間関係が緊張した際にも、リトアニアでエストニアの立場を支持する集会がすぐに開かれた。独立回復直後の1990年代には、三国の中の一国を敵視し、他を相対的に厚遇することで三国の分断を謀るロシアの外交戦略もあったが、そうした戦略の危険を十分承知している三国の関係に乱れはなかった。とはいえ、そうした関係もロシアを挟んで形成されたものであり、エストニアとリトアニアの間の直接の関係とは言えまい。ただし、エストニアからの外国直接投資先の2位はリトアニアであり、社会・経済的な意味での関係が必ずしも希薄ではないことは強調しておきたい。

歴史になった関係

しかしながら、問題のない友好的な関係は第二次世界大戦以降に築かれたものなのかもしれない。実は、両大戦間期には、両国の関係はそれほど円滑ではなかった。以下では、それを示すエピソードを紹介しよう。

1920年2月2日にソヴィエト・ロシアと締結したタルト条約によって実質的な独立を達成したエストニアではあったが、ようやく獲得した独立を守るには、同国がおかれた地政学的立場はあまりにも厳しかった。そこで模索されるのが、バルト諸国間の軍事的な地域協力である。ここでいうバルト諸国には、リトアニアとラトヴィアの他に、フィンランドとポーランドが含まれる。結局は、後二者との協力は実らず、三国による協力関係として形になるのだが、当初は五カ国が議論に参加していた。

だが、五カ国による協力実現にはいくつかの障害があった。その最大のものが、ヴィルニュスをめぐるポーランドとリトアニアの対立である。この対立そのものについては、他の章で詳述されているので、ここでは繰り返さないが、その対立がエストニアとリトアニアの関係にも影を落としていたのである（第15章と第26章を参照）。

１９３０年2月、エストニアの国家元首であるオット・ストランドマンがポーランド訪問することになった。当時、リトアニアの暫定的な首都であったカウナスで、エストニア公使として勤務していたヘインリヒ・ラレテイは、そのときの顚末を回想録に書き残している。ラレテイによれば、この訪問が明らかになると、彼はリトアニア外務省に呼ばれ、この訪問を止めることはできないが、エストニアの国家元首がヴィルニュスで公式行事に参加することは控えてもらいたい旨要請された。ラレテイがこの件を本国外務省に伝えたところ、本省からはヴィルニュスでの予定はない旨返事があったため、ラレテイはそれをリトアニア側に報告して、一件落着かと思われた。

ところが、ことはそうは運ばなかった。ワルシャワでの公式行事の後、帰国の途に着いたストランドマン一行を乗せた特別列車は、ヴィルニュスで停車した。すると、一行をヴィルノ（ヴィルニュスのポーランド語名）市長とヴィルノ県知事が出迎えた。こうした歓迎を無視するわけにも行かず、列車を降りたストランドマンは、こともあろうに、次のような短い演説をしたのである。

「ポーランドの歴史にとって重要な過去のできごとが起こった場所であり（*ただし、新聞報道にはあったこの部分が、エストニア外務省の説明ではなかったこととされている）、またミツキェヴィチやピウスツキなどの偉大な人物を輩出したヴィルノを訪れることができて大変光栄である。」

この演説は、本来は自らの首都であるべきヴィル

オット・ストランドマン（1875～1941）。戦間期にエストニア首相、国家元首を歴任（出典：Estonica）

ニュスがポーランドの不法な武力占領下にある状態の解決を求めるリトアニアにとっては、侮辱以外のなにものでもなかった。リトアニアはこの出来事を、ヴィルニュス問題に対する中立的立場からの逸脱であると批判した。また、ラレテイ自身については、リトアニア外相自身のインタビューで「嘘つき」呼ばわりされたという。ラレテイは、こうした環境ではもはや任務を全うすることはできないとして、本省に離任を申し出た。しかしながら、それではエストニア側の非を認めることにつながるとして、それは許されなかった。

ラレテイにとっての災難は続いた。カウナスのエストニア大使館前で、抗議デモまで起こったのである。ただし、それはさほど深刻なものではなかった。再び彼の回想録によれば、彼が床屋で髪を切っていると、大使館の方向に行進していく一団がいる。何事かと思いついていくと、エストニア国家元首のヴィルニュス訪問に対する抗議行動であった。大学生や高校生の若者が大半を占めた集団は、「打倒ストランドマン！」などと叫びながら抗議の意を示した。とはいえ、一団についていったラレテイには、その素性がばれていながら、危害が加えられることはなかった。当初の新聞報道では、抗議行動への参加者は約千人と報じられたが、実際には、２００〜３００人程度だったらしい。なぜ、戒厳令下のリトアニアでこうした突発的な行動が可能であったのか、という疑問だけが残った。

いずれにせよ、まさに二国間の外交問題に発展し、その後、エストニアとリトアニアの関係は冷え込んだ。両国の間にはこの時点でまだ通商条約が締結されていなかったのであるが、その締結には一年ほど待たなければならなかったのである。

ところで、ストランドマンとはどういう政治家なのだろうか。あまりバランスのとれた判断のできる人物ではなかったのか。それを検証する紙幅の余裕はないが、当時のエストニア外相ヤーン・ラッティクの説明によれば、ヴィルニュス駅で市長と知事に迎えられ、知事が歓迎の挨拶の中でミツキェヴィチとピウスツキに触れたので、それを受けて発言せざるを得なかったという。とはいえ、ヴィルニュスに対するリトアニアの感情を知っているのであるから、もう少し他の言い回しもできたかもしれない。エストニアの新聞は、ヴィルニュス駅で列車から降りるべきではなかったと批判的なコメントをしているが、それは無理な話であろう。

ただ、この時点のエストニアにとっては、リトアニアよりもポーランドの方がはるかに重要な国であったことは確認しておきたい。自らの安全保障のために、この地域の「大国」であるポーランドとの良好な関係は外交政策上の優先事項であった。すでに1920年代半ばから議会の機能が制限され権威主義体制下にあったポーランドは、このストランドマンの訪問から4年後、やはり同様に権威主義体制に移行するエストニアにとってのある種のモデルでもあったのである。

今後の関係

現在同様、過去においても、エストニアとリトアニアの関係は直接的なものというよりは、第三国を挟んだものであったことは本章で紹介したエピソードが示す通りである。言うまでもなく、だからといって両国の間に直接的な関係がないと言いたいわけではない。逆である。両国の関係は日々の実務的な交流の中で積み上げられているはずである。それは良好であるからこそ部外者の目にはとまりにくいのであろう。

（小森宏美）

28

ラトヴィアとの関係

――★地域的繋がり、そして欧州情勢に後押しされた関係の緊密化★――

バルト海東南岸に位置するリトアニアとラトヴィアとの隣国関係は、北のエストニアを含むバルト三国と呼ばれる時に比べて、どのような特徴があるのだろうか。

リトアニア語とラトヴィア語という同じ言語グループに属しており、欧州連合の一員である両国は、南東にベラルーシと国境を接し、EUの境界になっている。

両国は、18世紀からロシア帝国に組み込まれていたが、1918年の独立後には、国境画定に関して大きな問題を残さずに解決されたといえよう。ただし、国境の両側には、民族的境界におさまらない町も残され、1923年の統計では、リトアニア側に1万4883人の人のラトヴィア人がいた。現在でも、リトアニア国境に近いラトヴィアの都市であるリァパーヤやダウガヴピルスでは、まだ、リトアニア人コミュニティが残っている。

ラトヴィアの東部地域ラトガレから見たリトアニア

ラトヴィアの中で、歴史的・文化的にリトアニアに近いのが、東部のラトガレ地域である。

リトアニアとラトヴィアの国境

ラトガレ語（ラトガリア語）は、ラトヴィア語、リトアニア語と同じバルト語派に属している。だが、それよりも、この地域がリトアニア・ポーランドと歴史を共にしてきていた点が、ラトヴィアの他の地域との差異やリトアニアとの共通性を見出す理由であろう。

ラトヴィアの東部地域ラトガレとリトアニアは、文化的、歴史的な繋がりが強い。それは、ラトガレが16世紀にポーランド＝リトアニアの支配下に置かれることになり、リヴォニア騎士団領の一部の地域がポーランド語でインフランティと呼ばれるようになった背景による。

したがって、文化的には、カトリック教の信徒が多い。多くのユダヤ人が居住するようになった地域であり、その中心地は、リトアニアのヴィルニュスであった。18世紀にポーランド分割によって組み込まれたロシア帝国時代には、ロシア正教古儀式派の人々が移り住んだ。このような歴史的、文化的背景が、ベラルーシ人、ロシア人、ウクライナ人の住民を繋げた。ポーランド＝リトアニア連合に遡るこれらの特徴は、リトアニアとの共通性である。

ラトガレにあるラトヴィアの第二の都市ダウガヴピルスは、ラトヴィアの首都リーガから約２２３キロメートル東南に位置し、一方、リトアニアの首都ヴィルニュスまで約１５０キロメートルと、地理的な近さが身近さを生み出している。その理由には、このラトガレの都市ダウガヴピルスは、人口の50・5％（以下すべて２０１３年）がロシア人であり、ベラルーシ人、ウクライナ人を含むスラヴ系の人々は60・5％にもなり、さらに、ポーランド人が14％、ラトヴィア人はわずかに18・7％である。ラトヴィア国民ではあるが、リトアニアにつながる地理的な広がりは自然に受け入れられるかもしれない。

リトアニアとラトヴィアの関係——バルト三国として

国家としてのリトアニアとラトヴィアの関係は、どうであろうか？

両国間の関係は、当然のことながら、１９１８年の独立に始まる。もっとも、英仏の協商国から法的に独立が認められたのは、ラトヴィア１９２１年、リトアニア１９２２年であった。

リトアニアの独立国家は、課題を抱えたスタートとなった。ポーランドとの確執となった首都ヴィルニュスを含む地域に関して、英仏協商国の参加のもとに、リトアニアへの帰属の合意を得たにもかかわらず、１９２０年10月９日にポーランド軍が占領、これは１９３９年まで解決しなかった。また、ドイツとクライペダ（ドイツ語名メーメル）の領有をめぐる問題も抱えていた。クライペダは、リトアニア人の暴動と武力介入により、１９２３年には、リトアニア領になった。

このような周辺の大国と確執を抱えたリトアニアは、社会的にも不安定であり、ラトヴィアとの関係の緊密化が進んだのは、エストニアとラトヴィアの協力に、不穏な欧州情勢に後押しされて参加していく１９３４年の「バルト協商」であった。

しかし、１９３９年８月23日にドイツとソ連の間で結ばれた不可侵条約の附属秘密議定書では、当初、リトアニアはドイツの影響圏に置かれることが決められていたが、９月28日の追加議定書の調印で、リトアニアもソ連の影響圏に置かれることとなった。これが、ソ連への「バルト三国の加盟」の道につながっていったのである。

このような事情が、リトアニアとラトヴィアの関係というよりも、むしろ、歴史的にもバルト海東南岸地域として国際社会から見られていたこの地域が、「バルト三国」という単位で捉えられるものになっていき、ソ連の構成共和国時代にも踏襲されていたといえよう。

１９９１年の「独立の回復」までの道のりにも、「バルト三国」としての連帯と協力が示され、１９９０年5月に設立されたバルト共和国会議は、独立回復後にはバルト三国会議として、ソ連軍の撤退問題などの具体的な課題の解決に向けて活動を続けた。これは、さらに、これら三国が、ＮＡＴＯやＥＵへの加盟を目指す過程においても発揮されたといえよう。

ウクライナ危機後に、緊張間の高まったロシアに対する脅威から、２０１４年に両国の間で、国家機密情報の相互防衛に関する協定が結ばれているのである。

地域協力

リトアニアとラトヴィアの関係は、二国間関係というよりも、むしろ、リトアニアとラトヴィアを含む地域的な協力、つまり、ＥＵの欧州近隣諸国政策の一環で展開されているという点で注目しなければならない。

たとえば、欧州近隣諸国政策の一環である越境協力プログラムとして展開された「ラトヴィア―リトアニアプログラム２００７〜２０１３」の成果はどうであったろうか。取り組まれたプロジェクト数は１２９，６０００万ユーロが提供され、両国から５００以上のプロジェクト・パートナーが参加、３００万人に影響を与えたと報告されている。12のテーマにわたるプログラムでは18％にあたる最も多くの資金１０５０万ユーロが供与されたのは、自然資源の分野の20のプロジェクトであり、川や湖の価値の向上や環境問題に関するキャンペーン等であった。続いて、教育分野で全体の14％、ツーリズムに13％、消防車、救急業務・消防士の訓練など安全の分野に12％、輸送や移動に関して8％、文化分野、ビジネスと雇用分野、医療・社会事業に7％、青少年育成に6％、新技術に4％、スポーツ、社会的包摂に2％で、多岐にわたっている。これ継承するのは、「ラトヴィア―リトアニアプログラム2014～2020」として展開され、対象となる分野は、雇用と労働移動性、持続的かつ汚染されていない環境、社会的包摂、効果的な公共サービスである。

他方で、2カ国の枠を超える越境協力プログラムでは、「ラトヴィア―リトアニア―ベラルーシ越境協力プログラム2007～2013」がある。これは、EUの域内外を含むプログラムであり、57のプログラムに3700万ユーロが供与された。272プロジェクトが展開、たとえば、バスケットボール大会のような共同イベントは300を超えた。2014～2020プログラムとして継続されているプログラムの目的は、ラトヴィア、リトアニア、ベラルーシの国境地域のまとまりの強化、高水準の環境保護、経済的・社会的福祉の提供、異文化間交流や文化的多様性の推進にある。

EU域内と域外のプログラムでは、与えられている課題が異なるといえるだろう。EU域内でのプログラムによる課題解決や整備は、EU諸国全体での共通性を持つものが多いが、他方で、EU域外との越境強力プログラムは、プロジェクト実施にあたって自治体間の交流のハードルも決して低くないが、政治的な対立や脅威などを越えるために、リトアニアとラトヴィアが持つ歴史的・文化的背景を活かす繋がりであり、今後の発展への可能性に期待を寄せたい。

（志摩園子）

29

ベラルーシとの関係

★「リトアニア大公国」は誰のものか？★

ベラルーシとリトアニアは、679キロメートルもの国境線を共有する隣国同士である。両国の祖先は、リトアニア大公国、ポーランド＝リトアニア共和国の下で、数百年間も運命を共にしてきた。ロシア革命後の1919年には、約7カ月と短命ながら、両国共同の「リトベル共和国」が設置されていたこともある。しかし、その割には、今日の両国関係は、緊密とは言いがたい。

現代のリトアニア国民は、中世にリトアニア人がバルト海から黒海に至る大国「リトアニア大公国」を建設したことを、誇りに思っていることだろう。ところが、ベラルーシ側の視点は、少々異なる。ベラルーシの民族主義史観は、リトアニア人が東スラヴ人のルーシを支配して版図を拡大したというよりは、大公国の始祖であるミンドヴグ（ミンダウガス）が、現ベラルーシ北西部のノヴォグルドク（ナウガルドゥカス）の公位に就き、ここを拠点に権力を確立していったことを強調する。首領はエスニック的にはリトアニア人だったけれど、ノヴォグルドクはルーシの勢力であった。その他のルーシの諸公たちも統合の必要に迫られ、多分に自発的に大公国に加わった。大公国では、住民の多数派がルテニア人（ベラルーシ人やウクライナ人の祖先である東スラヴ系の住民）で、正教をはじめとするルテニア人の文化が優勢であり、公用語は古ベラルーシ語であった。こうしたことから、大公国は「ベラルーシ国家」ないしは「ベラルーシ＝リトアニア国家」であったと考えるべきだ。ベラルーシの民族主義史観は、このように主張するわけである（詳しくは、拙著『不思議の国ベラルーシ』、『歴史の狭間のベラルーシ』などを参照）。

現に、ソ連末期の１９９１年９月、ベラルーシでも民族主義的な風潮が一定の高まりを見せると、新たな国章として「パゴーニャ」が採用された。これは、往時のリトアニア大公国の紋章を踏襲した、白馬に跨る騎士のデザインであり、「ヴィーティス」と呼ばれるリトアニアの国章と同一の図柄だ。ただし、１９９１年暮れにソ連邦が崩壊し、ベラルーシが独立を果たすと、すぐに反動が生じる。民族主義を自己否定するアレクサンドル・ルカシェンコが１９９４年７月にベラルーシ大統領に就任し、翌１９９５年５月の国民投票の結果、パゴーニャは廃止されてしまった（ソビエト風の国章に復帰）。こうした立ち位置のルカシェンコ大統領が、現在に至るまで長期政権を築いていることもあり、現時点で「リトアニア大公国は誰のものか？」という歴史認識の問題が、ベラルーシ・リトアニア関係の深刻な障害になっているわけではない。

国章「パゴーニャ」の切手

それでも、２０１２年にベラルーシ国民にアンケート調査を行ない、「ベラルーシ国家のルーツはどこにあると思うか？」と尋ねたところ、44・８％がリトアニア大公国と回答している。また、

２０１３年には大公国のヴィトフト（ヴィータウタス）大公を主人公とするバレエ作品が発表され、ベラルーシ・ボリショイ劇場のレパートリーに加えられた。リトアニア国民が意に介するとは思えないが、今後もベラルーシの愛国者たちはリトアニア大公国を、自らの黄金時代になぞらえ続けるに違いない。

中世の歴史認識に関しては遠慮がちなルカシェンコ政権ながら、同政権が採っている路線は、どう考えてもリトアニアとの関係にとってマイナスである。ルカシェンコ政権は、国際社会から民主化・市場経済化の遅れを批判されている。ベラルーシは、ロシアを中心としたユーラシア統合に参加しており、ＥＵ（欧州連合）との連合協定には調印しておらず、対ＥＵ関係はごく低いレベルに留まっている。必然的に、ＥＵ加盟国たるリトアニアとの関係も、ぎくしゃくしがちだ。

歴史的に、ベラルーシの民族主義運動の揺籃の地となってきたのが、現リトアニアの首都ヴィルニュスである。ベラルーシが独立国家となった今日でも、ヴィルニュスが国際的なベラルーシ民主化支援の重要な拠点になっている。自らの体制を守ろうとするルカシェンコ政権は当然、そんなリトアニアを敵視する傾向がある。２００５年には、親米派のアダムクス・リトアニア大統領がドイツ紙とのインタビューで、ルカシェンコ大統領のベラルーシ軍がリトアニアに侵略してくる恐れが否定できない旨述べて、物議を醸したことがあった。アダムクス大統領が２００９年７月に退任すると、ようやく二国間関係が改善に向かい、２００９年９月にはルカシェンコ大統領のリトアニア訪問も実現した。

ベラルーシ・リトアニア関係で、重大な対立点となっているのが、原子力の問題である。対ベラルーシ国境に近いリトアニアのイグナリナ原発は、２００９年末までに全面的に運転を停止した。しかし、リトアニア側は放射性廃棄物の保存施設を、対ベラルーシ国境からわずか700メートルの場所に建設しようとしている（国境の向こうにはベラルーシ切っての景勝地、ブラスラフ諸湖国立公園が広がっている）。これに反発したベラルーシ側が、対リトアニア国境の近くに大規模な養豚場を建設するという、謎の報復行為に出る場面もあった。なお、リトアニアがイグナリナ原発の跡地に新たにヴィサギナス原発を建設する計画があるが、国民投票で否決されたこともあり、実現が不透明となっている。一方、ベラルーシは同国初となる原発を北部のオストロヴェツ町に建設し（2020年初頭に一号機稼働予定）、これが対リトアニア国境から30キロメートルしか離れていないとして、逆にリトアニア側が抗議の声を上げている。このように、ベラルーシ・リトアニアとも、嫌悪施設を両国国境に沿って配置し合うという、嫌がらせの応酬のようなことが続いている。

両国間では、相互の少数民族問題は、あまり目立たない。すなわち、2009年のベラルーシの国勢調査によれば、ベラルーシには5000人あまりのリトアニア系住民しか暮らしておらず、全人口に占める割合は0・05%である。ちなみに、リトアニア系が多く住むのは、リトアニアと隣接したオストロヴェツ地区で、同地区の人口の約4%がリトアニア系。一方、2011年のリトアニアの国勢調査によれば、3・6万人程度のベラルーシ系住民が確認されており、全人口の1・2%に相当する。

ベラルーシ側の貿易統計によれば、2018年のベラルーシとリトアニアの輸出入総額は15億656万ドルだった。リトアニアはベラルーシの貿易相手国として第8位であり、全体の2・1%のシェアを占めていた。また、2018年初頭現在で、リトアニアのベラルーシに対する直接投資残高は2億7830万ドルであり、これは投資国として第6位で、全体の3・7%だった。2018年末時点で、ベラルーシには、リトアニア資本が投資した企業が575社登録されていた。ベラルーシは主要輸出商品である石油製品やカリ肥料の海外向け船積みを、おもにリトアニアのクライペーダ港で行なっており、翻ってクライペーダ港にとってもベラルーシは上得意の荷主となっている。

じつは、ヴィルニュスを中心とするリトアニアは、ベラルーシ国民の買物ツアーの行き先として、人気がある。ベラルーシの首都ミンスクから、リトアニアのヴィルニュスまでは、直線距離でわずか170キロメートル。ベラルーシ国民にとって、最も近い欧州の都市がヴィルニュスであり、良い品が揃っている割には、今のところ物価が安い。ヴィルニュスの大型店などでは、売上の10～15％はベラルーシのお客さんと言われており、30％ほどに及ぶところもあるという。在ベラルーシ・リトアニア大使館も、一時は『リトアニアへ！：ショッピング・休暇・ビジネス』と題する雑誌を定期発行するなどして、ベラルーシ客の誘致に努めていた。しかし、最近ではベラルーシ国民の買い物ツアー熱もやや低下してきた模様で、『リトアニアへ！：ショッピング・休暇・ビジネス』も廃刊になってしまった。

（服部倫卓）

VI

経済・産業

30

経済概況

★急成長とひずみ★

小規模だが急成長した新興国

経済規模で見ると、リトアニアは、世界の実質GDPの0・07〜0・09％に過ぎない小国である。しかし、世界経済フォーラムによる2019年の競争力指標で39位、世界銀行による2020年のビジネス環境指標で11位と高い評価を得ている注目の新興国だ。2005〜18年に労働生産性は1・5倍になり、四半世紀あまりの間に実質GDP（購買力平価）で見た経済規模は4倍以上になった。市場経済化を始めたばかりのころの一人当たりのGDPはEU平均のわずか3分の1であったが、現在は75％にまでキャッチアップしている（図1）。世界金融危機で09年のGDPは対前年比15％減と急落したものの、11〜14年の実質GDPは年平均で4・1％成長した。15年は2％成長に留まるが、これは貿易の2割を占めていたロシアの景気低迷や関係悪化で対ロシア輸出が4割減となった影響である。リトアニア経済は、17年は4・1％、18年、19年は3・5％と成長し続けている。

体制転換に伴う困難

だが、ここに至る道のりは平坦なものではなかった。ソ連か

図1　リトアニアの一人当たりのGDPのキャッチアップ（EU28カ国を100とする）

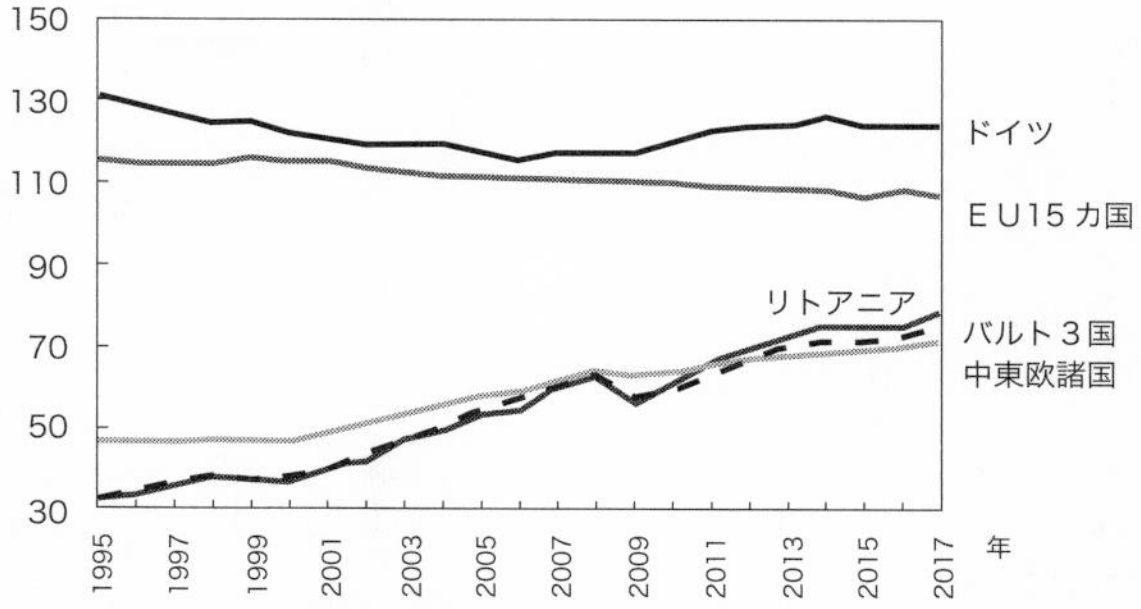

出所：IMF, *Republic of Lithuania*, 2019 Article IV Consultation - Press Release; Staff Report, July 2019, p.21.

らの独立した翌年の１９９１年から国民に配布されたバウチャー（国有企業の株式購入証書）に基づく民営化が進められ、95年6月末までに全国有企業資産の約30％が売却された。ＧＤＰに占める民間企業の割合は、90～91年の10％から94年には60％に達した。92～94年にかけて、価格自由化、銀行制度、通貨リタスの導入、破産法、競争法、証券市場、貿易自由化など市場経済化が急進的に進められた。

しかし、この体制転換は苦痛を伴うものだった。92年の実質ＧＤＰは、対前年比で21％減を記録し、消費者物価は10倍に高騰した。93年のＧＤＰは、92年よりさらに16％減、物価も4倍になった。94年にリタスの流通量に見合ったドル（4対1の比率に固定）を中央銀行が保有するカレンシーボード制が導入され、インフレは収まり始めたが（詳しくは本書第33章）、この年のＧＤＰも9・8％減であった。95年、実質ＧＤＰは対前年比3・3％とプラスに転じたものの、失業率は17・5％に達した。

95年6月からは、貨幣民営化が開始され、とくに97年の民営化法の改正によって大規模な民営化が進められ、KLASCO（クライペダ物流会社）、バルト諸国最大のマジェイケイ石油精製会社、リトアニアテレコムなどの株式の外資への売却が行なわれ、２０００年代初頭には民間企業がＧＤＰの75％を担うようになった。しかし、大規模民営化の過程は不透明であった。とくにマジェイケイ石油精製会社売却はスキャンダルとなり、紆余曲折を経てポーランド企業に買収され、現在のOrlem Lietuvaとなっている（詳しくは本書第34章を参照）。

低賃金に頼る産業

このように、リトアニアは、大きな国民負担を伴いながらも、急成長を遂げてきた。だが、新たな産業が生まれたというわけではない。１９９５年と２０１５年を比較すると、ＧＤＰに占める農業などの割合が11％から３％に減少し、代わって卸売・小売などの割合が24％から32％に増えている以外は、産業構造に大きな変化はない。製造業はＧＤＰの２割を占めるが、主なものは食品加工、化成肥料、プラスチック製品、石油精製などの原材料加工、あるいは繊維、衣料、木材・家具などの労働集約的なものばかりだ。しかも、その７割近くは輸出向けであり、厳しい国際競争にさらされている。リトアニアの三大企業といえば、石油精製Orlem Lietuva、スーパーマーケットチェーンMaximaを所有するVilniaus Prekyba、肥料や物流（KLASCO）のKoncernas Achemosだ。つまり、ソ連時代の資産を民営化した企業と市場経済化の中で急成長した商業企業である。低賃金が、こうした産業を支えてきたのである。18年のリトアニアの一時間当たりの労働コスト（公的部門を除く）は９ユーロで、ＥＵ平均の27ユーロの３分の１である。とはいえ、12年半ば以降、労働生産性の伸びが実質賃金の伸びを下回っている状態が続いており、労働コストが上昇している。このため、付加価値の高い経済を目指して産

図2　移民と失業率の月間推移（2001～14年）

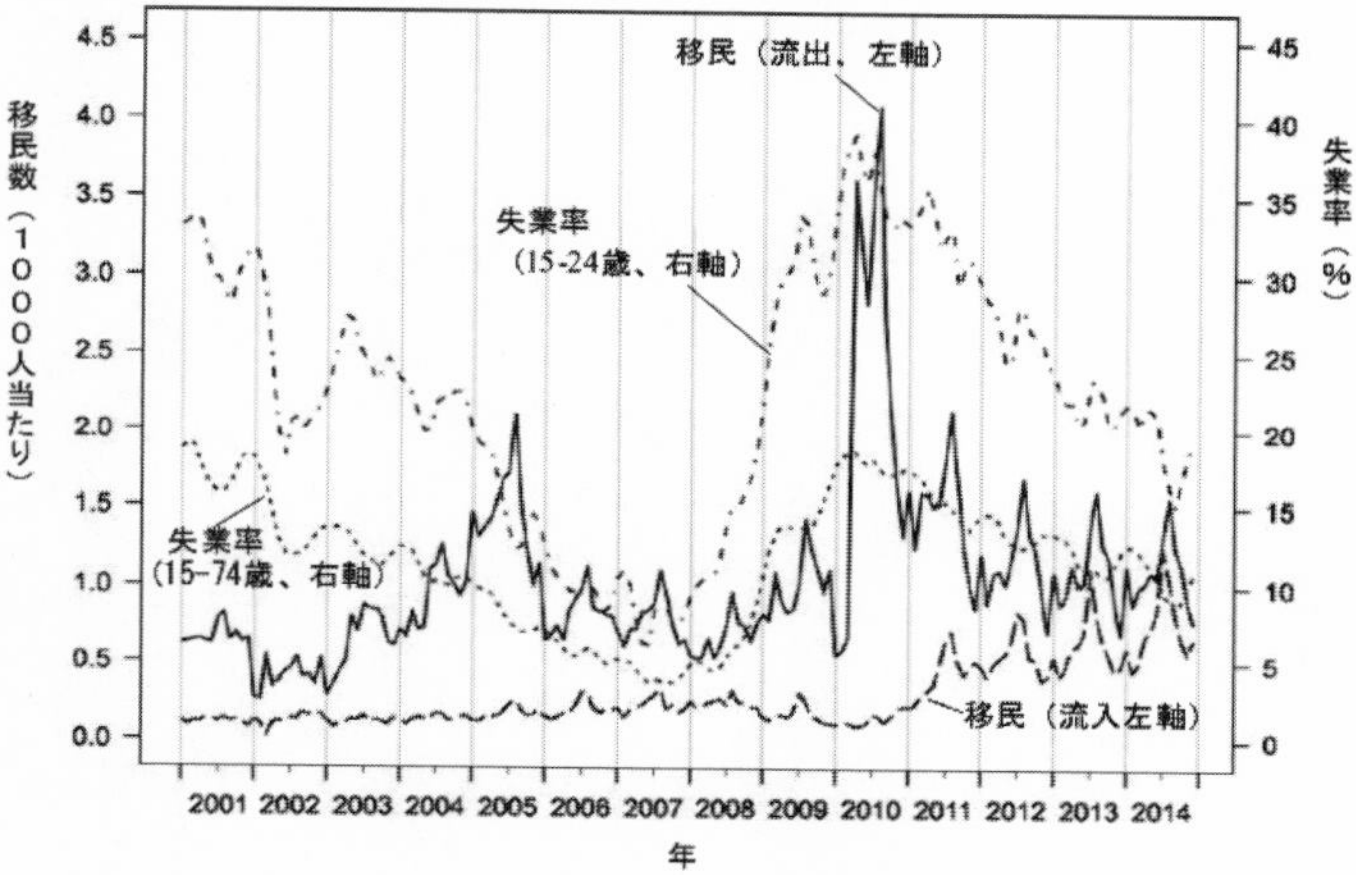

出　所：Klüsener, V. Stankūnienė, P. Grigoriev and D. Jasilionis, The Mass Emigration Context of Lithuania: Patterns and Policy Options, *International Migration*, Vol. 53 (5) 2015, p. 181. 表記方法を一部修正。

業構造の転換を図らなければ、コスト上昇とともに国際競争力を失う中進国の罠に陥りかねない。

人口流出の危機

持続的成長の鍵を握るのは、人的資源への投資である。ところが、独立以来、図2のように毎年2万人にも及ぶ純流出が続き、自然減とあいまって、人口は独立時の３７０万人から今では２８０万人を割ってしまった。移民の半数がイギリスに、残りがアイルランド、ドイツ、ノルウェー、イタリアなどおもに西欧諸国に向かう。とくに若く高学歴の女性が国外流出の傾向が強く、対照的に高学歴の男性は低い。また若者（20～29歳）の流出の傾向が強いが、これは若者の失業率が極めて高いことと関連している。このままの傾向が続けば、２０５０年までに労働可能人口（15～64歳）が半減してしまう。

幸い19年上半期、流入が流出を６１００人上回り、１９９２年以来初めて人口増となると見られる。これは、リトアニアからの移民の半数が暮らしていた英国がEUを離脱したこと、リトアニア労働市場、とくに輸送分野における雇用拡大、また移民政策の変化によるEU以外からの流入が3倍増となったことによるものである。だが、この傾向が持続するかどうかは定かではない。労働年齢人口も減少を続けている。

格差・貧困・非公式経済

労働市場は二極化している。２０１０年に18％にも達した失業率は、19年第3四半期には6％に低下している。だが、依然として非熟練労働者の4人に一人は職がない。EUの中では他のバルト諸国と並んで格差が最も大きく、貧困・社会的排除の危機にある人々は28％、とくに地方では37％に達し（18年）、大都市とそれ以外で大きな格差がある。経済活動の4分の1は非公式であり、これは企業の参入機会を妨げ資源配分を歪め、労働条件を悪化させる。人々の健康状態にも問題があり、働き盛り世代（20～64歳）の死亡率はEUで最悪、平均余命は74歳、とくに男性は68歳である。飲酒・喫煙に関連する疾病や自殺は、中東欧諸国と比べてさえ極めて悪い。しかも、医療サービスを受ける際に35％の人が賄賂を送ったと答えている（14年）。

新たな経済政策へ

このように、独立後のリトアニアは急成長してきたものの、そのひずみが顕在化し始めている。人口減少の中で持続可能な成長を実現できるだろうか。経済政策が問われている。

（蓮見　雄）

31

経済政策

―――★持続可能な財政と経済成長を促す制度改革★―――

均衡財政下で必要となる制度改革

リトアニアは、2010〜11年、金融危機への対応に追われ、構造的財政赤字が急増したが(図1)、通貨切り下げはせず、財政均衡の回復は専ら歳出削減によって行なわれた。GDPに占める歳出の割合は09年に45%だったが、13年には35%を切った。これは、EUで最も低い水準である。09〜13年には、GDPの11%にも及ぶ歳出削減が行なわれたが、その削減額の8割は、社会保障費(53・4%)、教育費(13・6%)、保健医療費(9・1%)であった。同時に、平均12%の賃金削減、年金や児童給付等の削減、退職年齢の65歳への引き上げなどが行なわれた。こうした緊縮財政により、財政赤字は急速に縮小していった。

2016年以降は、EUの財政協定に従い、需給ギャップを改善するために、(債務残高60%未満のユーロ導入国の場合)財政赤字を1%未満にするように財政委員会が監視・助言を行なう体制が導入され、財政収支(名目値)はプラスに転じた。18年の財政収支は、対GDP比0・6%プラスで、債務残高も34%にまで下がり、その限りで健全財政である。しかし、今後、均衡財政を維持しつつ、経済成長を続けるには、次のような様々な

図1　リトアニアの財政収支と債務残高（対GDP比、%）

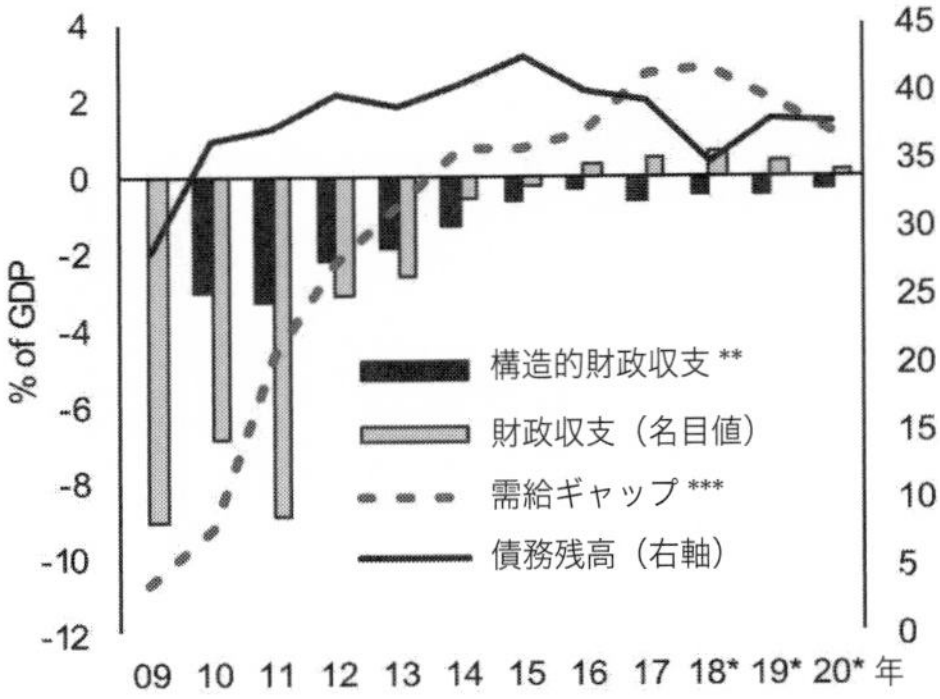

注：* 2019 年初頭時点での予測
** 財政収支（名目値）から、循環的財政収支（税収の影響や失業給付の増減など財政の自動的安定化機能による景気変動に影響を受けて増減する部分）を差し引いた金額。
*** 総需要と総供給の差。設備、労働力等をフル稼働した場合の潜在的な GDP と実際の需要を反映した GDP がどれくらい離れているかを示す。

出　所：European Commission, *Country Report Lithuania 2019*, SWD (2019) 1014 final, p. 11 の図に加筆。

問題を解決するための経済政策を実施していかねばならない。

貧困・格差問題

リトアニアは、ＥＵで最も格差が大きい国だ。ＩＭＦによれば、２００９～13年の格差拡大の半分は財政の所得再配分機能の低下の影響によるものだった。17年時点の家計所得を見ると、上昇20％の所得は下層20％の7・3倍である。貧困や社会的排除のリスクにさらされている人の割合は17年時点で30％近くに達し、これはＥＵ平均の22・4％をはるかに上回っている（以下、図2を参照）。貧困率は依然として20％を上回り、10人に1人は、物質的条件を著しく欠いている状況、つまり住宅、暖房、蛋白質摂取、休暇、テレビ、洗濯機、自家用車、電話などが十分得られない状況にある。とくに65歳以上の高齢者でその割合が高い（16％）。労働強度の低い世帯、つまり過去12カ月間に労働年齢の家族構成員がなかなか仕事を見つけることができず、仕事ができたとしても本来働けるはずの20％未満の状態にある世帯の割合も10％前後を占めており、改善が見られない。

地域格差も大きい。一人当たりのＧＤＰを見ると、首都ヴィルニュスではＥＵ平均の１１０％だが、

図２　リトアニアの貧困問題（人口比、％）

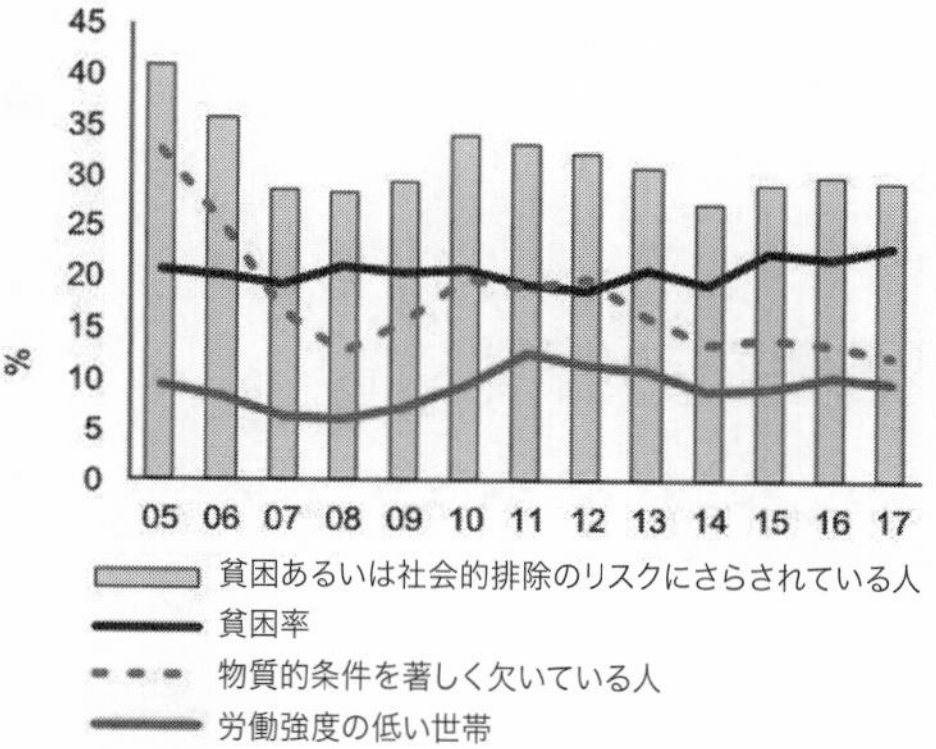

出　所：European Commission, *Country Report Lithuania 2019*, SWD (2019) 1014 final, p. 10.

他の地域では20～42％と大幅に下回る。

同時に、不十分な所得調査や55～59歳の４人に１人が障害給付を受けているなど健康問題や社会保障制度の不備がある。保健医療費はＥＵ平均並だが、飲酒・喫煙関連の死亡率はＥＵ平均の２倍以上など予防医療が必要である。

人口が減少する中で経済成長を維持するには人的資源が鍵を握っており、社会保障、教育、保健医療の分野で限られた予算を有効活用する制度改革が求められている。

税制改革

これらの課題は税制改革とも関連している。リトアニアの税収は、ＧＤＰ比29・5％（17年）で、うち間接税11・9％、社会保障負担12・3％で、直接税はわずか5・4％である。このように、間接税の割合が高く、２０１８年まで一律15％であった所得税は、逆進性が大きく、低所得層にとって負担が大きい。

また、２０１７年の平均賃金の50％の単身者の「税のくさび（企業の総人件費に占める労働者の所得税と社会保障費の割合）」は34％で、これはＧＤＰを考慮したＥＵの加重平均の32・4％と比較して高く、結果として雇用が抑制され、若い世代の高い失業率の一因となっている。

こうした状況を改善する政策として、所得税免除の対象となる月収が、２０１６年に１６６ユーロから２００ユーロに、17年に３１０ユーロ、18年に３８０ユーロと段階的に引き上げられ、最低賃金も４００ユーロになった。

さらに、２０１９年からは税率が15％から20％に変更され、年収が13万６３４４ユーロを超える場合には、超過部分に対して27％課税される累進課税が部分的に導入された。しかし、配当金、個人労働活動の収入、社会保障給付等については15％が適用される。これだけでは、低所得層の税負担が大きいという問題は解決されない。

他方で、社会保障費負担率の大幅な見直しが行なわれる予定である。雇用主の負担は、従来の30・5％から１・47％に大幅に引き下げられるのに対して、従業員の負担は９％から19・５％へと倍以上になる。雇用主は給与を28・９％引き上げる義務を負うとはいえ、これでは所得格差は縮まらない。さらに、投資を誘致するために、社会保障費負担の上限を設定するキャッピングが導入され、その適用基準が月収１２０ユーロから２０２０年には84ユーロ、21年には60ユーロに引き下げられる。これは明らかに雇用主を優遇するものである。

このような税制上の問題点は、非公式経済の規模が、ＧＤＰの25％にも達する結果を招いている。正式の契約を結ばず、現金決済やバーター取引をすれば、所得税や間接税を逃れられるからである。しかし、それは税収基盤を小さくしてしまい、長期的に見れば経済の持続的な発展の妨げとなる。したがって、長期的に見て、税制改革は、最重要課題の一つである。

労働力需給のミスマッチと積極的労働市場政策の重要性

移民の流出や高齢化により、リトアニアの労働可能人口は減少しているが、就業率（労働可能人口の中で実際に働いている人の割合）は73％、活動率も80％を超えている（以下、図3を参照）。一時18％にも達した失業率は6％台に、長期失業率も2～3％に低下した。その限りで、様々な人々が労働に参加する包摂的な成長を実現しているかに見える。

しかし、15～24歳の若者の失業率は、経済危機後の35％と比べれば大幅に改善されたとはいえ、依然として10％近くと高い。問題なのは、仕事がないだけでなく、教育や職業訓練の機会を持たない若者が多く、必要な技能を持った働き手を供給することができず、労働力需給のミスマッチが生じていることである。この問題を改善するには、雇用支援、職業訓練、起業支援など積極的労働市場政策によって人材の有効利用を図らねばならない。ところが、失業者のうち登録されているのは20％であるため、失業者の大半が職業訓練のための公益支援を受ける機会を逸しており、たとえば、低熟練の失業者のうち語学トレーニングを受けているのは16％に過ぎない。リトアニアで積極的労働

図３　リトアニアの貧困問題（人口比、%）

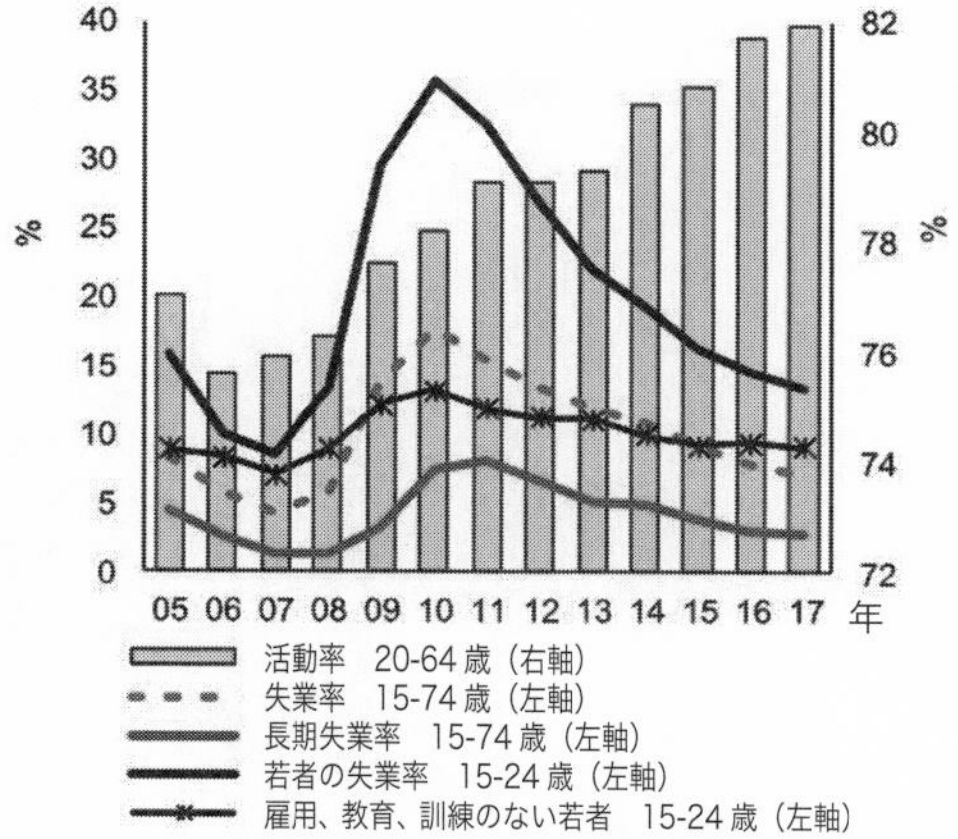

出所：European Commission, *Country Report Lithuania 2019*, SWD (2019) 1014 final, p. 8.

市場政策に参加している人の割合は、累計でも1・5％でEU内でも最も低い国の一つである。

イノベーションの遅れ

リトアニアの労働生産性は2000〜17年に35％改善されEU平均の75％を越えた。しかし、近年、労働生産性の改善は停滞し、賃金上昇率を下回っている。イノベーションが必要だが、リトアニアの研究・開発投資はGDPのわずか0・9％でEU平均の2・1％の半分以下である。イノベーションを実現している企業の規模は小さく、投資を誘致しイノベーションを推し進める力に欠けている。これを補うためにも、経済特区が設けられ、操業から6年間の法人税免除、その後10年間の法人税7・5％、配当金や不動産の免税などの措置によって、外国からの投資誘致が図られている。だが、リトアニアに立地する企業のグローバル・バリューチェーンへの参加率は低く、下請に留まる傾向が強い。

経済発展につながる社会政策の改善

リトアニア経済は、急速に発展し、財政面でも均衡を達成しているにもかかわらず、多くの課題を抱えている。とくに、⑴税制改革によって信頼回復に務め、税収を確保し、⑵教育・職業訓練、医療サービスの改善によって労働の質を高め、⑶公共投資の改善によって、産学連携を含む研究・開発を促進することが必要であり、いずれも時間のかかる困難な課題である。これは、社会政策の改善が、経済発展にとっても欠かすことのできない経済政策の一部でもあることを示している。同時に、それは改善の余地が大きいということでもあり、今後の政策に期待したい。

（蓮見　雄）

32

EU加盟後の動向

★バブルと経済危機★

EU加盟の経済効果

旧ソ連から独立したばかりのバルト諸国は、EU加盟の見込みは低いと考えられていた。だが、エストニアだけが1997年に加盟交渉開始の第一陣に招請され、バルト諸国間の加盟交渉競争が刺激された。リトアニアとラトヴィアは、エストニアへのキャッチアップを目指してEUの諸制度を積極的に受入れていった。

その結果、リトアニアは、2004年に他の中東欧諸国と同時にEU加盟を果たした。EU加盟は、市場経済化を促進し、共同市場への参加や経済支援を通じて経済発展を加速した。04～06年のGDPは、EUに加盟しない場合よりも2・7％押し上げられたと推定されている。

リトアニアは、EUの地域政策（後発地域支援の構造基金、インフラ整備支援の結束基金など）から、04～06年に15億ユーロ、07～13年に57億ユーロの支援を、14～20年には67億ユーロの支援を受けた。これは、他の様々な支援と合わせると年間GDPの約3％に相当する。

図１　リトアニアの貿易地域構造（2018年、％）

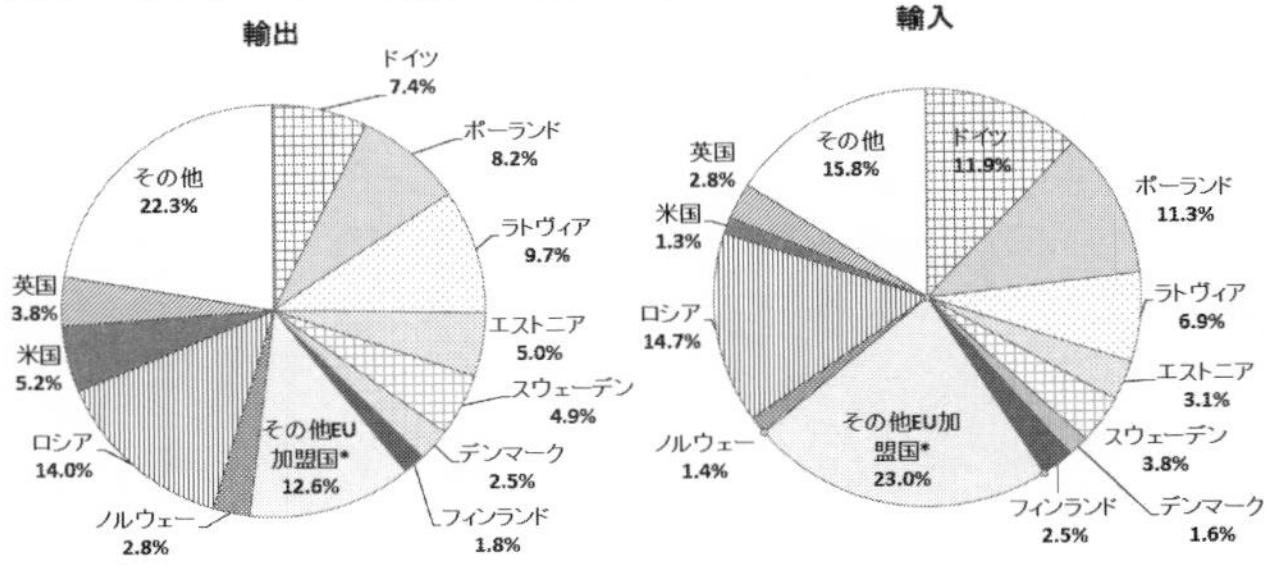

注：* 英国を除く
出所：https://globaledge.msu.edu/countries/lithuania/tradestats/

ＥＵとの経済統合と対外経済関係に左右される経済

リトアニアは、小国開放経済であり、その経済は対外経済関係によって左右されやすい。２０１８年時点で、国境を接するポーランドとラトヴィア、及び北欧・バルトを含むＥＵ諸国が、輸出の55％、輸入の65％を占める（図１）。17年の貿易構造を見ると、運輸やＩＣＴを含むサービスが多く（輸出の24％、輸入の16％、以下同様）、次いで石油精製を含む鉱物資源（11％、16％）、化学品（13％、14％）となっている。この他、農産物（18％、15％）、機械（9％、11％）、電気機器（5％、7％）、繊維（9％、6％）である。このように、同じ商品分類どうしの輸出入（水平貿易）が見られることは、リトアニア経済が国際分業、とくに欧州の中に組み込まれていることを示している。

１９９５年にＧＤＰ比５・２％であった外国直接投資ストックは、19年９月30日時点で１８２億ユーロ、つまりＧＤＰ比38・27％、人口一人当たりにして６５０９ユーロに達し、経済発展の牽引車となっている。最大の投資国はスウェーデンでその17％を占め、オランダ16％、エストニア14％、ドイツ、キプロス、ポーランド各７％、フィンランド、ノルウェー、香港各３％が続く。対内直接投資の８～９割がＥＵからの投資である。19年第３四半期データによれば、非居住者による直接投資の27％は金融・保険で、この分野では圧倒的にスウェーデンとエストニアの影響が強い。この他、個人取引を含む不動産16％、小売・卸売、自動車等の修理12％、情報通信７％となっている。製造業は16％、専門

図2　リトアニアの対内直接投資フローと個人送金の動向
（2000～2018年、単位：100万ドル）

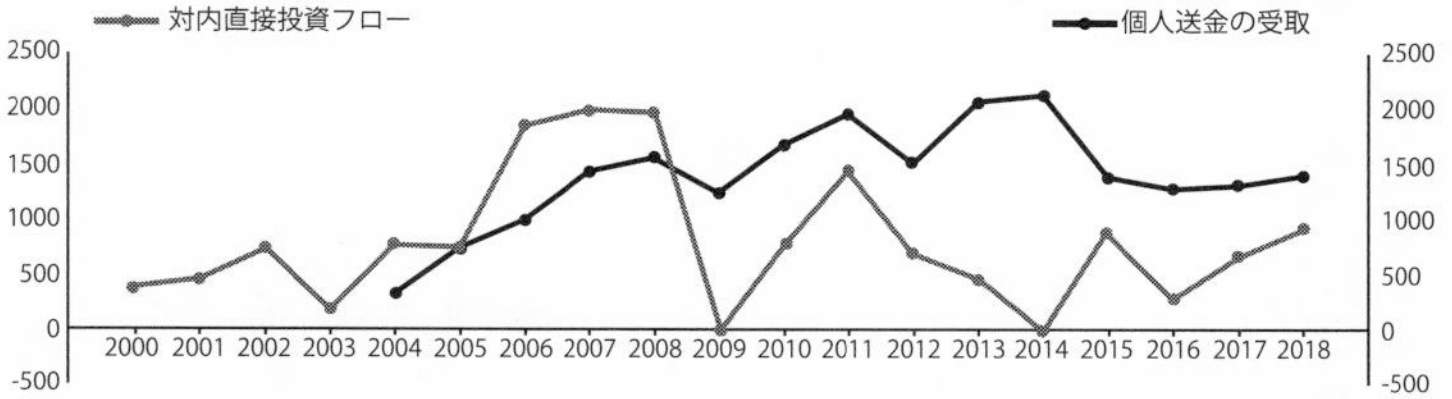

出所：UNCTAD.

的な科学・技術分野は10％に留まる。対内直接投資で最も大きいのが現地法人の再投資である。

興味深いのは、海外で働くリトアニア人からの個人送金が、直接投資以上に重要な役割を果たしていることである（図2）。これは、独立から30年弱の間に人口が4分の1減少し、その約8割が外国への移住であったことと関連している。

また、リトアニアからの対外直接投資も増加しており、19年9月30日時点で累計42億ユーロに達する。その89％がEUに、71％がユーロ圏である。

このように、貿易、直接投資ともにEUの割合が大きいが、ロシアは依然として輸出入の14～15％を占める。輸出入共に鉱物資源が大きな割合を占めているのは、ロシアから資源を輸入し、精製・加工して輸出しているからだ。また農産物・食品の多くはロシア向けであった。15年、ロシアの不況と食品輸入禁止などの報復制裁の影響で対ロシア向け輸出が40％も減少し、リトアニアは、中東やアジアなどへの輸出の多角化を図っている。リトアニアは、EU市場との統合を深めているとはいえ、ロシアとの関係も維持する必要がある。

上述の通り、リトアニアは、EU諸国の中でも特にバルト海周辺諸国との経済関係が深い。EUは、バルト海地域協力プログラムに07～13年に2・3億ユーロ、14～20年に2・7億ユーロの支援を行なっており、産学官の連携によるバルト開発フォーラムの地域協力の動きとも呼応して、今後もリトアニアとバルト海周辺諸国との経済協力は深まっていくだろう。

北欧銀行の支配とバブル崩壊

ＥＵ加盟は経済成長を刺激したが、それは消費バブルと住宅バブルという副作用を伴っていた。投資と消費は、ＥＵ加盟前後の経済成長を牽引していたが、金融危機に伴い急減し、２００９年の実質ＧＤＰは対前年比15％減となった（図３）。

一方で、もともとリトアニアを含む旧社会主義諸国には商業銀行がなく、金融市場は未発達であった。他方で、ＥＵでは金融市場統合が進み銀行間競争が激化したため、銀行はＥＵ域内外で積極的に事業を展開し始めた。当然、ＥＵ加盟予定の国々にも多数の銀行が進出した。とくにリトアニアを含むバルト諸国に狙いを定めたのがスウェーデンなど北欧諸国の銀行だった。17年末時点で、リトアニアには、六つの銀行と七つの外国銀行支店があるが、ＳＥＢ、スウェドバング（いずれもスウェーデン）、Luminor（フィンランドの金融会社ノルディアとノルウェーの金融会社ＤＮＢが17年に設立し、19年にノルディアに吸収）の三大銀行が、銀行資産の81％、融資の83％を握っている。

96～04年の企業（金融機関を除く）への融資は、ＧＤ

図３　ＧＤＰ成長率と内外需要寄与度

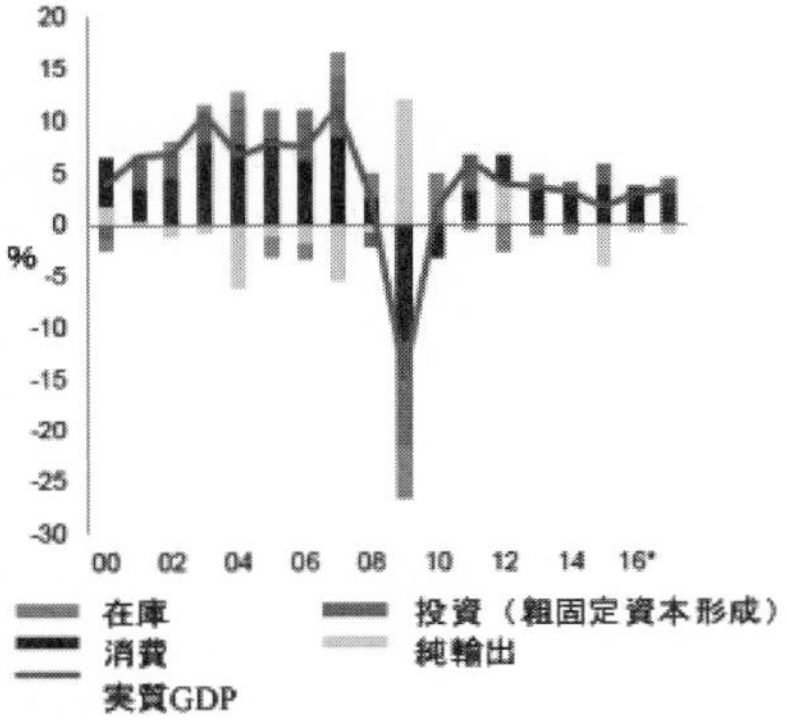

注：* 2016年冬時点の欧州委員会予測
出所：European Commission, *Country Report Lithuania 2016*, SWD(2016)83 final, p. 4.

Ｐの３・６％であったが、05〜08年は13・２％に達し、その大半が建設投資に向かい、09〜14年にはマイナス０・３％に落ち込んだ。ユーロ建て住宅ローンの大半を提供したのが、当時、銀行資産の９割を占めたスウェーデンなど北欧の銀行だった。ＥＵ加盟後、住宅価格は急騰し、住宅ローンも急増したが、09年の経済危機で住宅価格が暴落すると、住宅ローンは一気に縮小した（図４）。

だが、11〜14年の実質ＧＤＰ成長率は平均４・１％と回復も急速であった。当初は、輸出が牽引したが、13年以降は賃金上昇や失業率の低下などによって個人消費が成長に寄与し、住宅価格も上昇し始めた。その後、15年にロシアとの関係悪化の影響もあって、成長率は一時落ち込んだが、その後は回復している。

図４　住宅価格の変化と住宅ローンの変化

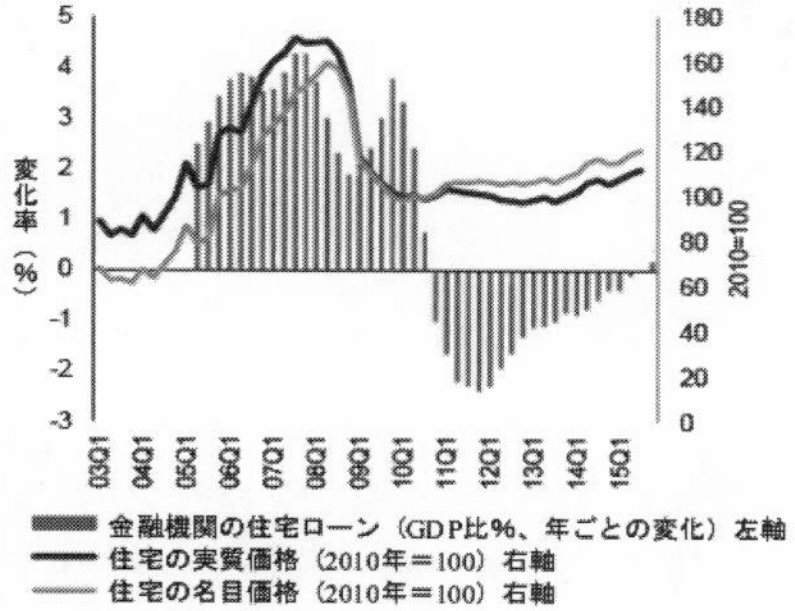

出所：European Commission, *Country Report Lithuania 2016*, SWD(2016)83 final, p. 18.

なお、Brexit後に英国とＥＵの経済関係がどのようになるかは、リトアニア経済にも一定の影響を及ぼす。たとえば、過去５年間にリトアニアの英国向けサービス輸出は１３１％増と急成長し、その過半を占めるのが、近年リトアニアにとって重要な部門となっている輸出サービス貿易である。

以上のように、今やリトアニアは、ＥＵ経済の中に組み込まれており、ＥＵとロシアなど諸外国との関係や英国のＥＵ離脱などにも左右される小国開放経済となっている。

（蓮見　雄）

33

通　貨

★リタスからユーロへ★

国家の独立と通貨

リトアニアの通貨の変遷は、独立国家としての歴史と重なっている。リトアニアがロシア帝国から独立した後の1922年、占領軍のドイツが発行したオストマルクやオストルーブルに換えて、通貨リタスが導入された。しかしソ連に併合後の41年、リタスはルーブルに切り替えられた。91年、リトアニアはソ連からの独立を正式に承認され、ルーブルと等価の暫定通貨タロナスを経て、93年に再びリタスが導入された。94年から2002年に至るまで、4リタス＝1米ドルを維持するカレンシーボード制が導入された。その後、3・4528リタス＝1ユーロに固定され、04年からはユーロとの為替レートを中心レート±15％に維持するERMⅡ（ユーロに参加していないEU加盟国の通貨をユーロにペッグし、通貨の安定性を維持する欧州為替相場メカニズム）に加わった。

リタスからユーロへ

2004年の段階で、リトアニアは、物価の安定、財政赤字、長期金利では、ユーロに参加するための条件（マーストリヒト基準）

に達していたものの、為替の安定の基準となるＥＲＭⅡには参加したばかりであり、また法整備が遅れていた。ユーロに参加するには、欧州中央銀行（ＥＣＢ）およびユーロ圏以外の加盟国を含む欧州中央銀行制度（ＥＳＣＢ）とリトアニアの中央銀行法、通貨法、憲法の適合性が求められた。

法改正が実施され、２００６年には法の適合性、財政赤字、長期金利、為替の安定の条件をクリアしたが、インフレ率は対前年比２・７％で、基準とされた２・６％をわずかに０・１％上回ったため、当初の目標とされていた07年のユーロ参加は見送られた。

図１　2008年以降のインフレ率の推移（12か月移動平均、％）

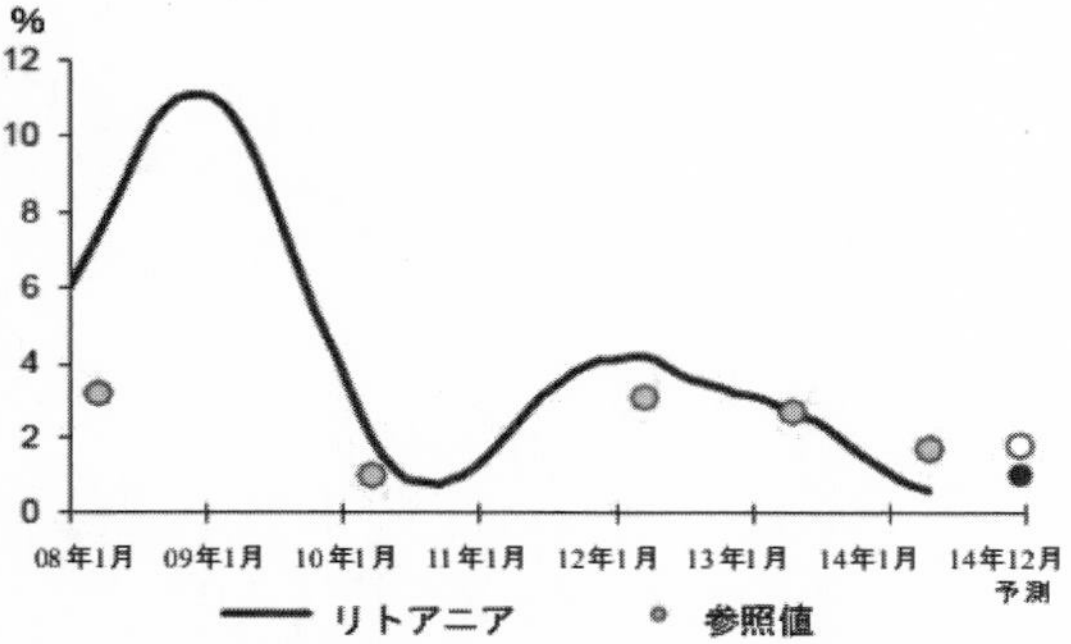

注：●ユーロ圏で最もインフレ率の低い３カ国のインフレ率平均± 1.5%
○ 2014 年 12 月時点での参照値の予測
● 2014 年 12 月時点でのリトアニアのインフレ率の予測

出　所：European Commission, *Convergence Report 2014*, p. 84. の図に加筆。

その後、世界的な金融危機の影響から２００８年のインフレ率は11％と、参照値（ユーロ圏で最もインフレ率の低い３カ国のインフレ率＋1・5％）を大幅に超えてしまった（図1）。インフレは、10年以降に収まったものの、再び上昇傾向を示し12年2月時点で4・2％となったが、14年初頭には1％を下回った。14年4月時点のリトアニアのインフレ率は0・6％で、参照値の1・7％（最も低い3カ国ラトヴィア、ポルトガル、アイルランドの平均＋1・5％）を大きく下回った。

リトアニアの長期金利は、２００９年末には14％に達したものの、11年初頭に5・2％に低下し、14年4月には、その時点の参照値6・2％（最も低いラトヴィア、ポルトガル、アイルランドの平均＋2％）より低い3・6％となった。

表1　ユーロ参加基準とリトアニア（2014年４月現在）

	リトアニア	ユーロ参加基準の参照値
消費者物価指数（インフレ率）	0.6	1.7
長期金利	3.6	6.2
健全財政（財政赤字の対GDP比、%）	2.1	<3
政府債務残高(政府債務の対GDP比、%)	39.4	<60
為替レート（対ユーロ）	3.4528リタス	3.4528リタス±1.5%

出所：European Commission, *Convergence Report 2014* より作成

リトアニアの外貨準備は２０１２～13年のマネタリーベース(中央銀行が供給する通貨量)の１３０％と法定基準の１００％を優に上回り、13年末時点で短期債務の80％をカバーした。この結果、リタスの流通量に見合った外貨・金を保有することによって為替レートの安定を図るカレンシーボード制が維持され、ＥＲＭⅡに参加して以来９年10カ月にわたり大きな為替変動は生じなかった。また歳出削減により、健全財政が維持された。

こうして２０１４年６月４日に公表された欧州委員会とＥＣＢの報告書は、リトアニアがユーロ参加基準を満たしたとの判断を示した(表1)。同年７月２３日、ＥUの総務理事会は、リトアニアが15年1月1日から経済通貨同盟に完全に参加し、19番目のユーロ導入となることを承認した。同年1月1～15日の最初の２週間は、ユーロとリタスの現金が並行して流通したが、16日以降はユーロが唯一の法定通貨となった。預金は自動的にユーロに切り替わり、手持ちの現金は銀行で半年間、郵便局で60日間、無料で両替ができた。さらに半年間はリトアニア中央銀行が認可した銀行でも交換でき、中央銀行では無期限で手数料なしに両替ができた。通貨の切り替えに伴って便乗値上げが懸念されたが、これは価格をリタスとユーロで併記することによって抑制され、ユーロ導入は順調に完了した。

その後も健全財政が堅持されている。２０１８、19年の財政赤字の対ＧＤＰ比は０・5％と低い水準で推移しており、政府債務残高は17年の39・4％から19年には37・9％に低下するものと見込まれる。インフレ率は、17年に３・７％まで上昇したものの、18年

には２・５％まで低下している。

なお同国の金融機関の大半は、北欧、特にスウェーデンの銀行の傘下にあり、一時は国内の銀行資産の４割を外国融資機関が占め住宅・消費バブルを誘発、それは２００８～09年の金融危機につながった。だが、その割合は、２０１８年には1割に低下している。

図２　リトアニアのユーロ硬貨デザイン（２ユーロ）

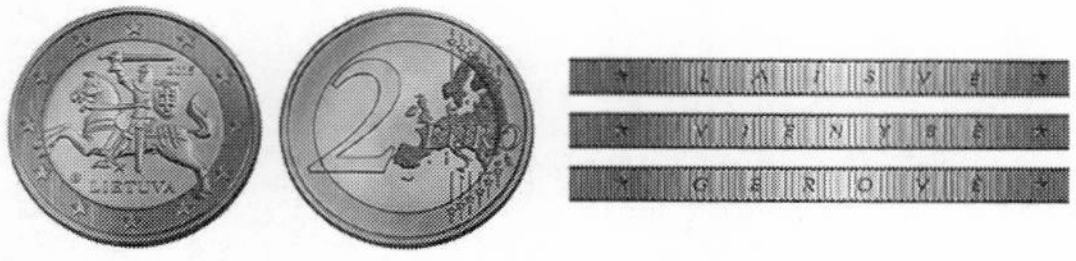

出所：駐日欧州連合代表部 EU MAG（2014年９月18日）

通貨のデザインに込められた願い

ユーロ紙幣は裏表ともに共通で、人々をつなぐ「窓」「門」「橋」をモチーフとして図が描かれている。硬貨も片面は共通だが、もう片面は導入国が独自のデザインを採用している。ここには、「多様性の中の統合」というＥＵの理念が表れている。リトアニアのユーロ硬貨には、国章の白馬に乗り剣を振り上げた騎士「ヴィーティス（Vytis）」が描かれている。２ユーロの外縁にはリトアニア語でLAISVĖ（自由）、VIENYBĖ（統一）、GEROVĖ（福祉）の文字が刻まれている。このように、通貨のデザインにはＥＵ統合とリトアニアの独立の願いがともに織り込まれているのである。

電子マネーの急速な発展

近年、リトアニアでも様々な電子マネーが登場し、キャッシュレス化が進んでいる。２０１８年末時点で、電子マネー企業49社、決済企業46社が活動し、急速に収益を伸ばしている。代表的な決済システムは、Lietuvos paštas、Perlo paslaugos、Paysera LTで電子決済収益の過半を占めている。これらの企業は、北欧・バルト地域で普及しているSEAP（単一ユーロ決済圏――国境を越えてEU諸国を含む36カ国でユーロ建ての小口決済〔送金・口座振込、自動引落し、カード決済〕が行なえるシステム）につながるリトアニア銀行の決済システムCENTROlinkに高い関心を示している。

ユーロ導入の効果と課題

リトアニア中央銀行によれば、毎年、リタスとユーロの両替コストや為替安定のためにかかっていたGDPの0・14％のコストが節約され、貿易や外国旅行が容易になる。また格付けの上昇などによって直接投資の増加も期待できる。さらに、銀行同盟（ECBによる金融機関の監督と破綻処理の制度）により金融安定性が図られ、仮に財政危機に陥ったとしても、欧州安定メカニズム（EMS）や国債買入の制度（OMT）による支援が受けられる。

同時に、ユーロの導入は、財政危機を未然に防ぐために導入されたヨーロピアン・セメスターと呼ばれる制度の中で、国家財政が予算の段階からユーロ圏諸国で相互監視されることを意味している。リトアニアも、予算・財政計画と構造改革プログラムを欧州委員会に提出し、その勧告を考慮して修正を求められる。均衡財政を堅持しつつ、いかにして経済改革を進めるか。これが、ユーロ導入後の課題である（詳しくは本書第31章を参照）。

（蓮見　雄）

34

エネルギー

★地域協力と多様化によるエネルギー安全保障の強化★

エネルギーミックスの激変

かつてリトアニアは、フランスと並んで原発への依存度が高い国だった。ベラルーシとの国境近くのヴィサギナスにあったイグナリナ原発は、1985年に1号機が、87年に2号機が発電を開始し、国内エネルギー消費の3分の1以上、電力の8割を供給し、エストニア、ラトヴィア、ベラルーシ、ロシアのカリーニングラードにも電力を輸出していた。しかし、この原発は、チェルノブイリ原発と同型であったため、EU加盟交渉の際に廃炉を求められた。04年末に1号機が閉鎖され、09年には電力の7割を供給していた2号機も閉鎖された。深刻な電力不足には陥らなかったが、エネルギーミックスは様変わりした。37%を占めていた原発はゼロになり、不足分は電力の輸入と火力発電で補われた（図1）。

原発停止から14年に至るまでリトアニアの家庭向けの電力価格は、1kwh当たり0・08ユーロから0・13ユーロと値上がりした。原発閉鎖で電力料金が上がったという指摘があるが、これは正確ではない。値上げの主因は、託送料（送電網の使用料）や資源価格の上昇、及び税金・付加金（発電設備の余力を維持する

図1　リトアニアのエネルギーミックス＊

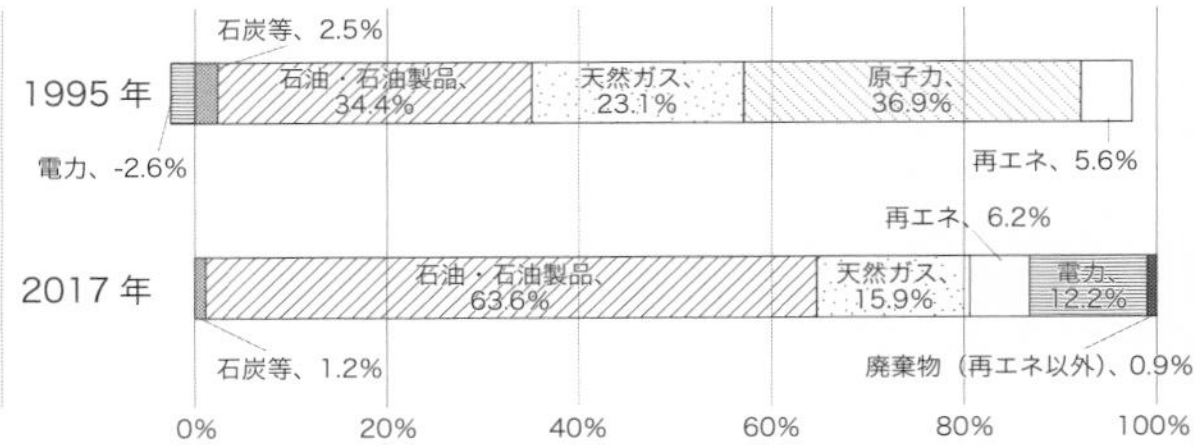

注：＊エネルギー以外の目的で利用する分を含めたエネルギー国内消費の内訳
出所：European Commission, *EU Energy in Figures 2019* より作成

ための国有企業 Lituvos energijos gamyba の負担、再エネ促進、コージェネ［熱電併給］支援、戦略的インフラ投資など）によるものだ。その後、油価は下落し、また15年中頃以降は送電網 Nordbalt で北欧電力市場と連携したことから電力料金は低下しつつある。

原発のリプレースとコスト

２００６年１月、ロシアとウクライナのガス紛争から、ロシアがガス供給を停止する事態が生じた。バルト諸国首脳は、エネルギー安全保障について協議し、閉鎖されるイグナリナ原発に代わる原発を新設（リプレース）する共同声明を公表した。07年2月にリトアニア、ラトヴィア、エストニア、ポーランドが合意し、同年6月にリトアニア議会で原発新設が承認され、08年にはヴィサギナス原子力エネルギー社（ＶＡＥ）が設立された。だが、出資比率などをめぐり4カ国の調整が進まず、他国で建設実績のある出資者を募る入札方式に変更された。10年に韓国電力公社（ＫＥＰＣＯ）が応札したが辞退し、11年の入札で東芝・Westinghouse とＧＥ日立ニュークリアー・エナジー社が競合したが、ＧＥ日立が優先交渉権を得た。ＧＥ日立は、改良型沸騰水型軽水炉（ＡＢＷＲ）を２０２０年までに建設する計画で、12年にリトアニア議会の承認を得た。ところが、12年10月１４日に議会選挙と同時に行なわれた国民投票では、63％が原発建設反対であった。この国民投票には拘束力はないが、新設計画は凍結された。しかし、14年にウクライナ危機が生じ、バルト三国首脳は、原発新設を含むエネルギー安全保障強化策について合意し、リトアニア政府とGE日立との協議が再開されたが、進展していない。

ヴィサギナスはリトアニア最大のドルクシェイ湖に面し、イグナリナ原発時代に整備された送電網、道路、鉄道、事務建屋、運転訓練センター、放射性廃棄物の管理・貯蔵施設がある。問題はコストである。14年に改訂されたEU原子力安全指令は、安全対策の抜本的な強化を課しており、大幅にコストが膨らむ可能性も否定できない。

エネルギー安全保障と多様化・地域協力

原発のリプレースは遅れているが、国境を越えた地域協力による供給源の多角化やエネルギーミックスの多様化によってエネルギー安全保障の強化は着々と進んでいる。2009年にEUが提案したBEMIP（バルトエネルギー市場相互接続計画）は、フィンランド、エストニア、ラトヴィア、リトアニア、ポーランド、ドイツ、デンマーク、スウェーデン間の送電網やパイプラインの相互接続を強化し、バルト海周辺地域でエネルギーの相互融通を目指しており、エネルギー大国ノルウェーもオブザーバーである。15年末に稼働した二つの送電網NordBaltとLitPolは電力供給の安定性を高めている。NordBaltは700MWの送電容量を持ち、リトアニアとスウェーデンをつないでいる。LitPolはリトアニアとポーランドを結ぶ500MWの送電網である。こうした送電網を利用したリトアニアの電力の輸出入の状況は、Litgirdのホームページにおいてリアルタイムで確認することができる。参考として、日本時間で2020年1月26日17時の送電量を図2に示すが、季節や時間帯によって送電量だ

図2　リトアニアの主な発電所と電力の輸出入（日本時間の2020年1月26日17時）

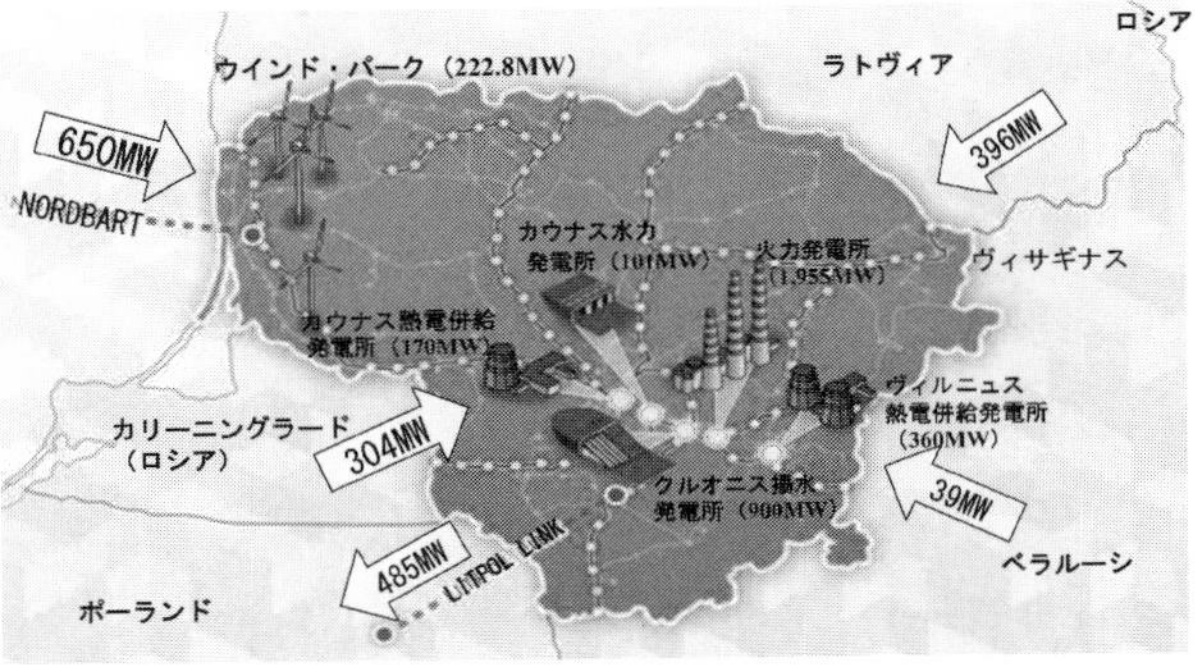

注：送電の量と方向は、季節や時間帯によって変化する。
出所：http://www.litgrid.eu/index.php/sistemos-duomenys/79 の図に加筆。

けでなく、方向も変化することに注意が必要である。リトアニアは、こうした送電網の拡充を進めており、ノルウェーとエストニアをつなぐEstlink 1 & 2を含め、送電網の国境を越えた相互接続が進めば、IPS／UPS（CIS統合電力システム／ロシア統合電力システム）に同期しているバルト諸国の電力を欧州のENETS-Eとの同期に切り替えていくことが可能になる。

ガス供給の安定性も大きく改善しつつある。リトアニアは、ベラルーシ経由のロシアからの1本のパイプラインに100％頼っていたが、13年にラトヴィアとのガスパイプラインが完成した。ラトヴィアには44億立方メートルのガス貯蔵できるインチュカルンス地下ガス貯蔵があり、夏に貯蔵されたガスが冬にリトアニアにも送られる。クライペダのLNG（液化天然ガス）ターミナルは14年に稼働し、ノルウェーなどからガスを輸入し、国内パイプラインを経由してラトヴィアに輸出することもできるようになった。さらに、19年10月に、リトアニアとポーランドをつなぐガスパイプラインGIPLが稼働した。

このように国境を越える送電網やパイプラインの相互接続を強化しエネルギーを融通しあうことによって、「バルトのエネルギー孤立」は克服されつつある。

マジェイケイ石油精製会社民営化の顚末

エネルギー事業の面でも、周辺諸国との協力は強化されている。リトアニアにおける大規模民営化の過程は不透明で、とくにマジェイケイ石油精製会社売却はスキャンダルとなったが、紆余曲折を経てポーランド企業に買収された。この会社は、もともと1960年代から70年代にかけて、ロシアの原油をリトアニアで精製してラトヴィアのヴェンツピルス港から輸出するプロジェクトの一環として建設されものだ。独立に伴ってリトアニア国有企業となり、95年に政府が90％、従業員が10％を保有する株式会社 Mazeikiu Nafta（MN）に改組され、98年末12月には Butinge Nafta（港湾ターミナル・オペレーター）と Naftiekis（パイプライン・オペレーター）を統合した。99年10月、このリトアニア最大企業の株式の33％を米国の Williams International（WI）に1億5000万ドルで売却することになった。政府はMNに既に1億7700万ドルを貸し付けていたが、この際に新規に1億2500ドルの政府融資、WIからMNへの7500億ドルの貸し付けに政府保証、その他税制優遇を約束した。こうした手厚い優遇措置によって、リトアニア最大の企業が民営化されたのだが、WIは資金難に陥った。2002年7月株式の26・85％、9月にはさらにMNの株式26・85％（計53・7％）と99年のリトアニア政府との協定に基づく優遇措置の権利全てが、ロシアのユコスの手に渡った。ところが、03年、オリガルヒ（新興財閥）の象徴的存在であったユコス社長ホドルコフスキーが脱税容疑で逮捕され、06年にユコスは破産する。同年、MNはポーランドの PKN Orlen に売却され、09年、MNは Orlen Lietuva と改名された。このように、ソ連時代から続き、リトアニア経済を支えている中東欧最大級の企業は、今ではリトアニアとポーランドの協力を示す事業となっている。

（蓮見　雄）

35

エネルギー・環境問題

★環境・観光・持続可能な発展★

デカップリングの成果と課題

リトアニア経済のエネルギー集約度（GDP一単位当たりに必要なエネルギー量）は、2014年に1990年水準の3分の1以下にまで低下したが、まだEU平均を7割近く上回っている。とはいえ、炭素集約度（エネルギー消費量単位当たりの二酸化炭素排出量）はEU平均より13％低い。この限りで、リトアニアは、エネルギー利用や温室効果ガス（GHG）を増やさずに経済成長を図るデカップリングに、ある程度は成功している（図1）。

だが、多くの課題が残されている。1000人当たりの乗用車保有台数は、1995年の190台から、2013年には562台へと3倍に増加した。このため、最終エネルギー消費に占める運輸部門の割合は、この間に25％から33％に上昇した。運輸は、GHG（土地利用、土地変化及び林業分野の排出・吸収量を除き、間接的なCO_2を含む。以下同様）の20％、CO_2の35％を占める。背景には、税制の不備がある。個人の自動車は課税されておらず、99年に導入された環境税（汚染税）には、数多くの例外がある。たとえば、排ガス浄化装置がある、農業用、バイオ燃料利用の車両は、環境税を減免される。10年以上を経過した旧型の車両

図1　リトアニアのGDPと温室効果ガス排出量の推移

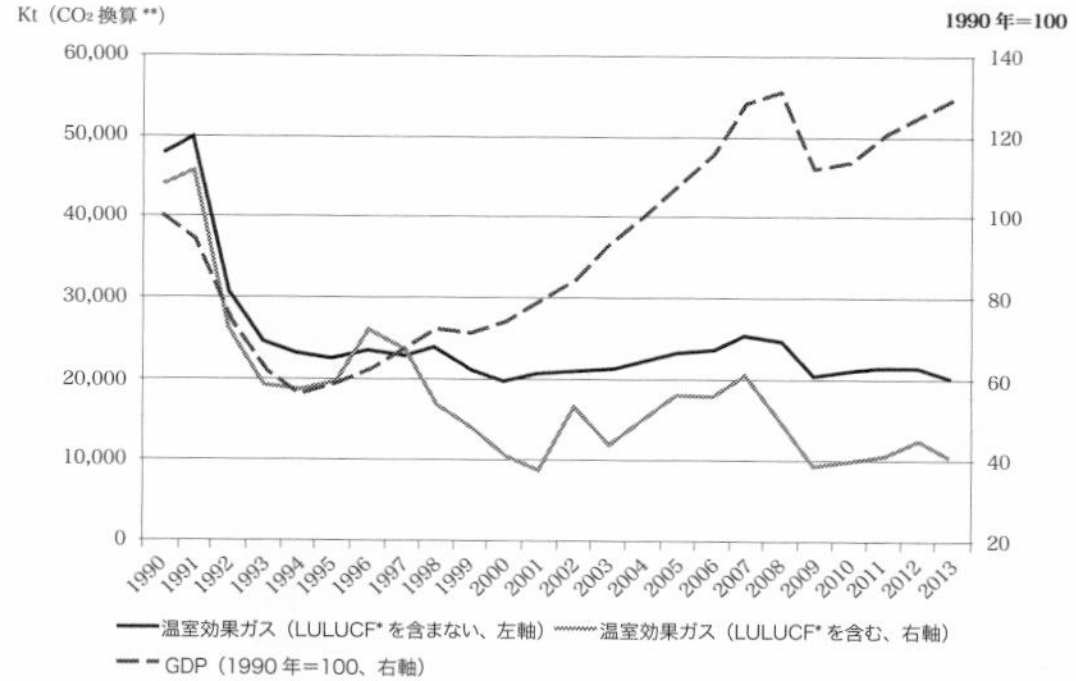

注：*LULUCUF ＝土地利用、土地変化及び林業分野の排出・吸収量

** メタン（CH_4）、一酸化窒素（N_2O）、ハイドロフルオロカーボン類（HFCs）、バーフルオロカーボン類（PFCs）、六フッ化硫黄（SF_6）、三フッ化窒素（NF_3）を二酸化炭素（CO_2）換算。

出　所：Ministry of Lithuanian Environment, *Lithuania's Second Biennial Report under the United Nations Framework Convention on Climate Change*, 2015, p. 4.

が8割を占めていることも環境負荷を高めている。近年、バイオ燃料の生産が始まり、13年の運輸部門の燃料の4％弱を占めるようになったものの、税制改革を含めて運輸部門の環境対策は重要な課題である。エネルギー産業では、コージェネ（熱電併給）の割合が35％へと急増するなど改善が見られるものの、やはりGHGの20％、CO_2の30％を占める。製造業・建設業はGHGの6％、CO_2の10％だが、工業プロセス・製品使用はいずれも20％である。エネルギーや工業を対象とするEUのCO_2排出取引制度（EU-ETS）を活用しつつ、温暖化対策を進める必要がある。農業は、CO_2の排出は少ないものの、メタンの5割、一酸化窒素（N_2O）の8割を占めており、バイオマス発電など農業廃棄物の有効利用も課題である。フロンガス類（HFCs、SF_6、NF_3）は、13年にGHGの1・6％に留まるが、近年急増していることが懸念される。

再生可能エネルギー（再エネ）の発展

２０１４年のＥＵ再エネ促進指令により、リトアニアは、２０２０年までにエネルギー最終消費（家庭、企業などで実際に消費された量）における再エネの割合を23％にする目標を課されたが、既に14年の段階でこれを達成している。冷暖房でも、約46％が再エネを利用している。しかし、運輸部門における再エネの割合は４・３％に留まり、目標の10％に達していない。この対策として、ＥＶ（電気駆動車）に期待が寄せられている。

リトアニアには、ソ連時代に作られた大型のクルオニス揚水発電所があり、再エネ発電の４分の１を占める。だが、自然条件を考えると水力発電の増設は難しく、政府は風力発電に力を入れ、ウインド・パークを建設した。その結果、今では風量発電が再エネによる発電の６割弱を占めている。太陽光パネル価格の低下などを考慮した固定価格買取制度の修正を伴いつつ、一連の再エネ促進策によって太陽光やバイオも増加している。

温暖化と環境・観光・経済のリスク

リトアニアの国土で地球温暖化の影響を最も受けやすいのは、バルト海沿岸地域とネームナス（ネマン）川下流域である。リトアニア水文気象庁の11年の報告書の推定によれば、クライペダのネームナス川河口の推移は、１８９８年より14・７㎝上昇し、沿岸の水位は21世紀中に最大で冬期に１００㎝高くなり、クルシュ潟の水位は27～63㎝上昇し、風が強くネームナス川が氾濫すると２１７㎝上昇する。リトアニアは１８１２～２０１０年に１５４回の大洪水を経験しており、その70～75％が雪解

図2　クルシュ砂州

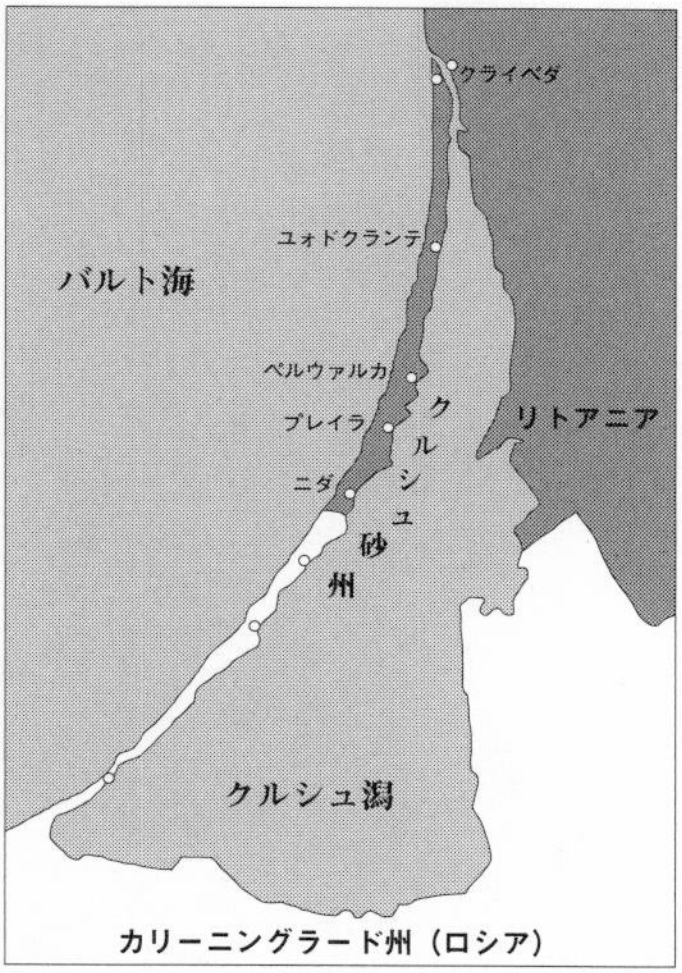

出所：駐日リトアニア共和国大使館ホームページより作成

け・流氷、15％が大雨による。洪水は国土の5％以上に及び、都市部の汚染物質の流出も懸念される。

まさに環境と人間の微妙なバランスの上に存在しているのが、クルシュ砂州である（図2）。この地は、ロシアの飛び地のカリーニングラードからリトアニアの港町クライペダとの海峡へと北に98km続き、バルト海の潮水とクルシュ潟の淡水を隔てている。北側の52kmがリトアニア領、南側の46kmがロシア領で、砂州の幅は４００ｍから３８００ｍと様々である。砂州は、紀元前３０００年にできたとされるが、土壌浸食に対して森林再生を進めるなど、人々の自然との共生の努力によって保全されてきた文化的景観として２０００年に世界遺産に登録された。砂州には、海、丘、砂漠、森、ツンドラとあらゆるものがあり、１５０種余りの鳥が集い、生物多様性という観点からも重要な遺産である。

しかし、水位の上昇や嵐・暴風による土壌の浸食、潟の温度や塩分濃度の変化など様々な環境問題が生じている。また、観光や漁業による海洋汚染も問題となっている。加えて、ロシアのルクオイルによる砂州から22・５km沖合の油田開発は、原油流出による環境破壊の懸念を呼んでいる。

これは、環境問題であると同時に経済問題でもある。観光は、間接的な効果も含めればリトアニアのＧＤＰの約５％を占める産業であり、毎年、約１２０万人の外国人観光客が訪れる。とくに温暖化の影響を受けやすい湾岸地域のクライペダ郡は、ヴィルニュス郡に次ぐ観光地であり、国内旅行者の29％、外国旅行者の14％が訪れる（２０１３年、国内から28万人、ドイツ5万人、ロシア４・５万人）。砂州の保養地ニダには、ドイツ、ロシア、ベラルーシ、ラトヴィア、ポーランドからたくさんの観光客がやってくる。つまり、この地域にとって、環境汚染はまさに経済問題なのである。これは、単に一地域の問題に留まらない。クライペダ郡は同国のGDPの12％を占め、ヴィルニュス、カウナスに次ぐ経済中心地であるばかりでなく、クライペダ郡の12年の付加価値の構造を見ると、25％が工業（建設業を除く）、43％が卸売業・小売業、運輸・ホテル・フードサービスであり、その多くは沿岸地域で生み出されている。さらに、クライペダ市は、リトアニア唯一の港湾都市で、道路、鉄道など交通の要衝であり、この地はリトアニア経済全体に大きな影響を及ぼす。つまり、クライペダ郡の自然環境を維持しながら経済発展を図ること（持続可能な発展）は、リトアニアにとって最重要課題の一つなのである。

EUと協力しながら進められる環境政策

リトアニアは、EUで進められている気候変動・エネルギー政策を念頭に、2012年に「2050年までの気候変動管理政策」を策定し、翌年13～20年までの行動計画を決定した。30年までにGHGを1990年比40％減、50年には同80％減を目指している。13～20年のEUの構造基金（後発地域支援予算）から、地域開発基金、結束基金、地域開発農業基金、海洋・漁業基金などの予算枠を通じて、気候変動適応、リスク予防・管理に約3億ユーロ、環境の維持・保全、資源利用効率の改善に約9・4億ユーロが配分されており、リトアニアの環境政策はEUと協力しながら進められている。

（蓮見　雄）

コラム７

リトアニアの森林——現状と保護活動

リナス・ディドヴァリス

２０１５年のデータによると、リトアニアの森林は国土面積の34％にあたる２１７万７０００ヘクタールを占めている。これはＥＵ諸国の森林率の平均値である35％にかなり近いものの、バルト三国の中では、エストニアの52％、ラトヴィアの54％をはるかに下回る値である。それでも、リトアニアで森林の割合が年々増加していることは確かで、現在の面積は過去１００年間で最大となる。このような変化は、農業に適さない貧困な土地の所有者に林業への移行を勧める政策を採るＥＵの支援に支えられている。同様にＥＵの支援により、近年多くの使用されていない土地への植林が進められている。

リトアニアの森林に生える樹木の種類はおよそ１５０種に上り、主なものは、マツ、モミ、カバ、オーク、ヤマナラシ、ハンノキなどである。最大規模の森林が広がるリトアニア東部と南部には、ダイナヴァ、ラバノーラス、ルードニンカイなどの名を冠した、国を代表する原生森が広がっている。これ以外の地域では、耕作地への転換によって森林の面積は狭まる傾向にある。

リトアニアの森林を、環境保護の観点から、自然保護林、特定目的保護林（生態系保護、レクリエーションなど）、保安林、人工林の４種類に分けることができる。最も厳重に保護されているのは自然保護林で、国の森林面積全体の１・２％を占める。自然保護林においては、若干の例外を除き、森林伐採を含む人間の活動が禁止されている。特定目的保護林および保安林は、国の全森林の27・5％を占める。これらの森林では、たとえば、樹木は秋と冬しか伐採できないなど、林業に関わる仕事が部分的に制限

森と野原（櫻井映子撮影）

されている。それに対して、人工林では制約が少なく、森林の所有者は森林管理計画を遵守する限りにおいて、樹木を一年中いつでも伐採することができる。これらの森林の大部分は木材生産のために盛んに利用されており、人間の活動から受ける影響の少ない森林は希少である。

リトアニアの森林の所有権には、国有と民有の区別がある。リトアニアではおよそ25万人の住民が森林地を所有しているが、その大半は比較的小規模面積（10ヘクタール以下）の森林である。２０１５年に行なわれた調査では、リトアニアの森林所有者は一人当たり平均３・３ヘクタールの森林を有しているという結果が出た。だが、大規模森林所有者が小規模森林所有者から購入することによって所有地を拡大しているため、一人当たりの所有面積は緩やかな増加傾向にある。たとえば、20ヘクタールを超える規模の森林の所有者が持つ私有林の割合は、過去10年間で19％から27％に増加した。このことにより木材採取目的の森林利用がより大規模に展開される可能性はある。だがその一方で、とりわけそのような大規模森林所有者の所有する私有林、および、国有林については、環境に優しい森林管理を促進する森林管理協議会（ＦＳＣ）による森林認証制度がより普及していることも事実である。

リトアニアには、国における森林利用のあり方を監視し、国の森林政策に対する批判や提案

コラム７

リトアニアの森林

森の中でベリー摘み（櫻井映子撮影）

を表明する非政府組織（ＮＧＯ）がいくつか存在する。代表的なものに、リトアニア自然基金、バルト環境フォーラム・リトアニア、自然遺産基金、自然保護運動、リトアニア緑の運動などがある。環境保護主義者らが最も問題視するのは、森林全体の４分の３に及ぶ広範囲の皆伐《かいばつ》（樹木を全て伐採する方法）である。皆伐は、生態系を大きく破壊し、森林の多機能性を奪い、景観を損なうためである。これに対し、環境保護ＮＧＯは森林所有者が皆伐を択伐（一定の基準に基づいた選択的伐採）に変更することを奨励している。ＮＧＯはまた、森林保護地区の拡大、保護地区における林業活動に対するより厳格な規制、原生林保護の強化などを提言している。

　リトアニア国民の多くは、余暇を自然の中で過ごすことを好み、夏や秋にはキノコやベリーを集めて生計の足しにするなど、森林との密接な関係を今なお保っている。そのため、森林保護の取り組みのうち、とりわけ森林の皆伐の削減や、鳥が産卵しヒナを育てる春と夏の森林伐採を控えることなどに関しては、多くの支持を集めている。それでもなお、森林保護ＮＧＯに対する社会的関心は未だ高いとは言えず、ゆえにＮＧＯは森林政策に対して強い影響力を持つに至っていない。

（櫻井映子訳）

Ⅶ

教育・社会

36

教育の歴史

★学校の形成過程を中心に★

リトアニアにおいて、初等教育から大学教育へと段階的に接続する教育体系が形作られたのは16世紀である。これは他のヨーロッパ諸国に比して早くはないものの、200年という短い期間に作られたことは特筆に値する。

リトアニアの制度的な教育の萌芽期は、14世紀後期の1387年、ヨーロッパで最後の異教国であったリトアニア大公国が、ついにキリスト教を受容したことに始まる。キリスト教の到来とともに、教育を受けた人材の育成が急務となった。同時に、識字文化とカトリック教会特有の教育形態がリトアニアにもたらされたのである。

それ以前のリトアニアでは、一般民衆は教育を受ける機会に恵まれなかった。貴族階級は家庭で教育を受け、さらに他のヨーロッパ諸国の大学に留学することも多かった。主な留学先は、プラハ、クラクフ、シエナ、ライプチヒなどであった（たとえば、プラハには、1397年にリトアニア人学生のためのカレッジが設立されていたし、1400年代からリトアニア人学生が学んだとされるクラクフには、彼らのための寮が存在した）。

16世紀半ばまでに、リトアニアには幾つかの異なるタイプの

第36章

教育の歴史

学校が誕生した。まず最初に現れたのは、いわゆる聖堂学校である。他のヨーロッパ諸国におけると同様に、これらの聖堂学校の当初の目的は、聖職者と筆記者の養成であった。リトアニアに作られた最初の学校は、１３９７年に創設され、４００年以上存続したヴィルニュス大聖堂の聖堂学校である。キリスト教化が15世紀初頭と遅れたジェマイティヤでは、１４６９年に創設されたヴァルネイの聖堂学校が最初である。これらの聖堂学校で学んだのは、おもに貴族や都市住民の子どもたちであった。聖堂学校での3年間の学業を終え、中世の知識人に必要な学問的教養を身につけた卒業生は、全国各地に散らばり活躍した。聖職者や筆記者の他、教師になる者も多かった。

初期に現れたもう一つの学校形態は、教区学校である。おもに筆記能力とキリスト教の普及を目的として、各地域の教区に設けられた学校は、徐々に全国規模で組織化されていった。最初の教区学校は、リトアニア大公ヴィータウタスの要請で１４０９年にトラカイに設立されたものであり、後にカウナスにもこれと類似する教区学校が現れた。聖堂学校が古くから存在したヴィルニュスには、やや遅れて１５１３年に教区学校が設立された。さらに、15世紀初頭には、フランシスコ会とドミニコ会が最初の修道院学校を創設した。

リトアニア大公国がポーランド王国との結びつきを強めた16世紀には、ルネサンスと宗教改革の流れがリトアニアに大きな変革をもたらした。文化の振興と教育の普及が急速に進んだこの時期、比較的大きな教会の教区はそれぞれ教区学校を持つに至った。教区学校では、リトアニア語とポーランド語により信仰の基本を学ぶのみならず、ラテン語による読み書き、教会の典礼や教理問答、文法、算術の他、美術や音楽も教えられた。ラテン語の習得は、他のヨーロッパ諸国の大学で勉強を続けるために欠かせないもので、さらにカトリックおよびプロテスタントの文化と学術的知識を吸収することを可能にした。

一方で、教区学校の教育内容は大学教育への準備には不充分であるため、16世紀半ばには、教区学校より高水準の教育を行なう機関を創設する必要性が唱えられるようになった。そのような時代背景のもとに誕生したのが、カレッジ（リトアニア語でコレギヤ）やギムナジウム（ギムナージヤ）である。1540年、ルター派の教育者アブラオーマス・クルヴィエティスによってヴィルニュスに設立された学校は、おそらくリトアニアで最初の高等教育機関である（ただし、カトリック教会の弾圧によりこの学校はきわめて短命に終わり、1542年に閉鎖された）。ルネサンスの思想と宗教改革の波は、教育に対する社会的認識にも大きな影響を及ぼした。とりわけ、一般民衆への母語リトアニア語による教育が促進されるようになったことは、重要な変化である。

宗教改革派がリトアニアに勢力を伸ばしつつあった1569年、カトリック教会はこれに対抗するためイエズス会を招いた。一年後の1570年、ヴィルニュスの聖ヨハネ教会に付設されたイエズス会のカレッジは、リトアニア最古の大学として現在も存続するヴィルニュス大学の前身である。1570年当初160人であった学生数は、20年後には600人、1618年には1210人を数え、ロシア帝国の支配下の1832年に閉鎖されるまでリトアニアの文化および教育活動の中枢を担い続けた（第13章と第37章を参照）。イエズス会は短期間にリトアニア全土にカレッジのネットワークを広げ、17世紀の間に国内に20校以上のカレッジを設立した。

リトアニアの教育の発展における次の局面は、1773年、イエズス会禁止の回勅後にポーランド＝リトアニア共和国に設立された国民教育委員会の活動と結びついている。これは世界で最初の国家教育省と見なされており、国主導による国民教育の時代到来の象徴とも言える。国民教育委員会は、リトアニア全国の教育機関の組織化や教育内容の近代化を目指し、抜本的な教育構造改革に取り組んだ。とくに重点が置かれたのは、初等教育の一般化であった。1774年には、三つの教区に一つの小学校を設立し、7～12歳に対する初等教育を義務化することを決定した。資金と教員の不足により当初の目標は達成されなかったが、初等教育自体はそれ以前と比較して著しく普及した（たとえば、1777年にはヴィルニュスだけで300以上の小学校が存在した）。

後にリトアニアの教育委員会はポーランドから切り離され、短期間で独自の学校管理システムを作り上げた。中等教育の改革に力を注ぎ、自然科学を中心とする理系の学問の教育を導入した。教育（媒体）言語はラテン語からポーランド語に切り替えられた。初等教育とは異なり、中等教育にはリトアニア語による学習が導入されなかった（リトアニア語は高度な学問には不向きと見なされていた）ため、農民たちによる私設のリトアニア語学校が生まれた。

1795年の第三次分割によるポーランド＝リトアニア共和国の消滅とともに、国民教育委員会は活動を停止した。以降、ラテン文字を用いた書物の出版禁止令を始めとするロシア帝国の厳しい弾圧により、リトアニア文化は甚大な打撃を受けた（第14章を参照）。リトアニア語もまた、表舞台から姿を消した。だが、リトアニア人は、農村部にリトアニア語で教育する地下学校（いわゆる「秘密学校」あるいは「貧困学校」）を組織し、ロシア帝国の同化政策にしたたかに抵抗した。罰金や投獄の危険を伴う違法な教育活動であったが、教師たちは、時には乞食を装って当局の監視の目をすり抜けながら、村の子どもたちに読み書き、算術、歴史、地理などを教えた。このような地下学校は、リトアニア語の存続のみならず、リトアニア人の識字率の向上のために大きく貢献した。１８９７年の国勢調査では、当時のリトアニアにおける公立学校の進学率はわずか６・１％であったのにもかかわらず、男子識字率は51・9％、女子は男子を上回る54・9％に達し、ロシア帝国内でエストニアとラトヴィアに次いで高い識字率を記録した。

１９０４年に廃止された出版禁止令に象徴されるロシア化政策は、リトアニア文化とその教育の発展を著しく妨げるものであったことは疑いを入れないが、弾圧に対する反発がリトアニア人の民族意識を高め、国民国家「回復」へのゆるぎない意志を育んだこともまた事実である。

（ラムテ・ビンゲリエネ／櫻井映子訳）

2019 年現在のリトアニアの学校制度

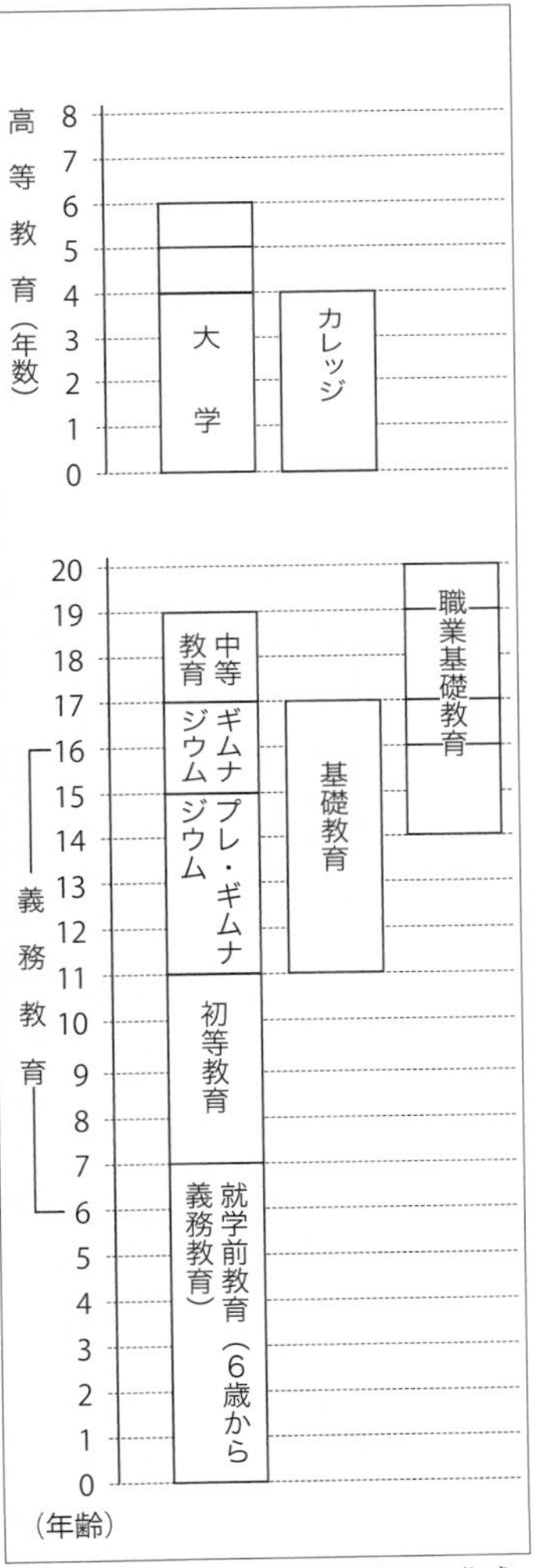

Eurodice 2018/19 のデータをもとに作成

37

大学・高等教育機関

★東西の世界を繋ぐ国際化にむけて★

２００９年４月30日に施行されたリトアニア共和国高等教育研究に関する法律によると、施行時点で、リトアニアの高等教育機関は、国立、私立あわせて高等研究、教育を推進する17大学（universitetas）と、いわゆる実践的な教育研究、職業技術を習得するための21カレッジ（kolegija）という職業学士を取得できる教育機関が存在する。

リトアニアにおける大学設立の歴史

リトアニアの大学設立は、リトアニア国の外からの圧力、支配の歴史に大きく左右されてきたといえる。ヴィルニュス大学が設立された１５７９年から現在に至るまで大まかに４期に分類することができる。第一期はポーランド＝リトアニア共和国時代（１５７９～１７９５年）、第二期は第一次世界大戦後のロシアからの独立、およびポーランドによるヴィルニュス支配から１９３９年のヴィルニュスの奪還まで、第三期は、１９４０年以降のソ連による最初の占領、次いで１９４１年から１９４３年のナチ・ドイツによる占領、１９４４年の２回目のソ連の占領から１９９０年の独立宣言まで、第四期は旧ソ連からの独立後である。

第一期に設立された大学として、東欧でも最古の大学の一つであるヴィルニュス大学（1579年）、リトアニア軍事アカデミー（1747年）、ヴィルニュス芸術アカデミー（1793年）が挙げられる。中世や近代の大学がキリスト教化に依拠しているように、ヴィルニュス大学も当初はキリスト機関であった。1579年ポーランド国王兼リトアニア大公であったステファン・バトーリ（ステーポナス・バートラス）はヴィルニュスアカデミー開校宣言を発布し、グレゴリー十三世がヴィルニュスイエズス会カレッジを大学とするローマ教皇の勅書を発布した。正式名称はヴィルニュスアカデミー及びイエズス会大学（akademia et Universitetas Vilnensis Societatis Jesu〔ラテン語〕）である。1795年にリトアニア大公国がロシア帝国に併合され、1803年には、ロシアの教育改革のもと、ヴィルニュス帝国大学として、ロシア帝国大学のモデルとされたが、1832年には大学は閉鎖された。

二つの大戦間の第二期に暫定的首都となったカウナスを中心に複数の大学が設立された。1922年に、リトアニア大学（1930年にヴィータウタス・マグヌス大学に改名）が、そこから分校してカウナス工科大学、1924年には農業アカデミー（現アレクサンドラス・ストゥルギンキス大学）、1933年にはカウナス芸術学校（現リトアニア音楽演劇アカデミー）、1934年にはリトアニア体育大学が設立されている。

第三期の占領期は、1940年の第一次ソ連占領期、当時のリトアニアの大学は、「人民大学」として、軍事訓練、マルクス・レーニン主義、軍補助的な医療実践、ソ連法、ソ連の歴史などがカリキュラムに選ばれ、ソ連のイデオロギーのプロパガンダ的役割を示すことを目的としたという。1941年夏にナチ・ドイツがリトアニアを占拠したとき、最初はソ連からの解放に希望を持ったが、ナチ・ドイツも1943年にはリトアニアの全高等教育機関を閉鎖した。ヴィルニュス大学は、1944年にソ連占領下に再開されたが、リトアニア共産党の創立者の名に因んで、ソ連時代の末期には、ヴィルニュス・ヴィンツァス・カプスカス国立大学と呼ばれていた。ヴィータウタス・マグヌス大学は、ソ連占領下1946年にカウナス大学に名称が変わり、1950年には、カウナスの政治工科学院と、カウナス医療学院の二つに分割され、実質上ヴィータウタス・マグヌス大学は、1950年から1989年まで閉鎖され、海外に亡命した知識人たちも少なくない。

第四期、旧ソ連からの独立後、ヴィルニュス大学はその名を復活させ、ヴィータウタス・マグヌス大学も亡命していた知識人が戻り1989年には再建された。またそれまでとは違う形態の大学も生まれている。1989年には西側のビジネスを学ぶ場としてリトアニア初のヴィルニュス大学による国際ビジネススクールが、1995年には、ノルウェービジネススクールとカウナス工科大学のもと設立されたリトアニア初の私立高等教育機関であるISM経営経済大学の前身が設立された。また、法学者、裁判官で、リトアニア憲法の父ともいわれるミーコラス・ロメリスの名をとったミーコラス・ロメリス大学（旧リトアニア法科大学）も設立されている。

リトアニアのカレッジ

職業訓練の意味合いの強いカレッジの前身は早いところで18世紀から設立されている。大学と同様に、カウナスのカレッジは両大戦間の1920年から1939年、リトアニアのロシアからの独立後、ヴィルニュスがポーランドに支配され、カウナスに首都が移った時に多く設立していることが伺える。旧ソ連時代に、ソ連の指導の下、様々な職業訓練学校となった。1991年の独立後は欧州との繋がりを強化する職業プログラムを提案するビジネススクールの設立が見られるようになる。また、2007年4月16日リトアニア共和国教育研究省により、カレッジが職業学士を授けることが認可されている。

リトアニアの高等教育機関の現状

リトアニア教育省が発表したリトアニアの高等教育機関の現状を見ていこう。

2011～2012年に、学生、院生を含み就学の最も多い分野は、社会科学2万7439人、次いで工学系の1万3479人、最も少ないのは、人文科学の459人であった。また、2012年の学生の人気学部を見てみると、2012年の人気の大学の課程は、各大学にもよるが、順番に、医学、経済、法律、クリエイティブ産業、政治学、憲法および税関学、歯学部、交通エンジニア経済ビジネス学部が挙げられる。それに対して人気のカレッジの課程は、衛生、装飾化粧学、観光マネージメント、海洋船舶マネージメント、観光・ホテルマネージメント、国際ビジネス、運動療法士学、運輸ロジスティックス、運動療法学、ホテルおよびレストランマネージメント等である。このような学生の学部の選択志向からも、都市部の社会科学系、また就職に直結するような学部を選択する学生が多いことが分かる。

解決すべき問題として挙げられるのは、リトアニアにおける高等教育機関の課程別の学生数は、

2008年のリーマンショック以降減少傾向にあること、また、独立後すべての高等教育機関は国立、全ての学費は国によって給付されるという旧ソ連の高等教育財政モデルを継承したリトアニアであったが、この、独立後、有料学業席（Mokamos studiju vietos）の総数に上回っていた国家基金による学業席（Valstybes finansuojamos studiju vietos）が、リーマンショックによる不況後から逆転し始め、2011〜2012年には8万7058席（国家基金）、8万7765席（有料）となっている。学生数と国家基金学業席の関係は密接で、大学で新コースを設置するときに、この国家基金学業席をいかに獲得できるかが、学生確保に直結する重要な問題となってくる。

学生の確保を課題とするリトアニアの大学の対策として、⑴地方都市にも分校として学部を設置する、⑵普通課程とは異なり、延長課程（ištestines studijas）土日だけ、または集中講義を行ない2年のところを3年で修了するよう、ムードルを用いた遠隔授業、Eラーニングなどを用い、仕事を持つ学生、またEU諸国など海外で仕事を持つ学生にも学位をとるチャンスを提供する、⑶海外の大学と提携しダブルディグリーコースを設置し、東欧、アフリカ、アジアなど非西欧諸国の学生にとっては欧州の入り口として、西欧諸国の学生にとっては新しいEUの国の体験として海外からの学生を勧誘すると同時に、海外での可能性を拡げたいリトアニアの学生向けに働きかける、等が挙げられる。これから益々大学の国際化が重要になってくるといえるだろう。（2015年執筆時のデータを基づき記載している。）

（高馬京子）

[付記]　2019年1月にはアレクサンドラス・ストゥルギンキス大学、リトアニア教育大学、ヴィートウタス・マグナス大学の3校が合併し、ヴィートウタス・マグナス大学となっている。このように、リトアニアにおける大学の併合化が今後見られると予想されている。

38

民族政策

★多文化社会の背景と直面する課題★

リトアニアの国境が歴史的に変化し続けたのと同様、リトアニアの住民も歴史的に変化に富んでいた。20世紀初頭、ヴィルニュスでリトアニア語を話すものはわずか数パーセントにすぎず、多様な文化が存在していた。中世まで遡れば、リトアニア大公国時代、人口面ではスラヴ系が優位であり行政や司法の現場ではロシア語も頻繁に用いられたし、ヴィータウタス大公は広くイスラム教徒やユダヤ教徒までをも国内に受け入れた。ポーランドとの連合以降、リトアニア人とポーランド人の違いは曖昧になり、ポーランドの国民的詩人アダム・ミツキェヴィチは「我が祖国リトアニア」と謳いあげた。反対にロシア帝国・ソ連時代には多民族国家の一部を構成し、リトアニア語やその文化の保護は体制に批判的ではない範囲内のものに限定された（誤解されがちだが禁止されていたわけではなく、制限内ではむしろ奨励さえされた）。リトアニアの過去の歴史における興味深い事実は他章に譲るとして、以下ではそのような多民族国家としての経緯を引き継いできた、現在のリトアニアにおける民族状況と民族政策そしてその課題について概説する。

直近の２０１１年センサスによると、現在のリトアニアは、リトアニア系84・16％、ポーランド系6・58％、ロシア系5・81％、ベラルーシ系1・19％、ウクライナ系0・54％、ユダヤ系0・10％、タタール系0・09％（以下略）といった民族比率によって構成されている。単独ではポーランド系が最大のマイノリティだが、ベラルーシ系・ウクライナ系と回答した住民の多くはソ連時代にやってきたロシア語を話す人たち（ロシア系と合わせてロシア語系住民）の子弟であるため、母語比率で見るとロシア語系住民7・18％の方が、ポーランド語話者5・27％よりも少し多いといった具合だ（第8章も参照）。

リトアニア政府が独立後に採用した民族政策・規定は、名目的には寛容さを備えているように見える。ソ連から脱退した際に、その民族性を問わずリトアニアに居住権を持つ者には独立リトアニアの国籍を与えたこと（ゼロ・オプション）は、他のバルト諸国との比較でよく引き合いに出されるし、リトアニア憲法もわざわざ「民族集団に属する市民は、自身の言語・文化・習慣を育てる権利がある（37条）」という条文を用意している。その理念は具体的には1991年修正少数民族法によって、少数民族が自文化育成のために国家補助を受けられる規定や、凝集居住地域で少数言語を公的に用いることができるという規定として現れていた。ところがこれらの規定は実際にはほぼ空文化しておりその効力を発揮しなかったし、憲法の規定が「少数民族」と明記していない点も問題点として指摘された。2010年には少数民族法自体が保守政権下で撤廃されたため、現状としては少数民族の権利を保護する実体法は存在せず、欧州レベルで批准した条約等による拘束があるだけである。

先述したように、現在最も大きな少数民族集団はポーランド系の人々である。リトアニアとポーランドは歴史的にも複雑な経緯を描いてきたが、とくに首都ヴィルニュス近辺はソ連併合以前にポーランド領であった関係から、現在でも多くのポーランド系住民が住んでいる。都内でこそリトアニア系が多数派ではあるが、郊外部ではポーランド系が多数派となっている。もちろん、法的には彼らもリトアニア国籍保有者として同等の権利を有しているが、文化面で依然として論争が展開されている。たとえば、かつてのポーランド風の表記で地名を表記することやポーランド風の名前を正式に用いることは認められていない。ポーランド系住民によって設立した大学等も正式な教育機関としての許認可をことごとく受けられていない。これらの文化・教育面に関して、少数民族法の規定に反しているとポーランド系住民らは主張していたが、同法が２０１０年に撤廃されたのは前述の通りである。国内法が消滅したとはいえ、１９９４年にポーランドの間に結んだ2カ国間条約により強制的な同化政策が同条約違反であると、ポーランド系住民（およびポーランド政府）は主張しているが、現時点でもこれらの案件が論争的なまま残されており、それに付随するようにポーランド系政党は選挙のたびにコンスタントに議席を獲得し続け、近年ややその議席を増やしている。文化・教育面とは別に、かつての共産主義時代に接収された土地を元の所有者に返還する手続きにかんしても、リトアニア系住民からの返還請求については２０００年代中盤の段階でほぼ完了していたのに対し、ポーランド系住民からのそれについては同時点で5分の1も終わっていないとの指摘があり、問題の一面をなしている（第26章も参照）。

リトアニアの独立回復直前に限って言えば、ロシア系住民がリトアニアでは最大のマイノリティ集団（9・37％）であったし、言語集団では現在もロシア語話者が最大マイノリティである。リトアニアのロシア系住民は大きく二つのグループに分かれ、中世・近世の時代からこの地に住まう人たちと、ソ連時代に移住してきた人々およびその子弟がいる。前者のグループの中にはロシア帝国から亡命してきた古儀式派の子孫たちも多く、現在も古儀式派はカトリックと正教主流派の次に大きな宗教集団である。バルト諸国のロシア系住民問題と言えば、隣国のエストニアやラトヴィアで、多くのソ連時代の移動者（とその子弟）に国籍をあたえず政治経済的環境から排除した件が大きな問題になったが、リトアニアは先述の通り比較的寛容な国籍政策を採用したため、ロシア語系住民固有の問題はあまり大きなものとはなっていない。隣国ロシアへの警戒感から国内ロシア語放送への制限などは行なわれているものの、ロシア系独自の文化的・政治的運動は現状さほど強くなく、独自利益を代表しようとする政党は国政レベルでは選挙で議席を得ていない（一部はポーランド人政党に投票しているようではあるが）。

ポーランド系とロシア語話者、これら二つの民族集団に比べれば、その人口比率こそ小さいが根深い問題を抱えているのがユダヤ系住民をめぐる環境である。かつてヴィルニュスは「北のエルサレム」とも呼ばれユダヤ人の多い社会であり、19世紀末～20世紀初頭まではユダヤ人が最大多数派であったと見られている（比較的細かい統計によると、1909年のヴィルニュスで、ポーランド語話者37・8%、イディッシュ話者36・8%、ロシア語話者20・7%、リトアニア語話者1・2%というものがある）。かつて多く居住していたユダヤ人がリトアニアから姿を消した背景については、本書の別章・コラムにその解説を譲るが、いずれにしてもリトアニアが20世紀になってユダヤ人を強烈に迫害した経験から、その補償をどうするか、ホロコーストをめぐる歴史認識をどのように位置づけるか、といった問題がリトアニア政府とユダヤ人社会との間の論争として残っている（第16章、コラム5を参照）。なおリトアニアの公式統計では、非主流派のカライ派ユダヤ教徒はカライム人として別扱いになっている。彼らは中世時代に優れた兵

ヴィルニュス近郊のタタールのモスク
（Juiux 撮影）

士として優遇され、唯一リトアニア人と同等の庇護（マルデブルグ法の庇護）を有した集団の末裔である。当時の要塞トラカイを中心に独自のコミュニティを今も維持している（第10章を参照）。

最後に、リトアニア第四の民族集団として、リプカ・タタールの人々に言及しておこう。彼らも前述のカライム人と同様、中世時代に軍事的奉仕のためにリトアニアに定住したムスリム戦士の末裔である（リプカとは彼らの言葉でリトアニアの意味である）。長い時間の中でリトアニア社会に同化したことから、こんにち彼らをめぐる政治的論争はないものの、イスラム信仰自体は連綿と受け継がれており、ソ連時代に破壊されたモスクの再建などが進んでいる。余談ではあるが、リトアニア宗教団体法第5条ではイスラム教スンニ派を「伝統的なリトアニアの宗教」の一つとして定義している。だからといって特別の優遇があるわけではないのだが、先進国を標榜する西欧諸国でイスラモフォビア（反イスラム感情）が蔓延する一方、そうではないリトアニアで（たとえ文面だけでも）そのような規定があることは少々興味深い事実ではなかろうか。

（中井　遼）

コラム8

永住権
——永住権取得のための課題・条件、体験者レポート

高馬京子

リトアニア人と結婚する、リトアニア人の子供の親である、祖先にリトアニア人がいるなど様々な血縁、家族関係の事例、職業に関する事例など永住権取得のための必要課題の詳細は、英語版でもリトアニア移民局のサイトで見れる（http://www.migracija.lt/index.php?-1497548128）が、このコラムでは、筆者の経験から、少し前の話になるが、２００５年から２０１３年までリトアニアに居住し、大学で職を持ち、永住権を取った経験からリトアニア永住権を取るプロセスについて少しまとめてみたい。

リトアニア人の正式な家族として来リしない場合、永住権を取るためには、まず一年毎に更新する短期滞在許可書を申請する必要がある。仕事、研究なども含む合法的活動、学業などの理由が必要となる。その申請に必要な基本書類として、リトアニアの居住証明、給与明細（もしくは貯金など）、勤め先の雇用証明書、そして申請料等を提出し審査を待つ。だいたい2カ月ほどで交付の審議がなされ、短期滞在許可書を手にすることができる。

滞在許可書の申請予約は、今ではインターネットで前もって予約をする方法に変わったものの、筆者が初めて短期滞在許可書を申請した２００５年の頃は、移民局だけではなく、リトアニアの病院、税務署などで「Kas paskutinis（カス　パスクティニス）?」というセリフが必ず聞かれた。最初はこの意味が分からずにいたが、すなわち順番を記す番号札が以前はな

かったため、自分の順番を確認するために、待合室にいる人に「だれが最後ですか」と確認をとるという方法であることが状況からだんだん分かってきた。

永住権を取るためには、リトアニア人を先祖に持つ、リトアニア市民の家族の一員として共に暮らすためにリトアニアに移住する人、また認定難民等以外は、申請書、居住証明提出することとともに、①5年間継続的に短期滞在許可書の申請と所持、②3レベルあるリトアニア語の国家試験の一つに合格、③リトアニア語によるリトアニア語憲法の試験に合格、④一年間リトアニアに滞在するのに十分な資金（もしくは給与をもらえる証明）所有、⑤永住権取得必要理由を証明する書類を提出すること等が必須条件となる。一度永住権取得が認められると5年に一度の更新となり、その後12カ月以上EU圏外の国に居住する等した場合は、永住権を返還する必要もでてくる。

短期、長期とも滞在許可書の取得は「マイナンバー」を取得を意味し、税務署、病院、職場、銀行とすべてこのマイナンバーで管理されるのである。

余談だが、2010年頃、永住権獲得のための語学試験対策の異文化間ギャップにまつわる苦い思い出がある。リトアニア語は構造が複雑で初心者にとって学習するのに骨が折れる言語である。永住権をとるための語学試験を受験するために、国が運営していた無償のリトアニア語講座に参加したことがある。当時、永住権を取ろうとするロシア語圏から来た人が多かったせいか、授業もロシア語でリトアニア語を教えられ、どちらも全くの初心者の私にはロシア語かリトアニア語の区別がつかず苦労した。結局、友人に家庭教師を頼んだり、ヴィルニュス大学で非常勤講師として働いた時に無料で大学

永住権取得のためリトアニア語試験勉強対策に使用した『リトアニア・英語辞典』や文法書

の授業に少し出させてもらいながら、生活の中でリトアニア語を学んだ。その後、いよいよ語学試験を受けた際に、他の受験者に「答えを見せて」と言われ驚いたことがある。リトアニアの友人たちに後から聞くと、移民は、移民同士助け合うべきという考えらしいが、私の基準では、どうしても試験の解答を見せることができなかった。試験終了後かた言のリトアニア語で「Tu esi bloga（あんたひどいわね）」と言われた時、異文化間では理解しえないことがあると思い知らされた。今となっては懐かしい話である。

（2015年時点での内容である。）

39

社会問題

――★リトアニア人として、ヨーロッパ人として直面する諸問題★――

リトアニアの社会問題について考えるならば、リトアニア社会が直面する問題とEU加盟に関連したリトアニアの問題の二つに分類できる。

リトアニアが有する社会問題

犯罪・交通事故

在リトアニア日本大使館のリトアニア内務省の発表に基づく現状紹介によると、2012年の犯罪総件数は8万2492件で前年度比3・7％増、そしてヴィルニュスを始めとする都市部で約半数を占めている。また、犯罪種別で多いのは窃盗が約39・2％、殺人、強盗、強姦など凶悪犯罪は減少するのに対し、麻薬犯罪は大幅に増加し、2963件（33％増）と報告されている。また交通死亡事故者数は人口10万当たりで、日本と比較した場合2・5倍以上になっていると分析されている。

アルコール依存症

社会問題として「依存症」が大きく取り上げられる。依存症といえば、タバコ中毒、インターネット中毒、仕事中毒まで様々なものがあるが、とくにリトアニアの社会においてアルコール依存症の問題も深刻である。また、ニュースサイトDELFIの２０１０年10月14日の記事の中で、国立健康審議会会長であるカウナス医科大学教授ユオザス・プンジュスは、リトアニア社会の健康問題第一位としてアルコール中毒を挙げている。ＷＨＯ世界保健統計２０１３年によるリトアニアの平均寿命は、ＷＨＯ加盟１９３カ国において、男女総合で73歳の76位、79歳の45位、そして男性は68歳の98位である。先の国立健康審議会は、規則正しい食生活、アルコールを飲まずタバコも吸わなければ、心臓病や血管病は80％、糖尿病なら90％、腫瘍病は30％避けることができるとし、タバコも含めアルコールはまさにリトアニア人の健康維持に対する危険要因と見なされている。プンジュスがとくに問題にしているのは、青少年におけるアルコールの問題で、例えばそれほど強くないアルコールの広告などが、若者がよく見るスポーツ番組などで流されることがきっかけとなり、より強いアルコール、そして、さらには、タバコ、麻薬とつながっていく可能性もあると指摘する。アルコール飲料販売の時間制限なども提言されているものの、利潤追求する市場と消費者の健康を守る立場の間の葛藤も浮かび上がるとされている。

自　殺

ヴィルニュス大学のリュタウラス・グジンスカスによると、リトアニアは、２０１２年10万人の中で51人の男性の自殺があったとされる。リトアニアの近隣諸国では、同じ比率で、ラトヴィア30・7人、エストニア24・9人、ポーランド30・5人、ベラルーシ32・5人、ロシア35・1人の男性らが自殺をしており、この中ではリトアニアの自殺率がトップであることが伺える。女性の自殺の割合は6分の1になるものの、やはり同地域では自殺率がトップであるとしている。２０１２年度ＷＨＯによる世界の人口10万人あたり自殺者率の報告によると、上位5カ国の中に入り、リトアニア28・2人である。リトアニアの自殺理由として、グジンスカスは、社会からの分離、少数民族差別、社会凋落、アルコール中毒、ストレスなどを挙げる。

このような依存症、自殺などの問題の対策として、リトアニア保健省は、2014年3月28日に2552万3200リタス（約739万8028ユーロ）の予算をもって「2014〜2016年精神的健康戦略実現と自殺防止運動プラン」（V―417号）を承認し、2014年7月1日に施行している。

EU加盟に関連したリトアニアの社会問題

2004年にEUに加盟し2013年後期には、EUの議長国を務めたリトアニアは、EUの一員としての地位を確立しつつある。欧州化、民主化の専門とするミーコラス・ロメリス大学のサウリュス・スプルガ（Saulius Spruga）は、リトアニアがEUに加盟したことで、欧州諸国への移動、そこでの学び、仕事、生活という選択の自由は大きく広がったと指摘する。また、多くのEU諸国の製品、店舗もリトアニアに進出し、生活スタイルの欧州化も進む一方、EU加盟に関連づけられた社会問題も以下のように浮上している。

2015年1月1日にリトアニアはユーロを導入したことで、欧州諸国との比較においてのリトアニア状況の把握がさらに顕著に感じられるようになったことは否めない。ヴィルニュス大学社会調査労働研究所のボグスラーバス・グルジェフスキスは、2015年2月27日付、リトアニアのインターネットニュースサイト『15min』のインタビューの中で欧州におけるユーロを導入したリトアニアの位置、問題について触れている。確かに、物価など、EU基準に比べると10％から30％安いとされているものの、リトアニアの給与平均は、EU加盟国の中で後ろから5番目の554ユーロ、それは近隣のバルト三国であるエストニアの約66％、ラトヴィアの約90％であった。このように、給与が低い理由として主たるものをグルジェフスキスは、第一点目として、リトアニアの製品生産／製造性が低いこと、すなわち、高く売れる商品を生産／製造できないこと、第二点目として、EU諸国の給与レベルを通して再配分されるGDPが低いことを挙げている。しかし、同教授が指摘するように、平均給与に比べ、雇用者の給与はEUでも比較的高額であり、雇用者・被雇用者の給与差が大きい。

また、先に挙げたようにEU諸国との比較において給与が低いことは、リトアニアに来る移民が少ないことの原因にもなっているとされる。これは、移民専門家のアウドラ・シパヴィチエネがリトアニア企業において高学歴で技術を持った外国人が非常に不足していると指摘したことにもつながる。その反対に、EU加盟後、高学歴、技術を持ったリトアニア人は、アイルランド、イギリス（EU離脱で状況は変化するだろうが）、スカンジナビアの会社で仕事をしている人もいる。しかし、このような高学歴の人だけが移民とはいえない。26のEU諸国のメンバーとノルウェーの代表者によって形成されている欧州移住網（Europos migracijos tinklo（EMN））の調査を見てみよう。それによると、リトアニアは、独立後20年近くで78万8000人と国民の約4分の1が海外に移住している。とくに、海外への移住が増えた時期はEU加盟後の2005年の5万7885人、そしてリーマンショック後の2010年の8万3157人である。移民先では、給与は上昇するものの、自分の才能、キャリアを生かす仕事に就けるとも限らず、祖国から遠い外国での暮らしを強いられUターンも見られはする。それでも

２０１３年にリトアニアからの海外移住の申告者は3万９０００人に上り、２００４〜２００９年の平均1万６０００人に比べると増加している。移住原因として、経済的理由、リトアニア社会安全、未来への不信感、雇用環境への不満、海外でのキャリアの可能性などが挙げられている。

他に、間接的なＥＵ加盟との関連の社会問題として、エネルギー問題も挙げられる。ＥＵ加盟の条件として、チェルノブイリ型のイグナリナ原子力発電所を閉鎖した後、ロシアからのエネルギー依存症からの脱却のため、２０１１年、福島原発事故発生の直後、日立が交渉権を得て、新しいビサギナス原子力発電所を設立する計画が立ち上がった。２０１２年10月14日の原発建設に対するリトアニアの国民投票では65％が反対し、否決されたが、その後、２０１４年8月には日立とリトアニア政府の間で原発建設に向けて話し合いが再開されていた（第34章を参照）。またＥＵ加盟後権利だけではなく、義務として要求されている難民受け入れの問題等、今後ＥＵの一員として直面する社会問題も増加していくと考えられよう。（本章は２０１５年時点の情報に基づき執筆している。）

（高馬京子）

40

スポーツ

★「国技」バスケットボール★

リトアニア人に「リトアニアで最もポピュラーなスポーツは何か？」という質問をすれば、必ず「バスケットボール」と答えるであろう。リトアニアではしばしばバスケットボールは「第二の宗教」とも呼ばれる。サッカーがポピュラーな欧州において、バスケットボールがこれほど盛んな国は珍しいといえる。では、なぜ、リトアニアではバスケットボールが「国技」や「第二の宗教」と言われるほどまでになったのであろうか。

リトアニアでチームとしてのバスケットボールがプレーされるようになったのは、1920年頃と言われている。1922年当時の首都カウナスで最初の公式戦が行なわれ、同じ時期に女子の選手権も始められた。1920年代の初頭にはバスケットの指導者たちによって指導本が書かれ、1926年から27年にかけて、リトアニア初の公式のルールができた。ただ、創成期のリトアニアリーグのレベルは高くなく、隣のラトヴィアやエストニアにも負けていた。1935年にリーガで行なわれた試合ではラトヴィアに大差で敗れている。

1934年、カウナスに、現在のリトアニア体育大学の前身になる機関が建てられ、近代的な体育館が設置された。翌年

1935年、カウナスで、世界リトアニア会議（移民として世界に散らばっていったリトアニア人たちの集い）が開催され、アメリカへ移民したリトアニア人で、有名なプロバスケットボール選手数人がリトアニアを訪れた。彼らのうちの2名、フェリクサス・クリャウチューナスとコンスタンティナス・サヴィツカスは、その後も祖国リトアニアに残り、選手兼監督としてリトアニア人の指導に着手した。その成果もあり、1937年には、ラトヴィアに負けたものの、僅差まで詰め寄るほどになっていた。同じ年にリーガで開催された欧州選手権では、アウトサイダーとされていたものの、大方の予想に反していきなり優勝し、欧州チャンピオンとなった。1939年には、初めてリトアニアで欧州選手権が開催され、カウナスにはバスケットボール専用の体育館が建設された。リトアニア代表チームは地元大会でも優勝し、欧州チャンピオンの座を守った。また、前年の1938年には、女子のリトアニア代表チームも、ローマで開催された女子欧州選手権で準優勝している。

このように、それまでは、ただのマイナースポーツだったバスケットボールが、アメリカへ移民したリトアニア人が導いた結果によって、たった数年で急激に国民的スポーツへと育っていったのである。

第二次大戦後、リトアニアはソ連に占領されてしまったが、ソ連時代を通じて、有力なリトアニア人選手は、ソ連代表チームの主力として活躍した。

1991年の独立回復後、リトアニア代表チームは再結成され、1992年のバルセロナオリンピックでいきなり銅メダルを獲得した。しかし、続く1993年、ポーランドのヴロツワフで開催された欧州選手権には、最終予選でベラルーシに敗れたため、出場することができなかった。1995

年にアテネで開催された欧州選手権では、再び巻き返しを図る。アルヴィダス・サボーニスとシャルーナス・マルチュリョーニスという二人の強力な選手の活躍によって、決勝でユーゴスラヴィアに僅差で敗れたものの、銀メダルを獲得した。大会後、アメリカのＮＢＡでプレーすることとなった二人は、１９９６年のアトランタオリンピックでも活躍し、リトアニアは2大会連続で銅メダルを獲得した。また、翌１９９７年にはリトアニア女子代表が欧州選手権で優勝した。

２０００年にシドニーで開催されたオリンピックは、ＮＢＡスターで固めるアメリカ代表と準決勝で対戦した。最後までアメリカ代表を苦しめ、あと2点差まで詰め寄ったが、負けてしまった。しかし、３大会連続の銅メダルを獲得した。

そして時代は21世紀。リトアニアの独立から既に10年の月日が流れていた。21世紀リトアニアには新世代の選手たちが誕生し、２００３年にスウェーデンで開催された欧州選手権では64年ぶりに欧州チャンピオンに輝いた。翌２００４年のアテネ五輪では3位決定戦で、惜しくもアメリカに敗れてた。その後数年はしばらく低迷してしまうが、２００７年にスペインで開催された欧州選手権で3位になり、続く２００８年の北京五輪では4位になった。一方、クラブではジャルギリス・カウナス、リエトゥヴォース・リータス（ヴィルニュス）の二大クラブを中心に、ユーロリーグで好成績をあげ、代表選手の中には資金の豊富な他の欧州のクラブやＮＢＡでプレーする者も出てきた。ただ、２０１１年に地元リトアニアで開催された欧州選手権では、準々決勝でマケドニアに僅差で敗れてしまった。

リトアニアのバスケットボール界を支えるのは、国民の非常に高い関心である。趣味でバスケットボールを楽しむ人も多く、様々なカテゴリーのアマチュアリーグも開催されている。また、郊外の団

バスケットコート

地内には、数百メートルおきに、必ずと言っていいほど、屋外のバスケットボールコートが設置されている。また、公立学校の体育館は、放課後、一般やアマチュアリーグ、子どものトレーニングに有料で開放されており、盛んに使用されている。ただし、屋外コートも体育館も、ソ連時代に建設されたのものであるため、老朽化が進んでおり、それぞれ数年をかけて改修作業が進められている。

このように、リトアニアでは、一年中手軽にどこでもバスケットボールができる環境にある。リトアニアの夏は雨が多く、冬は凍るほど寒い。こういった気候も関係してか、リトアニアにおいて、バスケットボールは生涯スポーツとして定着している。

アスリートの育成

ソ連時代には、他のソ連構成国や東ドイツを始めとする他の共産圏の国々同様、リトアニアはソ連の一部であったため、リトアニアでもスポーツはソ連という国家の威信高揚の手段として、アスリートのエリート教育のみがなされていた。

しかし、独立回復後は、たとえば、前述のアルヴィダス・サボーニスとシャルーナス・マルチュリョーニスらがバスケットボールスクールを開校したように、大衆スポーツも盛んになってきた。サッカーなど他の競技においても、多くのスポーツスクールがあり、西ヨーロッパのように5歳から高校生年代まで、一貫した育成システムが採用されるようになり、多くの子どもたちが参加している。近年では、水泳のルータ・メイルティーテや、テニスのリチャルダス・ベランキスなど、バスケットやサッカー以外で活躍する選手も出てくるようになった。

ちなみに、リトアニアでは、日本で言うところの学校教育におけるスポーツ活動は、体育の授業を除いては、ほとんど行なわれていない。いわゆる部活動というものもほとんど無い。

（佐藤浩一）

コラム9

リトアニアの学校事情
――現地からのレポート

佐藤浩一

リトアニアの学校には、いわゆる初等、基礎、中等教育の三つの期間がある。初等教育は6歳あるいは7歳から4年間で、基礎教育が6年間、中等教育が2年間の4―6―2年制が一般的である。しかし、基礎教育の4年目あるいは5年目からは、職業学校やギムナジウムへ通うこともできる。ギムナジウムに通う場合は4―4―4年制になり、最近では大学や短大進学を控え、こちらのほうが一般的になってきている。また、基礎教育と中等教育が一貫している場合も少なくない。この場合は4―8年制となる。学年の呼び方は、日本のように中学3年や高校1年という言い方はせず、前者の場合は9年生、後者は10年生という言い方をするのが一般的である。

義務教育は16歳までとされている。大学進学に際して入学試験はない。最終学年に実施される全国統一試験の結果によって、進学できる大学・学部が決まる（第36章および37章を参照）。

学期は2学期制で、1学期は9月から1月中旬まで、2学期は1月中旬から6月初旬までである。長期休暇は、秋休みが10月下旬から1週間、クリスマス休暇が12月下旬から1月上旬まで2週間、冬休みが2月に数日間、春休み（イースター休暇）が1週間、夏休みは6月上旬から8月いっぱいまで、3カ月と長い。土日は休みである。また、冬期は、気温が極端に低い場合、休みになることがある。

1学年は平均的に4～5クラスに分けられる。1クラスの生徒数は日本と比べると少なく、20人から30人が一般的で、男女共学である。カリキュラムは、大半が日本でいう普通科であるが、

コラム9

リトアニアの学校事情

学校によっては、音楽家、体育科、芸術家のクラスがある。リトアニアでは大半がリトアニア系の学校であるが、公立の学校でも、ロシア系やポーランド系といった他民族系の学校も少なからず存在し、正式な学校として機能している。もちろん、そのような学校でも、リトアニア語の教育は義務付けられている。

リトアニア系の学校では、最も時間を割いているのはリトアニア語で、リトアニアの歴史や文化についての教育も重視されている。学校の催しでも、リトアニアの伝統や文化を大事にしており、それに関連した学校行事もよく行なわれている。それは、今までのロシアやソ連による弾圧や支配の影響に対する反動とも感じられる。外国語の教育は初等教育の早い段階から始められている。英語が必須であるが、学年が上がるに連れ、第二外国語が義務付けられており、ドイツ語、フランス語、ロシア語から1カ国語選択となる。さらに、中等教育になると、第三外国語を選択することができる。第三外国語は、日本語を選択できる学校もいくつか存在する。その他、学校によっては、理系に力を入れている学校、語学に力を入れている学校等、カリキュラムの詳細は各学校に任されている。

制服は、学校によってあるところとないところがある。あっても、日本のように上下の服から靴や鞄までということはなく、ジャケットだけというところがほとんどである。髪型や化粧に関しては、ほとんど規制はない。登下校時、ほとんどの生徒は、バスやトロリーバス等の公共交通手段を利用するが、保護者に送迎してもらう者もいれば、高学年になるとバイクや車で通学する者もいる。昼食は日本のように、お弁当を持参することはなく、給食の制度もない。大部分の生徒は校内の食堂で昼食を摂る。

ほとんどの生徒は授業が終わると同時に下校

初等教育学校の教室の様子

する。日本のように毎日決まった時間に行なわれる朝礼や終礼、クラスルームなどはない。校内の清掃は、学校に雇われている清掃員が行なうため、生徒は清掃をする必要はない。放課後の課外活動については、日本のような部活動は存在しない。スポーツや芸術活動面に関しては、サッカー・スクール、バスケットボール・スクール、音楽学校等、学校とは別の団体に自分で通うのが一般的である。

Ⅷ

文化・芸術

41

文学

―――★リトアニア人がリトアニア語で書いた文学の点描★―――

リトアニア文学とは何だろう。リトアニア人が書いた文学、リトアニア語で書かれた文学、それとも、リトアニアで発表された文学？　なかなか悩ましい問題ではあるが、取りあえずここでは、リトアニア人がリトアニア語で書いた文学に限定し、歴史の流れに沿って、代表的な作家や詩人とその作品を紹介しよう。

ヨーロッパの諸現代語中でも、古風なことで知られるリトアニア語だが、その書き言葉としての歴史は比較的浅く、それによる文学作品の蓄積も当然ながら多くはない。今に残るリトアニア語による最初の書物は、1547年に東プロイセン領のいわゆる小リトアニアで出版された、マルティーナス・マージュヴィダス編纂『教理問答書』である。これを含む初期のリトアニア語による文献は、おもにキリスト教関係のものであった。

18世紀後期に書かれたクリスティヨーナス・ドネライティスの『四季』は、それまで文学の伝統を持たなかったリトアニアに突如誕生した本格的な叙事詩であった。東プロイセンのルター派教会の牧師として生涯を送ったドネライティスは、遺した作品がいずれ認められ、リトアニア古典文学の不朽の名作と称えられることになるとは、おそらく想像もしなかったろう。だが、彼の死後発見され、１８１８年にプロイセンのケーニヒスベルクで出版されたこの作品は、当時のリトアニア農民たちの四季折々の暮らしを見事なヘクサミターで描いた傑作である（コラム10参照）。続いて１８５９年には、カトリック教会の司教であったアンターナス・バラナウスカスが、帝政ロシア支配下で瀕死の状態にあった祖国リトアニアの姿を故郷の自然に重ねて綴った珠玉の詩『アニクシチェイの松林』を世に出した。いずれも同世代の人々に広く読まれることなく、直接的には大きな影響を残さなかったが、リトアニア文学史上に輝く古典として読み継がれている。

ジェマイテの肖像が印刷された１リタス紙幣

19世紀後半から20世紀初頭にかけて、ロシア帝国領のリトアニアでは、ラテン文字を用いたリトアニア語による書物の出版が禁じられた（１８６５〜１９０４年）。この時期に活躍し、一時代を築いたのが、ロマン派の大詩人マイローニスである。当時ヨーロッパで高まりを見せたロマン主義の国民国家思想の影響を受けたマイローニスの詩は、リトアニアの民衆の中に広く浸透し、民族復興運動の力強いうねりを導いた。とりわけ、１８９５年に出版された叙情詩集『春の声』は、自由を求めて苦悩する若きリトアニア人の姿を瑞々しく表現し、国の独立運動を象徴する作品として記憶されている。また、マイローニスと同時代を生きたジェマイテは、リトアニア写実主義文学の創始者であり、民族復活運動のシンボルの一人となった稀有な女性作家である。当時のリトアニアの上流階級の慣習としてポーランド語を話す家庭に育ったが、独学で身につけた豊かなリトアニア語で、貧窮する民衆の生活をありのままに表現した。ソ連からの独立回復後に再導入された1リタス紙幣にはその肖像画が刷られ、作品を彷彿させる素朴で意志的な風貌が親しまれた。

さて、今を遡ること100年前のロシア革命を機に、リトアニアは悲願であった独立を達成し、第一次リトアニア共和国時代（1918〜40年）を迎えた。大戦間期の独立は、つかの間の夢のように儚《はかな》く消えたが、リトアニア民族の権利が確立されたこの時期、「国民文学」たるリトアニア文学は大きく発展し、優れた作家や詩人が輩出した。

まず、リトアニア文学史上において、ラトヴィアの詩人ヤーニス・ライニスやエストニアの小説家アントン・ハンセン・タンムサーレに匹敵する役割を果たした人物と言えば、ヴィンツァス・クレヴェーであろう。リトアニア散文詩を創始した詩人で、小説家・劇作家としても活躍した。リトアニアの民話や神話、歴史上の偉人たちをめぐる伝説を題材に、フォークロアの様式を取り込んで書かれた作品の数々は、リトアニア人の民族精神の復活に情熱を注いだ。

リトアニア象徴主義文学の始祖と呼ばれる、ユルギス・バルトルシャイティスは、異色のバイリンガル詩人である。リトアニアで生まれ育ち、ロシアの大学に学んだ彼は、ロシア語とリトアニア語、二つの言語を見事に使い分け、それぞれに異なる作風を築き上げた。ロシアの名だたる文人たちと親交を深め、リトアニア人でありながらロシア象徴主義文学運動の中心的存在となったが、リトアニア独立後は、モスクワでリトアニア大使を務め、故国の為に尽力した（第25章参照）。

同じくロシアで教育を受け、バルトルシャイティスを師と仰いだ、象徴主義の詩人バリース・スルオガは、卓越した劇作家・演出家としても知られる。ドイツで博士号を取得、帰国後は大学で教鞭を

ヴィルニュスの文豪記念館　外壁の肖像プレート

とる傍ら、文学、演劇、フォークロア研究など幅広い分野で優れた業績を残した。第二次大戦中にナチス・ドイツに政治思想犯として捕らえられ、ポーランドの強制収容所で過ごした体験を描いた小説『神々の森――回想録』は、生還したソ連邦リトアニアにおいて厳しい検閲を受け、スルオガの死後10年を経た1957年にようやく出版された。極限状態における人間性を問う悲喜劇小説は、後のリトアニア文学に大きな影響を与えた。

ヴィンツァス・ミコライティス＝プティナスは、象徴主義の流れを汲む詩人、劇作家、エッセイストとしても活躍したが、とりわけ1933年に発表した自伝的小説『祭壇の陰に』によって、この時代の最も傑出した作家の一人としてリトアニア文学史上にその名を刻んだ。ロシアで神学を学び、スイスとドイツの大学で哲学と美術史を専攻したプティナスは、信仰と芸術の間でゆれる彼自身の精神的葛藤をこの作品に投影した。リトアニアで最初の本格的な心理小説であると同時に、時代を超え読者を惹きつけてやまない普遍的魅力を持つ作品である。

奇しくもプティナスと同年生まれの未来派の詩人カジース・ビンキスは、リトアニア前衛芸術の先駆けであり、時代に挑んだ真の革新者であった。彼が率いた文芸誌『四つの風』（1924～28年）は、キュービズム、ダダイズム、シュールレアリズムといった様々な芸術運動の実験の場となり、伝統の殻を破った新しいリトアニア詩の方向性を探求する文学運動に発展した。1923年に出版された代表作『百の春』は、力強くリズミカルな音楽性と、研ぎ澄まされた言語感覚が際立ち、来るべき現代詩の時代を予感させる詩集である。

ビンキスらによる『四つの風』の次に登場したのは、共産主義思想を標榜する文芸誌『第三の前線』(1930〜31年)であった。社会の変革と人間の解放を目指す若き才能の中でとりわけ存在感を示したのは、激情ほとばしる音楽的な作風で知られる女流詩人サロメーヤ・ネーリスと、社会主義リアリズムの影響を強く受けた短編小説の名手ペートラス・ツヴィルカである。いずれも最初期のソ連邦リトアニアの文学界を牽引する立場に置かれながら、燃え尽きるように早世している。また、ソ連時代に活躍した文人としては、リトアニア語を神格化し、民族の過去の栄光を賛美する壮大な作品群によって、圧倒的な人気を誇った新ロマン主義の詩人・劇作家のユスティナス・マルツィンケァーヴィチュスが挙げられる。

最後に、ソ連時代に反体制派を貫き、今なおリトアニア人に最も敬愛されている現代詩人の名を挙げたい。ユディタ・ヴァイチューナイテ、シギタス・ゲダ、マルツェリユス・マルティナイティス、そして、彼らの中では唯一存命のトマス・ヴェンツローヴァ(父のアンターナス・ヴェンツローヴァも著名な詩人である)。ヴェンツローヴァは、亡命した合衆国において、詩作のみならず、翻訳、エッセイ、文芸論と幅広い執筆活動を展開し、冷徹な批評眼と独特の世界観を兼ね備えた論客として国際的に活躍してきた。リトアニア文学の枠を超えた知性であり、日本でも今後もっと紹介されるべき人物であろう。

(櫻井映子)

クリスティヨーナス・ドネライティス
――リトアニア文学の創始者

ドネライティス

クリスティヨーナス・ドネライティス（1714～80年）は、１７１４年、東プロイセン（現在のロシア・カリーニングラード州）のリトアニア国境に近いリトアニア語域の小村、ラズディネーレン（リトアニア語でラズディネーレイ）村に生まれた。貧民学校に学んだ後、ケーニヒスベルク（同じくカラリャウチュス）の５年制ラテン語学校に進学。さらに、１７３６年から１７４０年にかけて、ケーニヒスベルク大学の神学部に学んだ。神学の他、文学や古典語を学び、リトアニア語セミナーに参加した。大学を終える頃には、ギリシア語、ラテン語、ヘブライ語、フランス語など多国語を習得、リトアニア語とドイツ語は詩作を手掛けるほどになっていた。１７４０年の大学卒業後、スタルペーネン市（現ロシア領ネステロフ）の中等学校の教員となり、合唱指導者も兼務、まもなく校長に就任した。１７４３年には、トルミンケメン（同じくチーストゥイエ・プルドゥイ）教区ルター派教会に牧師として赴任し、１７８０年に世を去るまでこの地に暮らした。教会や学校の新設のために尽力する一方、造園や機械いじりにも才を発揮した（気圧計や時計を制作し、プロイセンで二台目のフォルテピアノを作り上げた）。１７８０年に死去、トルミンケメン教会に葬られた。

絵本　ドネライティス『四季』　ヴィータウタス・ユルクーナス画（Kristijonas Donelaitis, *Metai*, Vilnius: Valstybinė grožinės literatūros leidykla, 1956）

トルミンケメンでドネライティスが書いた叙事詩『四季』は、リトアニア古典文学における最初の長編作品にして最高傑作である。貧しい農民の視点による独自の世界観と文体により、ヨーロッパ文学史上においても重要な作品と位置づけられている。しかし、ドネライティス自身は無名のうちに世を去り、その正確な執筆時期は知られていない（1765年から1775年の間と推定されている）。また、ドネライティス自身が名づけた「春の歓び」、「夏の仕事」、「秋の恵み」、「冬の煩い」という4編の詩をまとめて『四季』と命名したのは、彼の死後38年を経た1818年にその遺稿詩を刊行したルードヴィヒ・レーザである（レーザはケーニヒスベルク大学教授でカントの弟子であった）。

『四季』は複雑かつ多元的で、異なる時代の文学的影響が融合した作品である。詩の内容、詩形、その他の様々な表現方法は、バロック文学と古典主義文学の両方の文脈に関連づけられる。広く普及していた啓蒙主義思想もまた、ドネライティスの作品に大きな影響を与えた。ドネライティスのリトアニア語の作品（『四季』の他、リトアニア語による六つの寓話を遺している）のすべては、古典詩に倣ったヘクサミター（1行が六つ［hexa］の韻脚からなる詩形）で書かれている。18世紀半ば当時、リトアニア語の言語体系へのヘクサミターの適用は新しい試みであった。

『四季』は現代の読者の目で見ると一風変わった作品である。明確な始まりも終わりもなく、一篇の詩の終わりは、次の季節を主題とする別の詩へとゆるやかにつながってゆく。作品の中では大した出来事は起こらず、印象的なクライマックスも見られない。その主な焦点は、自然の描写と、農民の仕事や暮らしぶり、さらには、リトアニア農民と他民族の領主の関係に置かれている。また、自然のイメージの多くが「教訓」に重ねて綴られており、四つの季節の形式は、読者に人生の転成を連想させる。冬の死と春の再生。春には食物が不足し、秋には満ち足りる。夏の終わりなき労働と秋の祭日。そのように対立する事象を描くことにより、詩人は多面的で重層的な作品を創り出した。

『四季』は、18世紀の東プロイセンでのリトアニア農民らの生活を記録した民族誌学的な資料としても重要な意味を持つ作品である。それと同時に、ドネライティスら当時のリトアニア知識人が、リトアニア語に対してどのような意識を抱いていたかを示す歴史的資料ともなっている。ドネライティスは終生、封建社会において搾取され虐げられたリトアニア農民の代弁者であろうと努め、過酷なドイツ化の波にさらされたリトアニア語保護のために傑作『四季』を書いたのであった。

（櫻井映子訳）

イマヌエル・カントと「小リトアニア」の言語文化——民族と歴史の交点

コラム11

沼野充義

イマヌエル・カント（1724〜1804年）と言えば、もちろん一般には「ドイツの」哲学者として知られる人物で、著作もすべてドイツ語である。しかし、厳密に言えば彼が住んでいたのはプロイセン王国であり、生涯の大部分を過ごし、大学教授を勤めたケーニヒスベルクという町は東プロイセンの中心地だった。この町はもともと、1255年にドイツ騎士団がこの地に築いた砦であり、それ以来次第に東プロイセンのドイツ語文化圏の中心として発展していくが、東プロイセンの地元農民の多くは、リトアニア語を話すリトアニア系の住民だった。ちなみにこの町のその後の運命も複雑である。ケーニヒスベルクは第二次世界大戦の結果、ソ連領となり、地理的な位置から言えば、リトアニア領であるのが自然に見えるが、今でもロシアの「飛び地」として残っている。

イマヌエル・カント

そんな場所に住んでいただけに、カントにはリトアニア文化との接点が当然あった（先祖がリトアニア人だったという説もある）。たとえば、彼は1800年に「クリスティアン・ゴットリープ・ミールケの『リトアニア・ドイツ／ドイツ・リトアニア語辞典』のためのあとがき」という一文を書いている。これはごく短いものだが、単に義理で書いた後書きとはとうてい思われない重要な内容を含んでいた――「プロイセンのリトアニア人は、その性格の特性上大いに保存されるに値し――また、国語は性格の形成と保持のためのすぐれた主要な手段であるから――学校教育や教会の教育における国語の純粋性という点からも大いに保存されるに値する(……)」。当時の東プロイセンにおけるリトアニア語がドイツ化の波の中で消滅してもおかしくないような弱小の存在であったことを考えると、リトアニア語のようなマイナー言語に対するカントの強い関心と擁護の姿勢は、この時代にしては極めて先進的なものだった。

ここで思い起こしたいのは、カントと同じ時代に同じ東プロイセンに、リトアニア文学の父とも言うべき詩人(代表作は叙事詩『四季』)、クリスティヨーナス・ドネライティスが生きていたという事実である。アメリカの研究者リンヴィーダス・シルバヨリスの表現を借りれば、「ドネライティスは様々な民族と歴史の交点で、ドイツ語とリトアニア語の両方を使って教区のドイツ人やリトアニア人に神のことを語りながら、静かに生きた。」

ドネライティスがカントとどこかですれ違っているかどうかは分からない。ケーニヒスベルク大学をドネライティスが去ったのがやはり1740年、同大学にカントが入ったのがやはり1740年。この二人ははたして大学で顔を合わせていただろうか。いずれにせよ、二人が「民族と歴史の交点」に生きざるを得ないという、時代のコンテキストを共有していたことは確かである。

ケーニヒスベルクを中心とする東プロイセンのリトアニア人居住地域は、ヴィルニュスやカウナスといった古都を擁する「大リトアニア」に対して「小リトアニア」と呼ばれた。18世紀末にポーランド分割の結果、「大リトアニ

ヨーナス・バサナーヴィチュス

ア」はロシア領に組み込まれ、ロシア化政策の下でリトアニア語が迫害されたが（1865年にラテン文字使用が禁止され、それが事実上、リトアニア語の出版物の禁止の意味を持った）、プロイセン領の「小リトアニア」で出版されたリトアニア語文献が「大リトアニア」に密かに持ち込まれて、リトアニア語文化を支えたのだった。そしてやはりこの東プロイセンで、19世紀末にはヨーナス・バサナーヴィチュス（1851〜1927年）が中心となって『夜明け《アウシュラ》（Aušra）』（1883〜86年）という雑誌をリトアニア語で刊行し、リトアニア民族復興への機運を高めたのである。

42

ミカローユス・コンスタンティナス・チュルリョーニス

★リトアニアが誇る天才芸術家★

リトアニアの芸術といっても、普通の日本人にはなかなか具体的なイメージが湧かないだろう。日本人にとっては、この国のことをそれ以上思い描く手がかりとなる具体的な顔があまりないのだ。東欧のいわゆる小国でも、「顔」が一つあるだけでわれわれにはぐっと身近なものになる。音楽の分野だったら、たとえば、ポーランドのショパン、チェコのドヴォルザーク、といった具合だ。リトアニアの場合、そういった天才たちに匹敵する国民的存在は誰かといえば、まずミカローユス・コンスタンティナス・チュルリョーニス（1875～1911年）の名前を挙げなければならない。彼の名前は残念ながら日本ではまだあまり知られていないが、美術と音楽の両方の分野で独創的かつ先駆的な仕事をした彼は、リトアニアが世界に誇る天才である。彼は作曲ではシェーンベルクのセリー技法を、美術の分野ではカンディンスキーの抽象画を先取りするような革新的な作品を生み出した。その意味では、ヨーロッパの「辺境」の出身者でありながら、同時代のヨーロッパの文化の最先端を切り開いたということができる。

まずその経歴を簡単に見ておくと、彼の父は教会のオルガ

チュルリョーニス

ン奏者だった。彼は保養地として有名なドゥルスキニンカイで幼時を過ごし、1894年から1899年にかけてワルシャワ音学院で、1901年から1902年にかけてライプツィヒ音楽院で学んだ。しかし1904年にはワルシャワ美術学校に入学、この頃より音楽よりも絵画に力を入れるようになる。こういった経歴からも推測できるように、彼はポーランド文化圏でまず芸術家としての訓練を受けた（そもそも家庭でもポーランド語を話していたので、リトアニア語は不得意だったという）。その後、彼の絵画作品は少しずつロシアでも知られるようになり、1908年にはペテルブルクの展覧会に作品が出品された機会に招待され、以後、ロシアの「芸術世界」グループの芸術家たちと交流し、彼らに高く評価されるようになった。しかし、彼の芸術は生前同国人からはあまり理解されず、世間的な成功も得られないまま、彼は精神に異常をきたした末に35歳の若さで亡くなった。短い生涯ではあったが、二百数十点を超える音楽作品（『森にて』と『海』という二つの交響詩の他、約170のピアノ曲、60の合唱曲があった）と約400点の絵画作品を残した。

このようにチュルリョーニスはワルシャワとペテルブルクの間に挟まれるようにして芸術家としての可能性を追求したのだが、それは当時のポーランドとロシアのはざまというリトアニアの位置からすれば当然のことだった。中東欧を含むより広いヨーロッパ的な文脈では、彼の芸術は19世紀末から20世紀初頭にかけての象徴主義的な芸術運動（「若きポーランド」やロシアの「芸術世界」など）の流れの中に位置づけられるだろう。ただし、それは彼がリトアニアの国民性から遊離したところで国際的に活躍した、という意味ではない。クラシック音楽の作曲家としてのチュルリョーニスには、同時代のポーランドやロシア、そして西欧の音楽が強い影響を与えたことは事実としても、彼の音楽の一番深い霊感の源は、おそらくリトアニアの民族的な調べである。リトアニアは民謡の宝庫として知られているが、チュルリョーニスも祖国の民族音楽を熱愛し、民謡を編曲して合唱曲を作った。画家としての代表作は、『十二宮』（１９０６〜07年）、『春のソナタ』（１９０７年）などの連作や、『城のおとぎ話』（１９０９年）、『天使』（１９０９年）など。これらの彼の絵画にも、リトアニア民族の神話的モチーフが強く感じられ、たとえ幾何学的模様を使った抽象画の先駆的な作品であったとしても、リトアニアならではの「宇宙的なリズム」が脈打っているように感じられる。

『城のおとぎ話』（1909 年）

ロシアやプロイセンといった大国の周辺の陰にあって民族の言葉の存続すら危ぶまれるような状況の中で、リトアニア人が民族意識に目覚め、自覚的な民族運動に取り組むようになったのは、19世紀もようやく末になってのことだった。そして20世紀初頭になると、芸術や学問の領域でリトアニア人の民族的な動きが飛躍的に活発になる。たとえば、１９０６年にはヴィルニュスでリトアニア最初の民族オペラ『ビルテ』（ペトラウスカス作曲）が上演され、さらに第一回リトアニア美術展が開催された。チュルリョーニスはこの展覧会に作品を20点以上出品しており、翌1907年にはリトアニア芸術協会の創設に参加し、その副会長になった。このように、チュルリョーニスが活躍したのは、祖国の民族文化復興の機運がかつてない高まりを見せた時期だった。だからこそ、彼の存在はその後も長く、民族独立を目指すリトアニア人の誇りになったのである。1911年、彼が亡くなるとロシアの芸術総合誌『アポロン』は追悼特集を組み、深く民族的でありながらそれを超えて「無限の空間や時間の奥底をのぞき込む力がある」（画家ドブジンスキーの追悼文より）彼の芸術を称えたのだった。ちなみに1990年、リトアニアがソ連から分離独立した当時、人民戦線「サーユディス」を率い、民族独立の指導者となったヴィータウタス・ランズベルギスは、じつはチュルリョーニスの研究者として知られる音楽学者・ピアニストだった。それも偶然とは思えない。来日した折、彼が「チュルリョーニスは我々のような小さな民族でも、これほど高い芸術を持つことができる、という証だったんです」と誇らしげに語っていたのが印象的だった。

民族的でありながら、それと同時にその枠をはるかに超えて、「宇宙的」「形而上的」な次元にも達する、普遍的な精神のあり方。それを体現したのが、チュルリョーニスという、リトアニアが生んだ幻視者だったのである。宇宙と交信できるアンテナのように繊細な魂を持って、北国の神話的な森の中をさまよい歩く彼の姿が、目に浮かんでくるかのようだ。

（沼野充義）

43

音　楽

★音楽が導いた独立★

リトアニアの芸術・宗教音楽はずっとポーランドと歴史を共にしていたため、独自の民族精神あふれる作曲家の出現は19世紀末まで待たねばならなかった。リトアニア最初の管弦楽曲はミカローユス・コンスタンティナス・チュルリョーニスの交響詩『森の中で』（1901年）、初の歌劇はミカス・ペトラウスカスの『ビルテ』（1906年）で、今日でも重要なレパートリーとなっている。チュルリョーニスが示した無調や音列、あるいは民謡処理の技法は時代を先んじており、長寿に恵まれていれば20世紀音楽史に影響を与えたであろうこと惜しい限りである（第42章を参照）。

1940年にソ連邦へ併合されると、社会主義リアリズムに沿った親しみやすくメロディアスな音楽創作へと路線変更を余儀なくさ

歌劇『ビルテ』1906 年世界初演時

バリース・ドヴァリョーナス

バルカウスカス『ヴァイオリンとヴィオラのための二重協奏曲』2004 年 6 月 27 日世界初演時の写真

れた。代表的な作曲家はバリース・ドヴァリョーナスとヨーナス・シヴェーダスで、両者はソヴィエト・リトアニア共和国国歌を共作した。彼らの音楽は民謡を素材とし、感動的で美しいものが多く、音楽的価値は決して低くない。

　１９６０年代になると、リトアニアにも前衛の波が押し寄せた。隣国ポーランド経由でもたらされる最新の西欧音楽に影響され、ソ連邦としては異例の斬新な創作が展開した。ヴィータウタス・バルカウスカス、フェリクサス・バヨーラス、ブロニュス・クターヴィチュスは世界的に知られる。バルカウスカスが２００４年に作曲した『ヴァイオリンとヴィオラのための二重協奏曲』は杉原千畝夫妻に捧げられ、日本古謡『さくら』の引用や和太鼓の模倣など興味深い内容となっている。日本のヴィオラ奏者、今井信子が初演し、バルカウスカスも２００５年に来日して講演を行なった。

　独立後、とくに21世紀を迎えてからの世代は、より自然で自由な創作活動を見せている。ソ連時代を知らぬ、ロシア語を介さない若手も出現し、むしろ北欧諸国と緊密な関係を保ちつつ新しいリトアニア音楽様式確立を模索している。

伝承音楽は言語同様、隔絶された農民社会で受け継がれてきたため、太古の要素が残されている。メロディは旋法的で、原始的多声歌唱が興味深い。リトアニアの伝承音楽を用いた作品に、1913年に初演され大騒動となったストラヴィンスキーのバレエ音楽『春の祭典』がある。古代ロシアの儀礼を描いているが、ストラヴィンスキーはいくつかの素材をアントニ・ユスキェヴィチ編纂の『リトアニア民謡集』（1900年）から採っている。たとえば、曲冒頭にファゴットで奏される主題は「私の妹、白鳥よ泣くか」という歌だという。

出身はリトアニアながら国外で大成した人々も多い。ロシア五人組のツェーザリ・キュイ、20世紀を代表するヴァイオリニストだったヤッシャ・ハイフェッツ、大ピアニスト兼作曲家で、演奏至難なピアノ曲が再評価著しいレオポルド・ゴドフスキらがヴィルニュス近郊で生まれている。また、1960年代のアメリカで前衛芸術運動「フルクサス」を創始したジョージ・マチューナスことユルギス・マチューナスはカウナス出身で、ランズベルギス元最高会議議長とは幼なじみだったという。1948年に家族でアメリカへ移住、1962年9月にドイツのヴィスバーデンで企画した「フルクサス現代音楽祭」が反響を呼び、参加アーチストを増やしつつニューヨークで刺激的な創作を展開した。ジョン・ケージを精神的支柱とし、オノ・ヨーコや塩見允枝子もメンバーだった。

ツェーザリ・キュイ

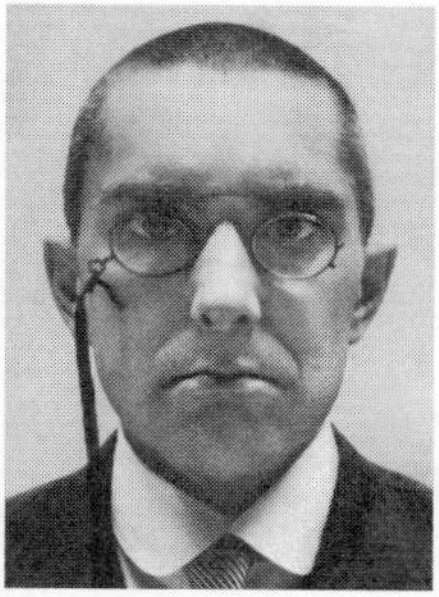
ジョージ・マチューナス

リトアニアはジャズ大国でもある。ヴャチェスラーフ・ガネーリン（ピアノ）、ウラジーミル・タラーソフ（ドラムス）、ウラジーミル・チェカーシン（サックス）が1971

リュダス・モツクーナス（右）

年に結成したＧＴＣｈ（ガネーリン・トリオ）はリトアニアを代表するフリージャズとして知られた。現在ではチェカーシンの弟子リュダス・モツクーナスが活躍し、来日公演も行なっている。ソ連時代からジャズ・フェスティバルも多数開催され、個性的なジャズ文化が息づいている。

リトアニアを代表する催しのひとつとなっているのが「歌と踊りの祭典」。ユオザス・ナウヤーリス、ヨーナス・シヴェーダス、コンラダス・カヴェーツカスら民族意識に燃える作曲家たちが中心となり、民謡から新作まで国民と共有すべく企画、１９２４年に当時の首都カウナスで開催。１９４６年からは場を新首都ヴィルニュスへ移し、４年ごとに行なわれている。リトアニア全土から２００以上の団体、１万１千人以上が参加、民族衣装を纏った合唱団や舞踊団、ブラスバンド、民俗楽団が自国の音楽で熱狂を極める。こうした音楽や光景は民衆の内に眠る民族感情を呼び覚まし煽ること必須で、ラトヴィア、エストニアと共に「歌う革命」と呼ばれる運動へと発展し、独立への原動力となった。その功績により２００３年にはユネスコ世界遺産に登録された（第45章を参照）。

リトアニア民主化の動きは、１９８８年に「サーユディス」が結成されたことで急速に表面化した。発起した35名の大半はジャーナリストや作家などの文化人で、作曲家ユリュス・ユゼリューナス、オペラ歌手ヴァーツロヴァス・ダウノラス、ロック歌手アルギルダス・カウシュペダスら音楽家が中枢を占め、ピアニストで音楽学者だったヴィータウタス・ランズベルギスが強いリーダーシップを発揮した。その後オスヴァルダス・バラカウスカスやユリュス・アンドレイェヴァスなど著名な作曲家も名を連ねた。

ランズベルギスはチュルリョーニス研究に半生を費やした第一人者である。リトアニアを愛し、20世紀初頭の独立運動にもかかわったチュルリョーニスの意志を継ぎ、彼に成り代わり行動した。他の音楽家たちも同様で、作曲をやめて命をかけた。独立後、ランズベルギスは初代最高会議議長となり、バラカウスカスは駐仏大使（スペイン・ポルトガル兼務）を務めた。音楽が独立実現を導く力の中核を成したと言っても過言ではない。

リトアニアの音楽は、ロシアやポーランドのような強い個性には欠けるものの、不思議な色調と独特の情感を持っている。明るく快活な民謡や舞曲もあるが、静謐《せいひつ》で背後から魂にしのび寄るようなメランコリーが特徴で、日本の「わび・さび」に通じる味わいがある。それはスカンジナヴィアの音楽にも見られるものだが、おおらかで広がりはあるものの、北欧音楽ほど澄みきっていない。その西洋にあるとは思えぬ奥ゆかしさ、そして内に秘める熱き心こそがリトアニアの音楽と人々の魅力ではないだろうか。

ロシア五人組の一員でリトアニア人を母に持つキュイに、次のような一文がある。

「リトアニア人はポーランド人との長きにわたる混在にもかかわらず、多くの特別な民族的性格を保ってきた。彼らにはポーランド人の陽気さ、華やかさ、感性の鋭さに欠けている。しかし物事をより深く感じとる。ずっと誠実で、見栄を張らず、正直で真剣だ……」

キュイは毒舌で悪名高かったが、リトアニア人とその文化を端的に述べた名言だと思う。（宮山幸久）

コラム12

童謡「手をたたきましょう」の謎
――リトアニア民謡？　それともチェコ民謡？

宮山幸久

『手をたたきましょう、たんたんたん、たんたんたん、
足踏みしましょう、たんたんたんたんたん、たんたんたん…』

誰もが聴いたことのあるはずの童謡「手をたたきましょう」が、じつはリトアニアの伝承音楽だと知る人は少ない。日本で最もポピュラーになったリトアニア文化かもしれない。

原曲はリトアニア北西部ジェマイティヤ地方発祥の「クルンパコイス」という舞曲。農民が用いる伝統的な「木靴」を意味し、足踏みを鳴らす軽快なポルカだ。

20世紀初頭に、民族舞踊団が舞台で上演する

クルンパコイス

ための演目として様式化され広まった。本国のみならずアメリカなどのリトアニア系移民にも演じられた。もとは民俗楽器の合奏による器楽曲であったが、ユオザス・グダーヴィチュスが歌詞を定めたとされる。

『おにいさん、駄目だめ。木靴が違うわ、
切株つかみ、木靴を作って。
あなたと踊るわ、一緒にね。

小林純一

おにいさん、駄目だめ、木靴が小さい、脱いで足踏み、私のあげる。
あなたと踊るわ、一緒にね』

男の木靴をすり替える娘たちのいたずらと仲直りをペアで演じる素朴なもので、足踏みや手の打合せが「手をたたきましょう」の歌詞を思い起こさせなくもない。

日本では１９５２年に、ＮＨＫのラジオ番組「幼児の時間」で発表された。「幼児の時間」は未就学児童を対象に１９３５年から69年まで続いた長寿番組。１９５１年から導入された「リズム遊び」コーナー用に、童謡詩人の小林純一がアメリカの幼児用教材から選んで訳詞を付け、作曲家の中田喜直が編曲した。歌詞は日本の血をひくアメリカ人ヘンリー・V・ドレンナーが書き下ろした“Let us clap our hands, ok”の忠実な訳で、曲・詞ともにリトアニアから入ってきたのではない。それどころか長く出処不明の「外国曲」とされていたが、最近ではチェコ民謡とされることが多い。それは「ナニンカがキャベツ畑へ行く」という曲だが、実際クルンパコイスと同じメロディで、どちらかが元歌と考えて間違いない。

リトアニアとチェコは意外と縁が深い。1397年にプラハ大学にリトアニア学院が設置され研究の中心地となった。19世紀にはチェコ文化人の間でリトアニアへの関心が高まり、民話や伝承詩、民謡が翻訳された。クルンパコイスも「ナニンカがキャベツ畑へ行く」もポルカのリズムによるが、ポルカ自体が1830年頃チェコ発祥とされ、決して古い舞曲ではなく、リトアニアにもたらされたのも19世紀末といわれる。「ナニンカがキャベツ畑へ行く」の最古の記録はチェコの民俗学者カレル・ヤロミール・エルベンが1864年に発表した「チェコ民謡とわらべ歌集」だが、そこにリトアニアの名はない。

どちらが先とは断定できぬものの、リトアニアの民族舞踊団がチェコでこの曲を演じると、とまどいのようなどよめきが起こるという。逆もまたしかりだろう。むしろリトアニア人もチェコ人も、日本でこの曲が知らぬ者なきほど有名であることに驚くはずだ。

44

スタルティネス

★歌い継がれた多声合唱の文化遺産★

スタルティネス（「調和する」「合意する」を意味する動詞に由来）は、リトアニアの多声合唱《ポリフォニー》である。他に類を見ないリトアニア特有の伝統音楽であり、音楽、歌詞、身体の動きの間の関係性を反映した、一種のシンクレティックな（混合・融合）芸術である。踊りの動きは、輪になって歩いたり、二人組になって向かい合わせに立ったりと、ごく控えめであると同時に厳粛なものである。

スタルティネスの歌い手はふつう女性である。男性は、スクドゥチェイ（長さの異なる5～8本で一組となる筒状の縦笛）、ダウディーテス（1メートル以上もある細長い木製トランペット）、カンクレス（台形の板に3～12本の弦を張ったものを指やピックで弾いて奏でる楽器）といったリトアニアの伝統的な楽器を演奏する。

二人一組によるダウディーテスの演奏

スタルティネスは、歌い手の数と声部の組み合わせに従って、おもに三つのタイプに分けられる。２声部（二人による対位法的

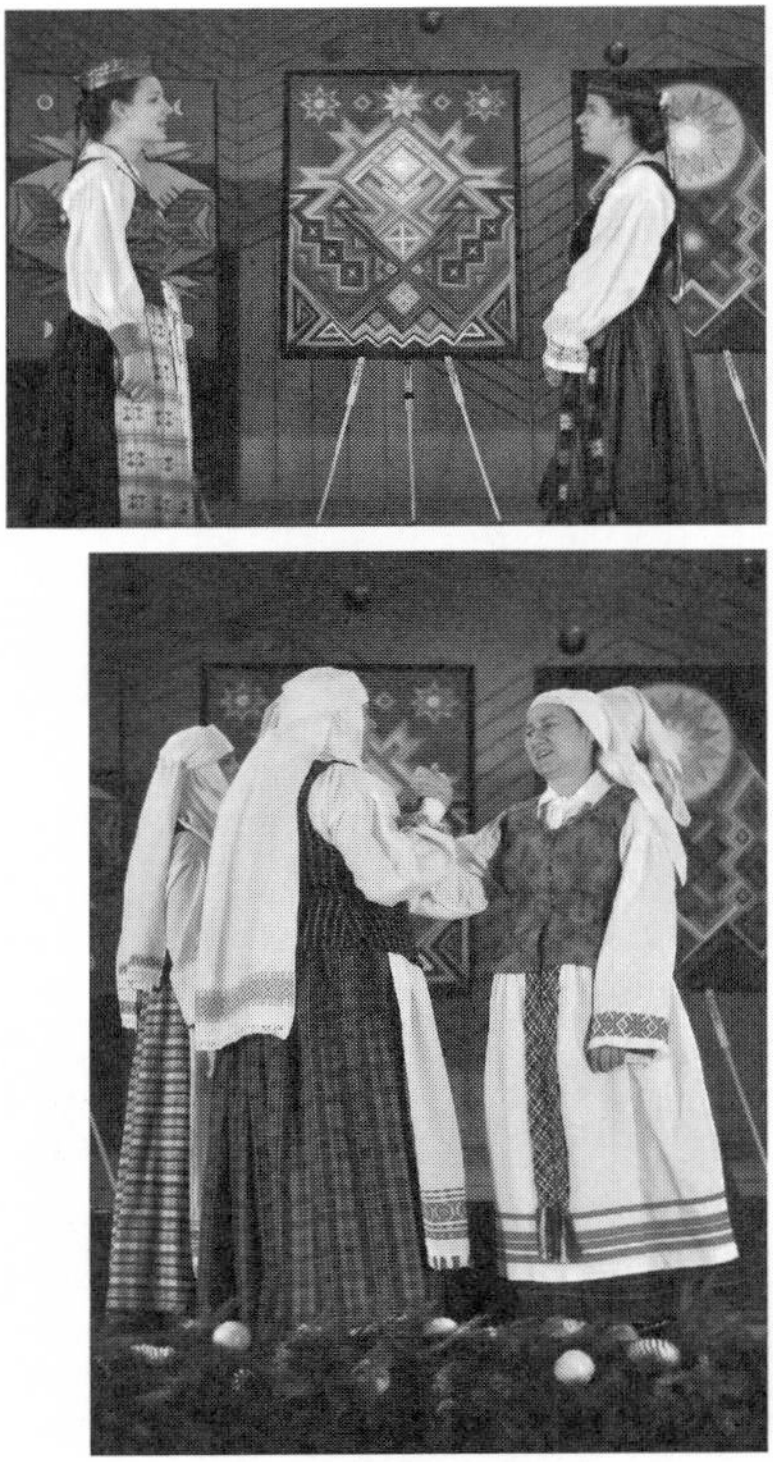
スタルティネスの歌い手たち

歌唱)、3声部(三人による輪唱)および4声部(二人二組による対位法的歌唱)である。また、それぞれがさらに細かく40もの歌唱法に分類される。歌の内容は、広く知られた農作業(ライ麦刈り、麻作りなど)を始め、年中行事や祝祭、婚礼、家庭、戦争、歴史に関するものなど多岐に渡る。スタルティネスの歌詞には、一般的に、古風なリフレインが豊富に含まれる。リフレインによく使われる擬音語に、tūto[トゥート]、tatato[タタト]、ritingo[リティンゴ]、dauno[ダウノ]、sadūto[サドゥート]、taitėla[タイテーラ]などがあるが、今日ではこれらの語の意味は不明である。また、二つの異なるメロディーと二つの異なる歌詞(意味のある歌詞およびリフレイン)を同時に歌うこともまた、スタルティネスの特徴である。

スタルティネスは、西欧音楽の理論からすれば、一種のパラドックス(逆説)と見なされるだろう。そのハーモニーは、不協和音の合間に生まれる数秒間の和音から生まれるものだ。鋭い数秒間の和音、それらの強烈な「打撃」(歌い手の用語)、見事に調和する互いに異なった声——それがスタルティネスの歌い手たちの目指す境地であり、美の理想である。それは、対立する関係や概念から生まれる東洋のハーモニーに似る。東洋の国々の美学では、音楽とは、空と大地と宇宙のハーモニー、すなわち、

第44章
スタルティネス

天地の対立する基盤の統一、調和、関係であると考えられている。スタルティネスにも同様に、きわめて明確な二元性が見られ、ハーモニーの捉え方もまた二元的である。このことは、スタルティネスという語自体にも表れている。もとになった動詞のスタルティは、「合意する」「折り合う」の他、「調和する」という意味も持つ。スタルティネスの作品の中では、「今」「ここに」いる個々の歌い手の存在は何の意味も持たない。スタルティネスは、すべての歌い手の調和した関係ゆえに生まれくるものである。互いから目を離さずに、いわば「口伝いに」歌いながら、精神を極限まで集中させることによって、「調和」たるスタルティネスが達成される。

スタルティネスのポリフォニーは、周期的な時間の概念に基づいている。その音楽的な響きは、いわば閉鎖循環のように、果てしなく続く。スタルティネスには、いかなる切れ目も際立ったクライマックスもなく、始まりも終わりもない。そのことが、歌い手と聞き手のいずれに対しても、催眠効果を及ぼし、スタルティネスの世界に没頭させる。

感受性の鋭い聞き手ならば、スタルティネスを鑑賞しながら、ある種のトランス状態を経験したとしても不思議ではない。部分的には、これは一定のリズムの脈動が続くことによるものだ。くっきりとした相補的なリズムは、スタルティネスの主な音楽的特徴の一つである。一定のセグメント（断片）のリズミカルな反復が、途切れなく繰り返され、ついには小さな要素からなる全体となる——それは、古代芸術の創造の原則であった。いや、むしろ、そのような原則は普遍的であり、多様な古代文化においてのみならず、現代の芸術においても繰り返されてきたと言ってよい。だからこそ、スタルティネスは、現代の若者たちにとっても魅力的なものとして、新たに「再発見」されているのである。

スタルティネスは、20世紀半ばまで、アウクシュタイティヤ北東部の暮らしの中に生き続けてきた。フォークロアの中では、スタルティネスはギエスメス（聖歌・讃美歌）とも呼ばれ、儀式や祭祀のための歌として、単なる日常的な歌とは区別されてきた。古代の人々の認識では、スタルティネスを歌うことができたのは、特殊な能力の持ち主――ラウメ（リトアニア神話に登場する女神）やラーガナ（魔女・妖怪）といった、リトアニア独自の魔法使いや妖術の使い手に限られていたようである。このことは、当時の民衆が抱いていたスタルティネスへの敬意のみならず、その歌い手に与えられた特別な地位をも示している。

しかし、20世紀初頭、音楽の美学は大きく変化し、洗練された「美しい」歌唱のスタイルを賛美するロマン主義的志向が強まると、村の住民たちのスタルティネスに対する考え方にも影響が及んだ。古風なギエスメスの歌唱は、次第に周囲の称賛を失い、歌い手たちもまた軽んじられるようになった。たとえば、彼らの歌唱は、「ニワトリの鳴き声のようだ」と馬鹿にされた。聴衆にとって、スタルティネスはもはや以前のように美しいものではなく、歌い手の無秩序な馬鹿騒ぎに過ぎなかった。このようにして、農村において世代を超えて受け継がれてきたスタルティネスの歌唱の伝統は、20世紀半ばに断絶してしまった。

だが、１９７０年代に都市部においてスタルティネスの歌唱を復活しようという動きが生まれ、現在にも続く大きな運動となった。このリトアニア独自の文化遺産を保存するために、とりわけアウクシュタイティヤ地方において、様々なスタルティネスの教育コースの設立、歌唱法を実践的に学ぶためのキャンプの開催、スタルティネス初心者向け入門書の出版など、活発な活動が展開されている。

スタルティネスのグループ「トゥリース・ケトゥリョセ」

また、スタルティネスを専門とする小さなコーラス・グループが次々に誕生した。そのうちの一つに、リトアニアを代表するグループに成長し、日本を含む国外に活動の場を広げ、広く名を知られるようになった「トゥリース・ケトゥリョセ（Trys Keturiose）」がある。現代文化の中でいかにスタルティネスを回復し保存してゆくか、歌い手たちの試みが続いている。

１９７３年から年に一度ヴィルニュスにおいて開催されている国際フォークロア・フェスティバル「スカンバ・スカンバ・カンクレイ（Skamba skamba kankliai）」においても、毎年スタルティネスの歌声が響き渡っている。スタルティネスのために特別に開催されるコンサートの夕べでは、この古風な多声音楽を合唱と楽器の演奏により一時間以上も堪能することができる。また、アウクシュタイティヤの各地で、スタルティネス・フェスティバルが開催されている。

多くの人々の努力により、今やスタルティネスは、最もよく知られたリトアニアの文化的アイデンティティのシンボルの一つとなった。そして、２０１０年、スタルティネスは、リトアニアの文化的要素としては三番目に、ユネスコの無形文化遺産に登録された。

（ダイヴァ・ヴィーチニエネ／櫻井映子訳）

45

歌と踊りの祭典

★民族の独立と自由のシンボル★

リトアニアはしばしば歌の国と呼ばれ、リトアニア人は歌の民と称される。バスで遠足に行けば、道中、誰かがリトアニアの民謡を歌い出し、いつの間にか皆で声を合わせて歌っている。こうした光景を目にすると、リトアニアが歌に満ちた国であり、いかに伝統的な民族音楽が大切にされているかがよく分かる。この国では、日々の暮らしは歌とともにある。歌に支えられ、勇気づけられて、人々は幾多の困難を乗り越えてきた。非暴力を貫いた旧ソ連からの独立運動でも、歌は愛国心を高め、民族の団結を強めるのに、大きな役割を果たした。

そんなリトアニアでは、4年に一度開催される「歌と踊りの祭典」は、オリンピック以上に重要なイベントであり、最大の国民的行事のうちの一つである。2003年には、他のバルト諸国の二つ、エストニアとラトヴィアの歌と踊りの祭典とともに、ユネスコの無形文化遺産に登録された。

今でこそ大変に規模の大きな国民的行事となっている「歌と踊りの祭典」であるが、その歴史を紐解いてみると、当初は歌だけのささやかなお祭りであった。現在の「歌と踊りの祭典」の前身であるいわば「歌の祭典」がリトアニアで初めて開催されたのは、今から90年以上も前の１９２４年の8月のことである。歴史的には第一次リトアニア共和国時代（１９１８〜１９４０）と呼ばれる、戦中間の独立期のさなかであった。臨時首都であったカウナス（首都ヴィルニュスはポーランドに占領されていた）で開かれていた農産業の見本市に合わせて、比較的小規模の歌の祭典が開かれた。実際、当時はまだ「歌の祭典」ではなく、単に「歌の日」と呼ばれていた。記録によれば、この時の参加者の数は約３千人、観客はのべ５千人であり、まだ比較的小規模のお祭りであったと言える。

子どもたちの合唱によるミニコンサート（佐久間恭子撮影）

２回目の歌の祭典は、１９２８年7月に同じくカウナスで、リトアニアの独立10周年を記念して開催された。参加者の数が増大し、学校や教会の合唱団が多く参加した点でも初回とは異なっていた。参加者は6千人、観客ものべ１万人とおよそ倍になった。祭典では、リトアニアの伝統的な民謡が中心に歌われたが、集団で行なうマスゲームなども取り入れられた。その後、この歌の祭典は、次第に歌にとどまらない民族的な伝統行事としての色彩を強めてゆく。その2年後の１９３０年6月には、リトアニアの古の英雄ヴィータウタス大公の没後５００年を記念し、3回目の歌の祭典が開催され、２００ものコーラス・グループ、総じて9千人が参加したと

ヴィンギス公園の野外音楽堂で行なわれる歌と踊りの祭典のようす（佐久間恭子撮影）

伝えられている。

　ソ連に併合される１９４０年まで続いたリトアニアの独立期には、全国各地で様々な規模の歌の祭典が開催されるようになり、１９３０年以降は子どもたちによる歌とスポーツの祭典も開催されるようになった。そして、いわゆる「踊りの祭典」が最初に開催されたのは、１９３７年6月、やはりカウナスにおいてであった。リトアニア全土から集まった５００人近くの人々が、民族衣装を着て、リトアニアに古くから伝えられる様々な踊りを披露した。

　ソ連邦リトアニア共和国時代も、歌の祭典は続けられた。１９４６年に開催された歌の祭典では、学校の生徒を中心に、約１９０のコーラス・グループ、計1万2千人弱の人が参加し、リトアニア民謡を高らかに歌った。１９５０年以降は、歌の祭典に少しずつ踊りが加えられるようになり、実質的に今日のような「歌と踊りの祭典」の形で開催されるようになった。コーラス、踊り、オーケストラのアンサンブルの参加も目立ち始めた。ただし、ソ連体制下、5年おきに開催されるようになった祭典は、次第に社会主義的な色合いを増していった。１９６０年には、「歌と踊りの祭典」の舞台となる、ヴィルニュスのヴィンギス公園の野外音楽堂が完成した。これを設計したのは、エストニアの著名な建築家らであった。１９６０年代には、歌と踊りの祭典の合間に、小中高生による歌の祭典もしばしば開催されるようになり、１９６４年からはそれが定例となった。

時を経て１９９０年、リトアニアはソ連を離脱し、悲願の独立回復を達成した。この年の夏、独立を記念して、８回目の全国規模の歌と踊りの祭典が開催された。それ以降は、4年ごと7月の開催が定着した。国外からも観客を迎え、平均して3万人の人々を動員する大規模な催しとなり、現在に至っている。毎回、リトアニア国営放送（ＬＲＴ）がライブ中継を行なっており、テレビやインターネットを通じて国外でも華やかな祭典の様子を楽しむことができる。

リトアニア独立100周年を祝う2018年の歌と踊りの祭典のキャッチフレーズVardan tos...（その名のもとに）はリトアニア国歌の歌詞からとったもの

さて、去る２０１８年、リトアニアは、エストニア・ラトヴィアとともに、独立１００周年という重要な節目の年を迎えた。その記念すべき年の7月、首都ヴィルニュスとカウナスで、数日間にわたって「歌と踊りの祭典」が開催された。リトアニア全土から参加したコーラス・グループは、よく名の知れたグループから、教会の聖歌隊、学校の

民族衣装を着たパレード（佐久間恭子撮影）

音楽サークルなど、きわめて多種多様であった。加えて、プロの音楽家や指揮者も参加して祭典を率い、場を盛り上げるのに一役買った。人々は地方色豊かな美しい民族衣装を身にまとい、過去の栄光と苦難の歴史に思いを馳せながら、ともに歌い踊り、リトアニアの平和と独立を祈った。

次回の歌と踊りの祭典の開催は２０２２年である。その時期にリトアニアを旅行される方は、ぜひこの機会を逃されることのないよう。リトアニア人のアイデンティティのシンボルともいえる歌と踊りの美しさを、実際に体感していただきたい。

（佐藤浩一）

46

民族衣装

★祝祭日を彩る晴れ着の変遷と地域性★

リトアニア農民の祝祭日のための晴れ着は、何世紀もの年月をかけて形作られ、19世紀後半までは日常的に着用されていた。リトアニアの農村に影響を与えていた都市の流行は、特に19世紀末から20世紀初めにかけて、地域特性を失い、ヨーロッパ全般に広く普及したスタイルに姿を変えていった。

かつてリトアニア女性たちは家庭で自ら糸を紡ぎ、布を織った。主な原料は、古くはリネン（亜麻）とウール（羊毛）が主で、後にコットン（木綿）が加わった。糸の染色には、古い時代はもっぱら植物染料が使われたが、19世紀半ばに化学染料が登場すると、より鮮やかな多色染めの布ができるようになった。

19世紀のリトアニアの農村では、工場生産の布織物は、それほど多くは見られなかった。手作りが難しいシルク（絹）や薄いウールのショール、スカーフ、ベストなどが購入された。ブロケード（金・銀の錦模様を浮織した織物）、シルク、カシミア、ベルベット（ビロード）といった高級素材や、様々な素材のリボン、ネックレス、カラー（襟）などの飾り物も同様であった。

祝祭日のための晴れ着の構成は、リトアニアのすべての地域で共通している。まず、女性は、鮮やかな色のチェックまたはストライプ柄の長い幅広のプリーツスカートに、白いリネンまたはコットンのシャツ、上にベストを着て、エプロンをつけた。エプロンはかつて良識のシンボルとされ、女性の必需品であった。さらに、腰には飾り帯をしめ、頭を様々な布で覆い、革靴を履いていた。一方、男性は、白いシャツに、無地か、あるいは、チェックやストライプ柄のズボンをはき、ジャケットを着て、足元は革のブーツといういでたちが一般的であった。秋や冬には、男女の別なく、セルメガ（20世紀初頭までリトアニア人が一般的に着用した上着の一種）や毛皮を羽織った。普段着と晴れ着の違いは、単に素材の品質によるもので、スタイルは基本的に同じであった。

婦人服は、大人と子どもで大きな違いはなかったが、女性の既婚・未婚を服装から見分けることは容易だった。19世紀のリトアニアでは、慣習に従い、既婚女性は頭を布で覆わなければならなかったからである。既婚女性は、古くは布を縫い合わせて作られた帽子や手作りのマクラメ（組紐）編みの帽子、より時代を下ると、かぎ針編みやヌオメタス（手拭いの形をした伝統的な女性用頭巾）をかぶることを習わしとした。白いヌオメタスは、アウクシュタイティヤ地方では20世紀初頭まで一般的に用いられていた。これは、長さ約3・5m、幅50～70㎝の上質なリネン糸で織られた布で、顔を包み込むように巻きつけて結ぶのには習熟が必要だった。結婚式のその日から、女性は常にヌオメタスを付けねばならず、髪の毛が一本見えただけでも恥ずべきこととされた。若い娘たちは、花冠、シルクのリボン、リボンで飾り付けた冠、あるいは、ガリョーナス（手の甲の幅の金色や銀色のブロケード地の帯）で頭を飾った。スカーフを頭にかぶる場合もあったが、その巻き方は様々であった。男性は孔雀や雄鶏の羽で飾られた帽子をかぶった。

このように民族衣装の基本的構成は同じであったものの、地域ごとにそれぞれ独自の特徴があり、織物の模様、色の組み合わせ、製織技術、衣服の型、装飾法などに違いが見られた。ここでは、アウクシュタイティヤ、ズキヤ、スヴァルキヤ、ジェマイティヤ（サモギティア）、小リトアニアという、五つの民族誌学的地域（第2章を参照）の区別に従って、民族衣装の地域的な特徴を大まかに紹介する。

アウクシュタイティヤ地方の人々の夏服は白い色が目立つ。白いエプロンに、白いシャツ、時にはスカートも白で、赤い幾何学模様の刺繍が織り込まれている。高級な布地から縫製されたベストがとりわけ美しい。また、アウクシュタイティヤ人は銀のネックレスで首回りを飾るのを好んだ。

19世紀の各地域の民族衣装（向かって左から1番目と5番目はアウクシュタイティヤ、2番目と4番目はズキヤ、3番目はスヴァルキヤ、6番目はジェマイティヤ（すべてリトアニア美術館所蔵）

ジェマイティヤ地方の人々の服装は、ショールなしには語れない。最も古くから見られるショールは、様々な色の横縞模様が入ったウール混素材の細長い形をした横畝織りで、19世紀まで着用されていた。より後に現われたウール製のショールは正方形で、リトアニアの他の地域よりもはるかにカラフルであった。夏には、リネンかコットンで織った赤いチェック柄のショールを着用した。色とりどりの房飾りで飾られた赤いチェックのスカーフは、頭に巻いて端の角を額の上で結ぶという独特の使い方をした。白いコットンのスカーフの端の対称の角には、それぞれ異なる飾り模様が透かし編みによって刺繍されていた。そのようにすれば、ある日曜日に教会へ行くときには片方の角を上に折り、次の日曜日にはまた別の角を折ることに

ズキヤの民族衣装（リトアニア美術館所蔵）

よって、二つのスカーフを持っているように見せることができたのである。また、ジェマイティヤ地方特有の履物といえば、装飾がほどこされた木靴が知られる。

ズキヤの女性たちは、服装に関しては、とりわけ保守的で、長いこと伝統的なスタイルを守り続けた。ズキヤの民族衣装は、ことにその多様性によって際立っている。特筆すべきは、そのエプロンのデザインの豊富さである。色とりどりの横縞模様が入ったエプロンもあれば、裾に刺繍やフリルで装飾がなされたものもあった。19世紀末から20世紀初めにかけてとくに好まれたのは、暗い色の布地の上に鮮やかな色の花を刺繍したエプロンである。幾重にも重ねづけした赤い珊瑚のネックレスが首元を飾った。

スヴァルキヤの人々の服はとびきり華やかである。何より目を引くのは、白い透かし編みの刺繍が入ったシャツや、虹色に輝くユリの花模様の晴れ着用エプロンである。夏、既婚女性は、とくに幼子を抱いているときには、ドロブレ（ごく薄い繊細な模様の織り込まれたリネンのショール）を羽織った。白い色は魔よけの力を持つと信じられていたのである。男性は、夏にはトリニーチャイ（豪奢な仕立てのリネンのコート）を着ていた。

小リトアニアでは、女性は首回りにたっぷりとギャザーや刺繍を入れたシャツを着た。小リトアニアの人々のセルメガや毛皮のコートは、紺色の生地で覆われ、肩と袖に模様が刺繍され、縁飾りがついていることが特徴だった。多彩な模様が織り込まれた上質の飾り帯をしめ、さらにその帯にデルモーナ（華やかな刺繍をほどこした布バッグ）を下げていた。また、この地方は、細かい模様の編みこまれた手袋でも有名であった。

リトアニアのテキスタイル（織物）の中でも、飾り帯は、その多様な用途によって特別な位置を占めている。リトアニア人の美的感覚、伝統、慣習などについて、多くの情報を与えてくれるものである。かつて、リトアニア人の人生は、この世に生を受けたその日から、飾り帯とともにあった――リトアニア人は、子どもが生まれると、飾り帯にゆりかごを掛ける。そして、飾り帯で赤ん坊のおくるみを巻きとめ、衣服を結びつける。結婚に際して、新婦は新郎の家へ向かう道中、道端に立つ十字架（コラム15を参照）や大きな樹木に飾り帯を巻きつけたり、家の善霊を手なずけるために、井戸、かまど、敷居の上にそれぞれ飾り帯を置いたり、すべてのブライズメイド（花嫁介添人）に飾り帯を贈ったりと、結婚式にまつわる古くからのしきたりの中にも、飾り帯が多く登場する。そして、人が亡くなれば、飾り帯で遺体を墓穴に下すのであった。20世紀を迎えても、このような飾り帯の長い生命は途絶えることはなかったが、次第に本来の目的で使われる機会は減っていった。ソ連時代には、様々なテクストやメッセージの織り込まれた飾り帯が贈物として人気を呼び、それは今日まで続く習慣となっている。

飾り帯の織物実演（佐久間恭子撮影）

19世紀末から20世紀初めにかけて、リトアニア人の民族衣装は、素材もスタイルも徐々に変化した。都市の流行が広まるにつれ、地域的な特性と多様性は失われていった。かつての衣服をモデルに復元され、祝祭日の折に着用されている華やかな民族衣装は、リトアニア民族の文化のシンボルの一つとして今に生き続けている。

（ダレ・ベルノタイテ＝ベリャウスキエネ／櫻井映子訳）

コラム13

民　芸――暮らしの中に生きる伝統芸術

マリヤ・クオディィエネ

リトアニアの民芸は、何世紀もかけて発達した重要な民族文化であり、また、リトアニア農民たちの世界観を反映し、世代を超えて受け継がれてきた伝統芸術である。

18世紀末から20世紀前半に形作られ、現代に残るリトアニアの応用芸術的な民芸品には、焼き物、木彫り細工、織物などがある。それらは、田舎や町に保たれてきた伝統工芸の姿を今に伝えると同時に、装飾芸術の伝統、および、それぞれの地方の個性をも明確に表すものである。

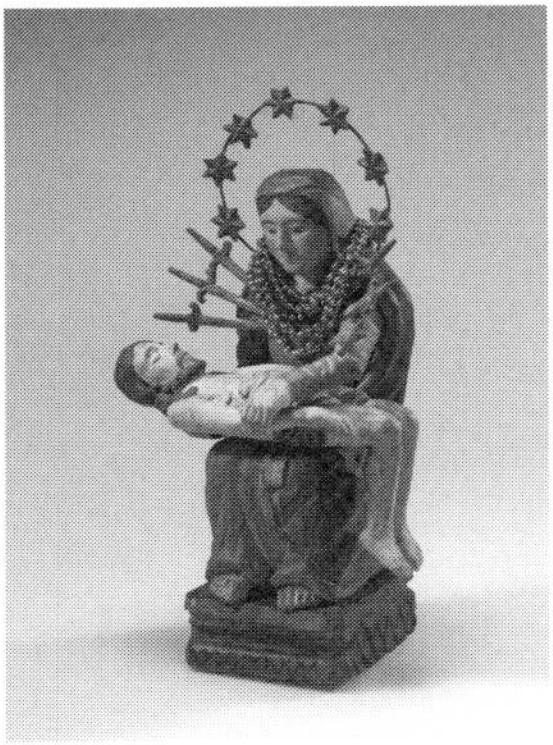

ピエタ（ジェマイティヤ、1847年、リトアニア美術館所蔵）

焼き物の中でも、造形の単純さと簡素なデザインが際立つのは、鍋、壺、ボウルなどであり、より華やかな装飾が施されているのは水差しである。陶芸品は、印花（型押し）、彫刻、レリーフ（浮彫）によって飾りつけられ、茶色、浅黄色、緑色、黄褐色の釉薬で彩色されている。デザインは幾何学的で単純なものが多く、点、直線、三角形、小枝などの組み合わせから成り、ユリの花、鳥、星などの模様が入っている。

木彫り細工の中でも、造形の機能性と芸術性で際立っているのは、暮らしの道具類である。たとえば、スピンドル（紡錘。原料から糸を紡ぎ巻き取る道具）、糸巻き棒、シャトル（杼。経糸《たていと》の間に緯糸《よこいと》を通す道具）といった織物道具や、洗濯用パドル（濡れた洗濯物を叩いて汚れを落とす道具）、洗濯用延し棒（洗濯物を巻いてしわを延ばす道具）といった洗濯道具は、彫り込まれた幾何学模様や動植物などのモチーフが美しく、現在では本来の用途を離れ、装飾品として人気がある。インテリアの中で、家具は特別な位置を占めている。花嫁が結婚の際に持参するホープチェスト（未婚女性が結婚に備えて衣類・銀製品・リネンなどを入れておく収納箱）、椅子、テーブル、キャビネット、クローゼット、タオル掛けといった家具類は、バランスよく調和のとれた造形と、幾何学模様や植物のモチーフによる控えめな装飾により、機能的な美しさが光る。とりわけ、ホープチェストは、芸術的価値が高いものが多く残されている。よく見られるのは、数本のデフォルメされた植物の枝とユリの花が、鍋や植木鉢から飛び出したように描かれたデザインである。豊かに葉を茂らせた木の枝と花が前面全体に描かれ、その中に小鳥や花嫁のイニシャルが書き込まれたものもある。

古くからリトアニア人にとって織物は身近なものである。それは女性の仕事であり、その芸術的なセンスと創造性を表現する術の一つであった。かつては、自ら糸を紡ぎ植物染料で染めたリネンやウールの糸を、ごく単純な作りの素朴な織機で織り上げた。白い布――白いテーブルクロス、タオル、シーツ、カバー類――は晴れの日のためのとっておきだった。織り方の種類と芯の数によって決まる数々のパターンの中でも、リトアニアで昔から一般的であったの

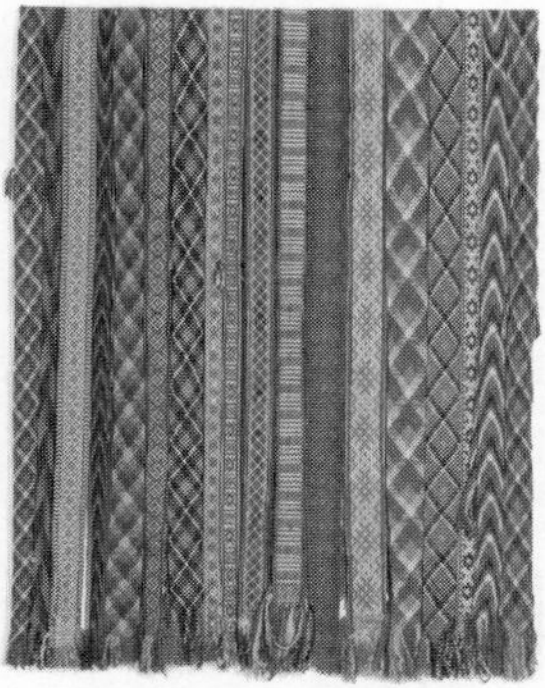
飾り帯（19～20世紀、リトアニア美術館所蔵）

は幾何学模様である。飾り帯には、ユリやバラなどの花、聖なる生き物である蛇や馬など、特別な意味を持つモチーフが丹念に織り込まれている。

民芸の職人たちの創意工夫は、宗教と関わりのある祝祭にも発揮される。ウジュガヴェネス（謝肉祭）の木彫りの仮面、色とりどりのドライフラワーとドライハーブを木の枝に巻いて飾りつけたヴェルバ（イースターの前の日曜日に準備する聖枝）、ワックスで表面に彩色し繊細な模様を入れたイースターエッグ、ライ麦の藁を糸で結んで作り天井から吊るすソーダス（幸運を呼ぶ聖なるお守り）。中でも十字架は、リトアニア人の宗教的な精神生活において、特別な位置を占めている。リトアニアの十字架作りは、古来の原始宗教とキリスト教の信仰が年月をかけて融合した証しとも言える貴重なもので、ユネスコの無形文化遺産に登録されている（コラム15を参照）。

（櫻井映子訳）

ヴェルバ（ヴィルニュス、1979年、リトアニア美術館所蔵）

ソーダス（ヴィルニュス、2009年、リトアニア美術館所蔵）

47

バレエ

★宮廷バレエから国際化の時代へ★

16世紀後半から18世紀にかけてのリトアニアのバレエ誕生期は、いわゆる宮廷バレエの時代である。最初にリトアニアにバレエをもたらしたのは、その統治者たちであった――自らのバレエ団を所有した、ジグムント一世、ジグムント二世、ヴワディスワフ四世ら、ポーランド王・リトアニア大公たちの宮廷では、オペラとともにバレエが踊られるようになった。

18世紀には、リトアニア屈指の名門ラドヴィラ家を始めとする大貴族の多くがバレエのパトロンとなり、ダンサーの育成に力を注ぎ、それぞれのバレエ団を持った。18世紀末には、当時の有力な政治家であり芸術愛好家としても知られたミハウ・カジミェシュ・オギンスキの館において、バレエが盛んに上演された。また、アントニー・ティゼンハウスによりバレエ学校が創設された。この時代のバレエ学校では、現在とは異なり、身分が低く貧しい家庭の子どもたちがバレエを学び、ダンサーとなった。

19世紀になると、独自のバレエ団を持たなかったヴィルニュス市立劇場の招きにより、ヨーロッパの著名なバレエ・ダンサーらがヴィルニュスを訪れ、その舞台を華やかに舞い、人々を魅了した。当時の記録によれば、招待されたダンサーの中には、イタリアが誇る伝説の名バレリーナ、ヴィルジーニア・ツッキも含まれていたという。

1918年にリトアニアが独立を回復すると、臨時首都であったカウナスに国立劇場が建設された。1925年12月4日、この劇場において、リトアニアのバレエ団による最初の公演、「コッペリア」(レオ・ドリーブ作曲)が幕を開けた。舞台監督を務めたのは、ロシアのマリインスキー劇場出身の振付家パーヴェル・ペトローフであった。1930年代のカウナスのバレエ界においては、ペトローフの他にも、同じくマリインスキー劇場のソリストであったアナトーリイ・オブーホフや、かつてセルゲイ・ディアギレフ率いる「バレエ・リュス」(ロシア・バレエ団)のソリストという来歴を持つニコラーイ・ズヴェーレフやヴェーラ・ネムチーノヴァら、優れたロシア人ダンサーが活躍した。1935年には、彼らの功績により、モンテカルロとロンドンで、リトアニアのバレエ団としては初の国外ツアーが実現した。ヤドヴィガ・ヨーヴァイシャイテ、オルガ・マレイナイテ、ブロニュス・ケルバウスカスら、リトアニア人ソリストも誕生した。ケルバウスカスはバレエの振付の才能も発揮し、のちにリトアニア人として最初の芸術監督となった。また、1930年代の終わりには、ドイツに学んだ経歴を持つダヌテ・ナスヴィティーテによって、リトアニアのモダン・バレエの基礎が築かれ、現代に続くコンテンポラリーダンスの流れが生まれた。

リトアニアのソ連編入後は、この国のバレエも転換期を迎えた。ロシアのバレエ芸術の影響が色濃くなった――20世紀後半にリトアニアで活躍した振付家の大半は、ロシアで教育を受けた者たちであった。1948年には、国立オペラ・バレエ劇場が首都ヴィルニュスに移され、リトアニアのバレエ芸術の新たな拠点となった。1954年から1971年までこの劇場のバレエ団を率いたヴィータウタス・グリヴィツカスは、リトアニアの作曲家による音楽を採用し、クラシック・バレエにリトアニアの民族芸術の要素を取り込むことにより、リトアニア独自のドラマ・バレエのジャンルを構築することに成功した。リトアニア民話をもとにしたグリヴィツカスの代表作の一つ「蛇の女王エーグレ」(エドゥアルダス・バルシース作曲、1960年)は、彼自身の手により、リトアニアで最初のバレエ映画となった。グリヴィツカス作品に出演したソリストたちの中でも、ゲノヴァイテ・サバリャウスカイテ、ヘンリカス・バニース、タマラ・スヴェンティツカイテ、ヘンリカス・クナーヴィチュスはとりわけ高い評価を獲得した。

1974年に国立オペラ・バレエ劇場は再び移転し、モダンな建物に生まれ変わった。バレエ団の芸術監督に就任した新時代の振付家エレギユス・ブカイティスは、独自性の強い振付とストーリー展開のないモダン・ダンスの要素をバレエに導入し、「情熱」(アンターナス・レカーシュス作曲、1971年)などの新しい作品群を作り出した。ブカイティスはまた、「くるみ割り人形」(ピョートル・チャイコフスキー作曲)や「蛇の女王エーグレ」(上述)などの既存の作品の新振付および新演出にも意欲的に取り組んだ。これにより、リトアニアのバレエは近代化の道を歩み始める。

また、ブカイティスと同世代の振付家ヴィータウタス・ブラズディーリスもまた、個性的な振付によって、クラシック・バレエとモダン・ダンスの要素の融合を進めた。代表作の一つ「バルタラーギスの風車」(ヴャチェスラーフ・ガネーリン作曲、1979年)は、リトアニア文学から題材をとった作品で、同名の映画も存在する。

さらに、1980年代後半から2000年代にかけて、実験的な方向性を強く打ち出した二人の振付家が現れ、リトアニアのバレエ芸術の新境地を切り開いた。「マクベス」（オスヴァルダス・バラカウスカス作曲、1989年）などのコンテンポラリーな作品を発表して注目を集めたユリユス・スモリギナスは、1998年に「振付プロジェクト劇場」と称する「ヴィルニュス・バレエ」を創設。これに続いて、「メデーア」（アンターナス・レカーシュス作曲、1996年）で脚光を浴びたアンジェリカ・ホリナもまた、2000年に、「アンジェリカ・ホリナ・バレエ・シアター」を設立した。

さて、20世紀に大きな進化を遂げたリトアニアのバレエ界は、そのソ連からの独立回復前夜、一人の類まれなダンサーを見出した。エーグレ・シュポカイテである。1989年に国立オペラ・バレエ劇場のソリストとしてデビューしたシュポカイテは、1994〜1996年にかけて名だたる国際的なバレエ・コンクールに入賞し、卓越した才能を持つバレリーナとして脚光を浴びた。国内外で広く名声を獲得し、ダンサーとしてのキャリアを終えてからも、自ら設立したバレエ学校を指導し、若手のためのコンクールを創設するなど、バレエの普及のために尽力している。

カルメンを踊るエーグレ・シュポカイテ（ミハイル・ラシュコフスキー撮影、1997年）

独立回復後は、リトアニアのバレエ団が国外に遠征する機会が増えると同時に、シュポカイテと同様、世界に活動の場を広げるバレエ・ダン

眠れる森の美女・オーローラ姫を踊る浜中未紀と王子役のアウリマス・パウラウスカス（ミハイル・ラシュコフスキー撮影、2006年）

サーが数多く現れている。たとえば、ヨランタ・ヴァレイカイテ（ドイツ）、ミンダウガス・バウジース（アメリカ合衆国）、ルタ・イエゼルスキーテ（オランダ）――中でも、ユルギタ・ドロニナ（カナダ／イギリス）は、世界各国のバレエ団にゲスト出演し、今後最も活躍が期待されるバレリーナである。

一方、リトアニアで活躍する外国人ダンサーたちの存在も、この国のバレエ芸術の国際化の一翼を担っている。今や国立オペラ・バレエ劇場のバレエ団には、ロシア、ベラルーシ、ウクライナ、イギリス、その他の国々のバレエ学校を卒業した外国人ダンサーたちが在籍している。その中でも、１９９８年から10余年に渡り、パートナーのアウリマス・パウラウスカスとともに国立オペラ・バレエ劇場のソリストとして活躍した日本人バレリーナ、浜中未紀の名を忘れてはならない。際立って優れたテクニックはリトアニアのバレエ史上でも特筆に値する存在であり、また、リトアニア文化に溶け込んで生きる姿勢は市民に広く愛された。

（ヘルムタス・シャババセーヴィチュス／櫻井映子訳）

48

演　劇

★その歴史を築いた演劇人の足跡★

リトアニアにおける演劇文化の萌芽は16世紀に遡り、ヴィルニュスのイエズス会のカレッジおよび大学の活動と結びついている。1570年のカレッジ開校の折、イタリアのステーファノ・トゥッチによる喜劇『ヘラクレス』が上演されたのが、リトアニアにおける学校劇場の歴史の始まりであった。古典劇の伝統に沿った、教条的で教訓的な色彩の濃い演劇作品は、始めはラテン語、後にポーランド語で上演された。外国語によるものではあったが、この種の劇場は18世紀末まで存続した。18世紀半ば以降は、リトアニア貴族が所有した劇場が、その伝統を引き継いだ。

リトアニア語による演劇は、古い起源を持つ他のヨーロッパ諸国の演劇の伝統と比較すればかなり新しく、その歴史は未だ一世紀半にも満たない。リトアニア語による最初の演劇公演は、1899年にパランガで上演されたケトゥラキスの喜劇『サウナの中のアメリカ』である。19世紀後半に行なわれた納屋を舞台に催されたリトアニア語による芝居の夕べや、初期の演劇作品の試みは、リトアニア語の書き言葉とその文学の普及を目指した、民族復興運動の活動に重なる。この運動に参加した当時

リトアニア国立劇場（櫻井映子撮影）

のリトアニアを代表する文化活動家、芸術家、作家らが、初期のリトアニア演劇の基礎を築いた。それは、しばしば実証主義的あるいは教訓主義的な枠組みによって希釈されてはいたが、独自の社会的なテーマ性と問題意識によって、アマチュア劇場の需要に応えた。そこからまもなく、西欧と東欧、いずれの文化にも造詣が深く、象徴派、印象派、その他様々な芸術的動向に通暁した、ヴィンツァス・クレヴェー、ヴィドゥーナス、ヴィンツァス・ミコライティス＝プティナスら、より若い世代の劇作家のグループが分岐した。この世代は、リトアニアのフォークアートや神話、栄光ある過去の歴史の中にインスピレーションの源を求め、歴史ロマンとも呼ぶべき類の演劇モデルを作り上げた。

１９１８年、ソ連により独立が承認されたリトアニアは、独立国家としての道を歩み始めた。リトアニア文化の近代化と現代的な民族としてのアイデンティティの確立は急務であった。そのような時代背景の下、１９２２年に創設されたカウナスの国立劇場の当初の目的は、とりもなおさず教育――公衆芸術教育、道徳教育、そして国民教育――であった。この劇場に活躍の場を見出した人物としては、コンスタンティナス・グリンスキス、ボリサス・ダウグヴィエティス、アンドリュス・オレカ＝ジリンスカス、ロムアルダス・ユクネーヴィチュスら当代を代表する演出家たち、そして、ペートラス・ヴァイチューナス、ヴィンツァス・クレヴェー、バリース・スルオガ、カジース・ビンキスといった作家たちが挙げられる。彼らは、自らの演劇作品によって、過去における民族の受難や切なる願望を描いただけでなく、リトアニア演劇の発展を方向づけ、劇場の近代化を推し進めた。また、後の1970年代にリトアニア演劇界を代表する人物の一人となったユオザス・ミルティニスが現れたのも、この時期であった。ミルティニスは、フランスの演出家シャルル・デュランの弟子であり、パネヴェジース劇場を率いて存在感を示した演出家である。

1940年に始まったソ連によるリトアニア占領は、この国における演劇の近代化の自然な発達を中断させた。多くの芸術家が西に逃れ、国に残った人々は、吹き荒れたイデオロギー的な弾圧（検閲、迫害、個人の意志の抑圧など）のために、十数年もの間、沈黙を余儀なくされた。一方、国外に出た移民たちは、当初、職業的に組織された独自の劇場を持たなかったため、戦前に形作られたリトアニア演劇の構造、詩学、テーマ性を保持した。彼らは、芸術的な革新性の探求よりも、ソ連による支配を暴き、民族の過去について論じ、また移民の境遇を語ることに主眼を置いて作品を創作した。そんな中、ヨーロッパ演劇の地平へと視野を広げることを提案したのは、劇作家・演出家のアンターナス・シュケーマであった。シュケーマは、哲学的・道徳的な問題を論じつつ、実存の破滅的状態を描き、独自の境地を開いた（『燭台』、『聖なるインガ』、『クリスマス小景』）。その後を、アルギルダス・ランズベルギスやコスタス・オストラウスカスらが引き継いだ。とりわけオストラウスカスは、ウィットに富んだ知的な悲喜劇の書き手であり、この時代の最も傑出した前衛的劇作家の一人である。古典的な演劇規範を排し、ペースト、暗示、模倣に基づいたブリコラージュの原理を文学に援用する手法を確立した。

一方、1950年代後半になると、リトアニア本国の状況もようやく変化し始めた。最も成功を収めたのは、ユオザス・グルシャス（『ヘルクス・マンタス』）とユスティナス・マルツィンケーヴィチュス（『ミンダウガス』、『マージュヴィダス』、『大聖堂』）による歴史劇である。詩人で文芸評論家のアルフォンサス・ニカ＝ニリューナスによると、これらの歴史劇は、同時代の西欧の演劇の文脈からすればアナクロニズムの批判を免れないが、占領されたリトアニアにおいては一種の自己防衛の機能を果たしたという。つまり、演劇の比喩的モデルを用いて、間接的な方法で現在について語り、歴史的な平行性に基づいて民族の運命を見通す可能性を提供したのである。いわゆる「イソップの言語」による寓意に満ちた体制批判を試みたのは、カジース・サヤ（『マニアック』、『預言者ヨナ』、『マンモス狩り』）やユオザス・グリンスキス（『脅威の家』、『月下』）であった。彼らは、作品の題材を過去ではなく20世紀の現実に求め、アイロニーやブラックユーモア、グロテスクな不条理を巧みに織り込んだ。こうして、演劇は、歪んだ現実の代わりに芸術的真実を提供しつつ、リトアニア社会を団結させる民族的アイデンティティの表現手段となった。

１９７０～１９９０年代にかけてのリトアニア演劇における芸術的な革新は、ユオザス・ミルティニス、ポーヴィラス・ガイディース、ヨーナス・ユラシャス、ヨーナス・ヴァイトクス、ダレ・タムレヴィチューテ、エイムンタス・ネクローシュス、リマス・トゥミナスら、個性的な演出家たちによってもたらされた。とりわけ演劇言語および視覚的印象の革新性のゆえに、ネクローシュスとヴァイトクスは国内外で高い評価を獲得した。彼らは、ヨーロッパ演劇界の動向を取り入れながら、演劇芸術の自立性を目指した。だが残念ながら、この時代は現代的な感覚を備えた劇作家を欠いていたため、全体として見ればリトアニア演劇の沈滞傾向は明らかだった。

リトアニア演劇の改新の兆しは、今日的な審美眼にかなう作品を創り出すシギタス・パルルスキス、ヘルクス・クンチュス、マーリュス・イヴァシケーヴィチュスらによってもたらされた。パルルスキスは、新世代の劇作家たちのマニフェストとして位置づけた1995年の作品『幽霊の生活より』において、現代劇は現在を反映するものでなければならないと宣言した。言語と形式の実験、複雑な構成、革新的な表現によって特徴づけられるパルルスキスの演劇作品に対する批評家の評価は分かれ、論争に発展した。一方、イヴァシケーヴィチュス（『マダガスカル』、『追放』）は、歴史的な過去から題材を取りつつも、古い世代の劇作家とは異なり、挑発することを恐れない。独創的な言語的実験を行なうのみならず、民族愛と不可分に結びついたナイーヴな民族的情緒を皮肉に満ちた観察眼で嘲笑する。

今日のリトアニア演劇は、より強大なヨーロッパの演劇地図に含まれている。国外でも数々の受賞歴を持つ、ヴァイトクス、ネクローシュス、トゥミナス（2007年からモスクワのヴァフタンゴヴァ劇場の芸術監督を務める）らの作品を、ギンタラス・ヴァルナス、オスカラス・コルシュノヴァス、ツェザリス・グラウジニスら、より若い世代の演出家たちが上演している。2002年に演劇芸術広場「芸術印刷所」が誕生、2004年からはヴィルニュスで国際演劇祭「シレノス」が毎年開催され、国内外の著名な演劇人が作品を上演する場となっている。今日、最も新しい試みの一つは、アーグニュス・ヤンケーヴィチュス、アルトゥーラス・アレイマ、ヴィダス・バレイキスら新世代の若き演出家による実験的な「ノー・シアター」の公演である。そこでは、観客との交流・交信を通じた新しい演劇の形態の模索が続いている。

（ネリンガ・クリシエネ／櫻井映子訳）

49

映画

★映像による現代史★

1909年、カウナスに住むポーランド系貴族出身の写真家、ヴラディスラフ・スタレヴィッチの手により、リトアニアで最初の映画作品が誕生した。スタレヴィッチは昆虫の死骸を使った映画の撮影を試み、後にパペットアニメーションの創始者として世界に名を馳せた人物だが、その最初期の作品がカウナスで撮影されたことはあまり知られていない。当のリトアニアにおいてすら、革命前夜のロシアで活躍し、亡命先のフランスに没したこのアニメーション作家の名は長く忘れられており、再び関心を集めるようになったのは今世紀に入ってからのことである。

真の意味でのリトアニア映画は、世界の映画史上にやや遅れて登場した。その歴史はまた、映像によって記録された現代史でもあった。第一次大戦後の1918年、独立を達成したリトアニアにおいて、国主導の映画製作の歴史が幕を開けた。大戦間の熱狂の時代、新生共和国の歴史を彩る重要なシーン――祝典、パレード、展覧会、政府の要人たち、ヴィルニュスに代わって首都となったカウナスの活気――は、やはり生まれたばかりのリトアニア映画にとって恰好の被写体となった。また、国が経済的な成功を得るにつれ、民間の映画製作会社も誕生した。1931年には、リトアニア最初の長編映画、ユルギス・リナルタスの『オニーテとヨネーリス』が公開された。また、リトアニア初のトーキー（有声映画）が製作されたのは1936年、当時の著名人が集うカウナスの名門カフェを撮った短編ドキュメンタリーが、華やかなりし時代の空気を今に伝える。

第二次大戦期には、映画の創り手、そして映画を創ることとなる人々の国際的な流動があった。1940年に始まるソ連時代、および、短命に終わったドイツ占領期には、新たな支配者による国策の一環としてプロパガンダが大規模に展開され、いわゆるプロパガンダ映画が次々に作られた。そして戦後、リトアニア映画はソ連の共有財産となり、当局により直ちに「リトアニア映像記録スタジオ」（後に「リトアニア映画スタジオ」と改名）が設立された。これにより戦後制作された『ソヴィエト・リトアニア』は、ソ連体制下で達成された国の発展と生活改善を宣伝することを目的としたシリーズであった。こうしたプロパガンダ・ドキュメンタリー映画にソ連編入後のリトアニアの現実は映し出されず、強制移住やパルチザンの粛清など、民族を襲った未曾有の悲劇にスポットライトが当たることはなかった。だが、その一方で、この時代を通じてリトアニアの映画産業は目覚ましい発展を遂げ、モスクワで専門教育を受けた若者たちが長じて国を代表する映画人となった。たとえば、ロベルタス・ヴェルバは、失われゆく伝統的な農村とそこに生きる人々の姿を郷愁とともに描き出し、いわゆる「詩的ドキュメンタリー」の生みの親と見なされている。他にも、ヴィータウタス・ジャラケーヴィチュス、ライモンダス・ヴァーバラス、アルーナス・ジェブリューナス、そしてアルギマンタス・プイパの作品のごとく、戦後の疲弊しきったこの国にも、若芽が萌え立つように詩情溢れる作品が生まれ、社会主義リアリズムとは一線を画した一つの伝統が形成されていった。

１９８０年代の後半に進められたペレストロイカにより、他の共和国と同様にソ連からの自立傾向が急速に強まると、連邦中央政府の統制を離れたリトアニア人主導の映画産業が復活した。まず１９８７年に、ソ連邦リトアニアで最初の独立映画製作スタジオ「キネマ」が、現在のリトアニアで最も影響力のある映像作家の一人シャルーナス・バルタスによって設立された。また、１９９２年には詩的ドキュメンタリーの正統な後継者であるアルーナス・マテーリスの「ノミヌム」が誕生した。ポスト・ソヴィエト時代のリトアニア映画とその創り手の中では、この二人の名がまず挙げられてふさわしい。優れた映像作家が同時に撮影も手がけ、さらに、映画製作スタジオの経営者でもあったことで、その作品の一体性と完成度は後代の規範となった。

さて、１９９０〜９１年の独立回復後、リトアニア映画界で起きたことは他の旧ソ連邦共和国と多かれ少なかれ似通っている。国立系の映画製作スタジオは、資金不足により規模縮小を余儀なくされ、運営が破たんした。代わりに、より小規模のスタジオが活況を呈したが、そこで当初製作された作品は、ソ連時代には語ることさえ禁じられたテーマや人物、あるいは、独立運動を含む民族の歴史を扱ったものが多く、クリシェ（紋切り型）の類も目立った。同時に、リトアニアにとって喜ばしい発見もあった――亡命した合衆国で前衛的映像作家として名声を博したジョナス・メカス（リトアニア語読みでヨーナス・メーカス）の作品は、故郷リトアニアで新鮮な驚きをもって迎えられた。彼自身の亡命後27年ぶりの帰郷を詩的な映像で綴った代表作『リトアニアへの旅の追憶』（１９７２年）を始めとする実験的な日記映画の数々は、今日のリトアニア映画に多大な影響を与えた（第50章を参照）。

独立回復後のリトアニアで頭角を現した映像作家としては、他にも、ギーティス・ルクシャス、アウドリュス・ストニース、ヴァルダス・ナヴァサイティス、クリスティヨーナス・ヴィルジューナスらが挙げられる。民族色の濃かったリトアニア映画もまた国際化に向かい、それぞれの映像作家たちの個性を主張しつつ普遍的なシェアを持つ産業ともなった。「リトアニア映画センター」のデータによれば、制作される映画の数は長期的に見て増加しているが、日本では残念ながらリトアニア映画が劇場公開されることはほとんどない。国立映画アーカイブにより毎年開催される映画祭「EUフィルムデーズ」で年に一本上映されるのが、最近のリトアニア映画の動向や新世代の映像作家たちの活躍をうかがい知るほとんど唯一の好機となっている。

最後に、日本でも紹介されたリトアニアの映画のうち、リトアニア語による3作品を紹介したい。アルギマンタス・プイパの『神々の森』（*Dievų miškas / Forest of the Gods*, 邦題『ナチス・ホロコーストの戦慄』、2005年）は、詩人・作家のバリース・スルオガの自伝的小説を映画化した作品である。第二次大戦下、ナチスに政治思想犯として捕らえられた「教授」は、リトアニアの神々ゆかりの地、ポーランド・グダンスク近郊の強制収容所に送られ、ソ連軍に救出されるまでの日々を人間の尊厳を剥奪された一囚人として過ごす。精神的・肉体的に限界まで追い詰められた彼を救ったのは「理性による笑い」であった。アイロニーとブラック・ユーモアを利かせた悲喜劇の手法は、小説と同名のこの映画の中でも存分に活かされている。

『神々の森』

アルーナス・マテーリスの『地球への帰還の前に』（*Prieš par-*

『地球への帰還の前に』

『森の生活』

skrendant į žemę / Before Flying Back to the Earth, 2005）は、ヴィルニュスの小児病棟で、監督の娘と同じく白血病を患う子どもたちの闘病生活を記録した映画。過酷な運命を共にする子どもたちとその家族の日々を、感傷や脚色を極力排し詩的なタッチで映像化した、この類の問題を扱ったものとしては異色のドキュメンタリーである。そのまなざしは、人間精神への敬意に満ち、限りなくあたたかい。インタヴューのやり取りからは、明るく忍耐強いリトアニア人の気性が伝わってくる。

クリスティヨーナス・ヴィルジューナスの『森の生活』（*Aš esi tu / You Am I*, 2006）は、風変わりな軽い味わいが印象的な作品。建築家バロナスは、退屈な都会での暮らしを捨て、森の中に自らの手でツリーハウスを建てる。静謐な自給自足生活を試みるも孤独は癒されないが、折しもそこに登場した都市住民の若者たちの一人ドミニカに心惹かれ……。物語は現実と空想の間を行き来するように展開するが、それらの境界は曖昧で、はっきりした筋立てもない。ただ確かに伝わってくるのはこの国の森への深い愛情であり、映画の真の主役がそれであることは間違いない。ゆえに、現代人の不安や虚無感を描いていながら暗さはなく、ふわっとした不思議な幸福感が漂っている。

（櫻井映子）

50

ジョナス・メカス

★追憶を綴った映像の詩人★

まだ朝だった、だが空気の中には
すでに紛れもない夏の炎が燃えていた。
私たちは疲れ果て、プラットフォームに立ちつくしていた
そびえ立つ廃墟の石壁を、
ゆるやかに重なり合う丘を、そして夏の
金色のゆらめきを見つめながら。
（ジョナス・メカス詩集『追憶』（1972年）より）

ジョナス・メカス（リトアニア語の発音でヨーナス・メーカス）は、1922年12月24日、リトアニアのビルジャイ近郊にあるセメニシュケイ村に生まれた。映像作家、作家、詩人であり、アメリカの前衛映画の創始者の一人と称される。1943年にビルジャイのギムナジウムを卒業。ナチ・ドイツとソヴィエト政権の抑圧を逃れ、1944年、ウィーン大学に学ぶ目的で、弟のアドルファス・メカスとともに、西へ向かった。だが、列車はナチに捕らえられ、二人はドイツのエルムスホルンの収容所に入れられ、強制労働に従事することになる。1945年からドイツの難民キャンプに収容。1947年からはカッセルの難民

キャンプに暮らした。一方で、１９４６年から１９４８年にかけて、マインツ大学で哲学や文学の講義を聴講した。

　１９４９年の終わり、弟とともにアメリカ合衆国に移り、ニューヨークのブルックリンに居住した。到着から2週間後に、借金をしてボレックスの16ミリ映画カメラを購入、自分たちの生活の撮影を開始する。ニューヨーク中心部に暮らすうち、近所の映画館で上映される前衛映画に関心を持った。

　１９５３～５４年、ジョナス・メカスは、自分自身で前衛映画の批評を開始し、弟の協力のもと、後にアメリカ合衆国で影響力を持つに至る『フィルム・カルチャー』誌を創刊した。１９５６年以降、自ら映画を作り始めた。弟のアドルファスと協力しながら、アメリカの主要な前衛映像作家の一人となり、映画の監修と普及に関わる仕事に従事した。また、１９６２年に「フィルメーカーズ・コーペラティヴ（映像作家協同組合）」を、さらに、１９６４年には「フィルムメーカーズ・シネマテーク」を創設。「シネマテーク」は、次第に、世界でも最大のアメリカ前衛映画のアーカイヴの一つである「アンソロジー・フィルム・アーカイヴズ」に発展した。１９６３年には弟アドルファスと共同で『営倉（ザ・ブリック）』を制作した。

ジョナス・メカス（Jonas Mekas, *Laiškai iš Niekur*, Vilnius: Baltos lankos, 1997）

　メカスは、ジョージ（リトアニア語でユルギス）・

マチューナス、アンディ・ウォーホル、ナム・ジュン・パイク、ニコ、スーザン・ソンタグ、アレン・ギンズバーグ、ヨーコ・オノ、ジョン・レノン、サルバドール・ダリといった著名人たちと交流し、前衛的な芸術活動を展開した。

まだ若い頃から、ジョナス・メカスは文学の才能に恵まれ、作家を志していた。だが運命のいたずらか、1949年、ほとんど英語ができない状態でアメリカ合衆国にたどり着いた。そこで、メカスは映像により表現活動を継続することを思い立つ。映像ならば、英語の知識をあまり必要としないばかりか、言葉を介さない象徴（シンボル）というレベルで、文化の異なる人々も理解できる内容を保存することができたのである。

メカスは多くの様々な映画を制作しながら、ニューヨークのアートライフを綴った年代記の編者としての役割を担った。しかしながら、一連の彼の映像作品においてより重要であるのは、ドキュメンタリーあるいは年代記として側面のみならず、独自の詩性、表現しがたいメランコリー、視覚による追憶、「失われた時」の希求、「失われた故国」への望郷の念といったものである。作品の中で、祖国リトアニアは、形を変えて、常に輝かしい青春の情景、あるいは、失われた楽園の幻影として現われる。

1971年、ジョナス・メカスは弟アドルファスを伴い、ソ連占領下のリトアニア共和国を訪れ、彼らの故郷、両親、そして親戚と再会する機会を得た。その際、メカスは『リトアニアへの旅の追憶』(*Reminiscences of a Journey to Lithuania*, 1971-72) を制作した。彼はこの映画の中で、経済や政治といった話題には立ち入ることなく、祖国の風景、野原、森、空気、光を、あたかも自らの映画カメラでのみ込むようにして撮影した。ジョナス・メカスにとって、リトアニアは、メランコリー、郷愁、詩に転化した理想主義のプリズムを通して見るおとぎ話の中の世界として残った。時間は、歴史的、社会的、政治的なものというよりも、神話的、神秘的、永遠で、神聖なものであり続けたのである。

一方、２００９年に制作された『リトアニア、そしてソ連邦の崩壊』(*Lithuania and the Collapse of the USSR*) は、ジョナス・メカスの作品中でも非常に特異な位置を占めている。メカスがこの作品の資料とした、１９９０年代初めにニューヨークの自宅のテレビに映される24時間サイクルのニュース番組をビデオカメラで撮影した映像は、祖国リトアニアが念願の独立回復を勝ち取った過程を記録したものである。その独立宣言からソ連崩壊に至るまでのプロセスは、リトアニア現代史上最も緊迫し、複雑で、悲劇的な時期であった――１９９１年3月13日には、独立を認めないソ連の軍隊がリトアニアに侵攻し、14名の非武装の市民が命を落とした。メカスは、当時の合衆国のテレビ放送を撮影した資料を編集し、再構築することによって、ソ連の占領からのリトアニアが解放されるまでの経緯を示すのみならず、ソ連崩壊を望まない合衆国政府の偽善をも暴き出している。

また、メカスの映画作品の一つは、自身も参加したニューヨークの前衛芸術運動フルクサス (*Fluxus*) の創始者であった同郷の芸術家ジョージ・マチューナスに捧げられている。作品を通じて、メカスは悲劇的な運命に見舞われた類まれな人物とその時代、死、そして運命について切々と語る。ドキュメンタリー映像とサウンドトラックが溶け合い、観る者の心に感銘を与える。

しばしば、メカスは日記の形式を文字通りの意味で採用している。ビデオカメラで自分の思い、悩み、祈り、自分自身や架空の聞き手との対話などを記録した。たとえば『どこにもないところからの手紙』(*Letter from Nowhere*, 1997) のように、メカスはそうした映像を「手紙」と呼んだ。あるいは、逆に、

『365日プロジェクト』(*Day Project*, 2007) では、話すことを排除した視覚的な日記を作成し、一年を通じて毎日面白いと感じたものを撮り続けた。

メカス映画の多くは、言うなれば主観的なイメージのプリズムを通じて、世界を提示するものである――それは、焦点を当てられない、切れ目なく続く瞬間の連続であり、次から次へと飛び去ってゆくシーンの一コマ一コマである。直接的な意味での「語り」よりも、内面的なモノローグとして現れる、とりとめのない視覚的な語りである。メカスの映画は、視覚的・言語的いずれの面でも、記憶や印象、そして、まるで詩のような、日々の思考の哲学的な断片からなっている。実際、詩人でもあるメカスは、詩集を何冊か出版している。

実のところ、メカスが撮影するものが何であろうと、それは重要ではない。ニューヨークのアートライフ、知人宅でのピクニック、あるいは、アメリカのリトアニア移民たちの日常生活。何を撮影しようとも、彼の作品で最も重要なものは、時間のスクローリングと人間の運命のライトモティーフ(断片的旋律)なのである。時間の流れは、至るところに入り込み、至るところで姿を現す。空気の中に、物に、人に、公園の木々に、交差点に、街に、そして、高層ビルの上に沈みゆく夕日の光の中にも……。

(ケストゥティス・シャポカ/櫻井映子訳)

IX

生活・習慣

51

食生活

★蜂蜜とすりおろしじゃがいもと森の恵み★

一言でリトアニア料理と言っても、時代や地域によって多様性があるが、全体として見れば、北欧諸国の料理と共通した食材を用いながら、歴史的に関わりの深い近隣諸国の調理法を取り込んだ、農民の田舎料理である。誰もが知る代表的な郷土料理には二つある。一つは、すりおろしたじゃがいもで作るラグビーボール型のだんご料理ツェペリナイで、その名は20世紀初頭に硬式飛行船の開発に成功したドイツのツェッペリン伯爵に由来する。もう一つは、この国の夏を彩る鮮やかなピンク色の冷製ボルシチ、その名もシャルティバルシチェイ。いずれも20世紀半ばに普及した比較的新しい料理だが、リトアニア料理店ならどこでも食べられる。

さて、それ以外に名の知れたリトアニアの民族料理は多くはない。だが、何日かリトアニアに滞在すれば、そんなことよりもっと大切なことに気づくだろう。そう、リトアニアでは、ふつうの食べ物がきちんとおいしいのだ。滋味溢れる黒いライ麦パン、森でつんできた新鮮なベリーやきのこ、ハーブの入ったまろやかな風味のチーズ、煙の匂いのするじっくり燻《いぶ》したハムやソーセージ。あの国の自然そのものの、飾り気のないまっとうなおいしさだ。

中でもとびきりおいしいのは蜂蜜だと私は思う。加工していないぽったりした蜂蜜のかたまりを食べたのは、リトアニアが初めてだった。蜂が蜜を集めた花の種類によって、蜂蜜の色や味がまったく異なることを知ったのも。古来、リトアニア人は蜜蜂をこよなく愛する民族で、今でも田舎へ行けばあちこちで蜜蜂の巣箱を見かける（コラム14を参照）。養蜂が特殊な職業でなく、ふつうの暮らしに溶け込んでいるこの国には、蜂蜜で味つけする料理や飲み物のレシピが豊富にある。たとえば、長い伝統を持つミドゥスは、古代から広くヨーロッパで飲まれてきた蜂蜜酒の一種で、祭日や祝宴の席に必ず登場する。

蜂蜜の他にも、リトアニア人の食生活を語る上で欠かせないものがある。すりおろしたじゃがいもである。じゃがいも専用の電動おろし機は、日本の炊飯器並みに普及している台所の電気製品で、一家に一台あると言われるほどの必需品。かき氷機にも似たこの機械で、リトアニア人は日々シャカシャカとじゃがいもをすりおろす。冒頭に挙げたツェペリナイの他にも、パンケーキ、パイ、腸詰めにしたソーセージなど、すりおろしじゃがいもを大量に使うレシピは山ほどあり、そのどれもが、もちもちした食感でやみつきになるおいしさである。

じゃがいもすりおろし機

また、リトアニア人の日々の食卓に欠かせない食べ物は、ライ麦パンである。そもそもリトアニア語では、8月は「ライ麦刈り」、9月は「ライ麦蒔き」という名がついており、ライ麦は古くから大切な農作物であった。中でもライ麦パン（通称「黒パン」）は、古来、様々な祭事や宗教的儀式に用いられ、フォークロアの中にもあらゆる食べ物のシンボルとして登場する。トーストせずにそのまま食べる他、かりかりに焼いてすりおろしにんにくで味つけしたり、サイコロ状に切って揚げ、野菜、豆、チーズなどと和えてサラダにしたり、スープに入れたりと、幅広く活躍する。

スープは、リトアニア語では「飲む」のではなく「食べる」という。肉や魚、豆、様々な野菜がたっぷり入ったスープは確かに食べ応えがある。夏は冷たいベリーのスープ、秋にはきのこのスープを毎日食べて、季節ごとに森の恵みを丸ごと味わう。穀物や野菜を煮込んだミルクスープもよく食べる。ロシア料理として知られるボルシチは、リトアニアでも人気のメニュー。冒頭で挙げたシャルティバルシチェイは、リトアニアの夏の風物詩とも言える。初めて食べる人がみな驚嘆する派手なピンク色は、ビーツを煮たスープにサワークリームを混ぜることによって生まれるもの。そこに、リトアニア人のハーブとして知られるディル、きゅうり、ゆで卵などを加えると、サラダのような爽やかなボルシチができあがる。

さて、リトアニアは知る人ぞ知るハーブの国である。料理は一般的に塩や砂糖で味つけしたマイルドな薄味で、伝統的にハーブがよく使われるが、とくにディルとキャラウェイシードは、びっくりするほど色々なものに入っている。また、古来、ハーブティーをよく飲む。かつては、どんぐり、大麦、小麦など、身近な木の実や穀物の実を煎《い》ってコーヒーも手作りしたが、現代では、輸入物のコーヒー

第51章
食生活

が好まれる。その他の伝統的な飲み物に、その名も可愛らしいスラとギラがある。スラは、早春まだ芽吹く前の楓や白樺の木から採取した樹液のことで、森の香りが楽しめる健康的な清涼飲料。ギラは、ロシアのクワスに似た酸味のある飲み物で、ライ麦パンと酵母を発酵させ、スラ、蜂蜜、ベリー、ハーブなどで風味をつける。

リトアニア人は森が好きである。街に暮らす人々も休日には家族や友人たちと森に出かけ、ベリーやきのこをとり、川や湖で泳ぎ、魚釣りをする。北国の短い夏、ブルーベリーやラズベリーなどのベリー類は、大切なビタミン源。ジャムにして保存し、パンやパンケーキにつけて食べる。新鮮なベリーに砂糖やシナモンを加え、小麦粉でできた薄い皮で包んでゆでたヴィルティネイの素朴なおいしさも忘れがたい。ヴィルティネイは、モンゴル人が東欧にもたらした餃子が起源と言われ、詰め物は、ベリーの他にも、肉や野菜など様々。塩味のものは日本の水餃子に似ているが、リトアニアではサワークリームをかけて食べる。

乳製品は何でもおいしい。とくに、チーズは北欧風でくせがなくまろやかな味わい。中でもリトアニア人が大好きなのは、「白いチーズ」と呼ばれるカッテージチーズに似たフレッシュで柔らかいヴァルシケーである。焼く、煮る、ハーブを混ぜる、蜂蜜やジャムをつける、など、様々な食べ方がある。また、乳製品ではないのに「りんごのチーズ」という面白い名前をもつ食べ物もある。りんごを砂糖とシナモンと一緒に煮込んでから何日も乾燥させ、チーズ状に固めたもので、カラメル色のねっとりした質感は、どちらかと言うと日本のようかんのよう。

とくに国外で評価が高い食べ物としては、燻製料理が挙げられる。多種多様なハムやソーセージが

シャコーティス（佐久間恭子撮影）

あるが、その中でも、伝統的な製法によって作られたスキランディスは、最も有名な高級料理である。豚の胃袋に、豚ひき肉、にんにく、スパイスなどを詰め、時間をかけて低温で燻煙・熟成させた、いわゆる冷燻製ソーセージだ。肉に比べて魚料理はあまり豊富ではないが、干し魚、塩漬け、酢漬けなど保存に適した調理法が古くから発達している。とくに脂ののったうなぎの燻製は、祝日や来客の折りの特別なメニューである。

祝宴の最後を飾るにふさわしいのは、リトアニアの代表的な伝統菓子シャコーティス（「枝つき」）である。木の枝に生地をかけながら、直火で年輪のように層をなしたケーキを焼き上げる製法は、ドイツのバウムクーヘンと同じだが、外見と食感はかなり異なる。シャコーティスは、その名の通り、無数のつんつんした細い枝を生やしており、ほどよい歯ごたえ。壊れやすいので土産物には不向きだが、何と先日東京で日本製のシャコーティスを発見した。だが、食べてみると何か違う。足りないものは、いつも温かくもてなしてくれるリトアニアの友人たちの素朴な笑顔と気取らないお喋りだろうか。やはり、リトアニアの格別においしいものはことごとく、あの国でなければ存分に味わえないような気がする。

（櫻井映子）

コラム14　ラムテ・ビンゲリエネ

養　蜂——魂は蜜蜂に宿る

古代のバルト諸民族の世界観において、蜜蜂は特別な位置を占めた。その神秘的な生態の故に、古代リトアニア人は蜜蜂を神聖な生き物と見なし、蜜蜂にまつわる物語や伝説を作り、養蜂に因んだ伝統を大切に守った。リトアニア神話では、蜜蜂の守護神すら存在した。男女の二人組で、男神の名をブビラス（またはバビラス）、女神の名をアウステーヤといった。かつてリトアニアでは、蜜蜂は人の言葉を解し、その運命に影響力を持つと考えられていた。「死者の魂は蜜蜂に宿る」という信仰は20世紀の初めまで残った。人々は人生の重大事、たとえば、結婚が決まった喜びや、家族が死んだ悲しみを、蜜蜂に報告したという。

現在のリトアニアの地に蜜蜂が現れたのは、最後の氷河が溶け、温暖な気候を好む植物がこの地域に繁殖してからのことである。リンデンやポプラなどの木々が、蜜蜂にすみかとなる樹洞（木の洞《うろ》）と花の蜜を与えた。森に住み着いたバルトの諸部族は、「木」medis《メーディス》の中に見つけた「蜂蜜」をmedus《メドゥス》と呼んだ。リトアニアの古文献に見られる養蜂に関する記述のうち、最も古いものは13世紀に遡る。養蜂は人から敬われる仕事であるだけでなく、貴重な収入源でもあった。人々は、蜂蜜、蜜蠟、蜂蜜酒などの様々な蜜蜂の生産物を、取引または交換し、貢物として納めた。

昔は、養蜂と言っても、森で蜂蜜を採集するだけの単純な方法が主流だった。人々は蜜蜂を探し、巣のある樹洞を見つけると、木を切って蜂蜜を採り出した。その後、おそらく13世紀頃から、人々は木に彫り込みを入れて蜜蜂のため

養蜂博物館に展示されている昔の蜜蜂の巣箱（櫻井映子撮影）

の樹洞を作るようになった。収穫の際は、木によじ登り、蜜蜂を煙で追い払って蜂蜜を採ったが、必ず蜂蜜の入った巣の一部を樹洞に残した。一方、木を切り倒し、巣のある部分を切り株状にして庭に置く方法も、すでに14世紀の文献に言及されている。これらの樹洞式養蜂は14〜17世紀にかけて盛んであったが、森林伐採が急速に進み、これを禁止する法律が導入された19世紀以降は、ほとんど見られなくなった。現代と同様の人工的な手作りの巣箱を用いる養蜂は18世紀末に始まり、19世紀末にはリトアニア全土に普及した。

おもに養蜂家間の関係のあり方を定めた伝統的な養蜂法は、16世紀のリトアニア法典（1529、1566、1588年）にも記されている。古くは、蜜蜂のいる樹洞を最初に見つけ、木の幹に自分の印を刻んだ者がこれを所有することができた。たとえその土地を購入しても、他人の印がついた樹洞を所有物にすることはできなかった。樹洞を相続したり、贈ったりすることは一般的だったが、売買することはまれだった。蜂蜜の盗難、巣のある樹洞の破壊または横取りは、厳しく罰せられ、死刑になることさえあった。

コラム14

養　蜂

現代の蜜蜂の巣箱（櫻井映子撮影）

また16世紀の各地方の記録文書には、リトアニア特有の慣習的な「蜜蜂」bitė《ビテ》を介して親縁関係を結んだ相手を指す「養蜂仲間」bičiulis《ビチュリス》に関する情報が記されている。そのような関係を結んだ養蜂家たちは、共同で蜜蜂を飼うだけでなく、互いの家を行き来し、助け合い、信頼関係を築いたという。養蜂仲間の関係が良好であれば蜜蜂は良く働き、関係が悪ければ蜜蜂も弱ると言われた。養蜂仲間の関係は地位や身分に関わらず結ばれ、貴族が自分の樹洞で採れた蜂蜜を農民たちに分け与えることもまれではなかった。養蜂にまつわる慣習が、人々の間の階級差が生まれる以前から伝わってきたことを示すものと言えるだろう。時を経てこの慣習は失われたが、bičiulis《ビチュリス》は「親友、仲間」を意味する語として今に残っている。

（櫻井映子訳）

52

宗教

★「異教」とキリスト教の衝突と習合★

リトアニアは、東欧世界でもポーランドと並び、ローマ・カトリックの大きな影響下にある国であるが、キリスト教を受け入れたヨーロッパ最後の国でもある。カトリック受容はリトアニアの政治・経済・社会ならびに周辺諸国との関係に決定的な意味を持ち、その影響は現代にまで及ぶが、キリスト教は在来文化との衝突と習合・シンクレチズムを経験しながらリトアニアの社会と文化を支える力として機能してきた。

キリスト教受容以前の宗教と信仰に関する情報は、10世紀以前のリトアニアを含むバルトでは精神文化が完全に口承で伝播されていたため、ごく少なく限定的である。古代バルトの宗教的・神話的世界を再建しようとする多くの試みが、比較歴史言語学・神話学、考古学、フォークロア研究・エスノグラフィとそれらが交差する領域において19世紀から現代まで精力的に継続されてきた。たとえば、新石器時代における母権文化の視点から古ヨーロッパ社会を構築しようとした考古神話学者マリア・ギンブタス（リトアニア名でギンブティエネ）によれば、バルトの宗教は古ヨーロッパの信仰と伝統の最大のリポジトリーであるという。

第52章
宗　教

石器時代の原バルト人は人間・動物、それ以外のモノに霊魂の存在を認めるアニミズムを信じ、特別なトーテムにたいする信仰があった。遺物、器物・宝石・武器の装飾、埋葬儀礼とその際の副葬品等の考古学資料から、自然（天空、雷、大地、森、樹木等）を神格化・人格化した自然崇拝と、死者への信仰として祖先崇拝があったことが明らかである。穀物・パン・肉・血には特別な「力」が宿るとされ、たとえば、バルト海岸で採集された琥珀《こはく》は装飾のためだけでなく、治療用や護符、さらに埋葬時に死者の目に置かれた。共同体では、生贄を捧げるなど呪術的儀礼が神聖なる丘の上や森の中で、祭司や呪術師の差配下に行なわれていた。

原バルト人の宗教的世界像を明確化したのはバルト地域に侵入した印欧諸族である。バルト諸族が印欧語族の中で最古との見地に立てば、また、バルト文化が古ヨーロッパ社会の基層との観点からしても、バルトがきわめて古い宗教と神話を残すと考える蓋然性は大きい。印欧諸族の「天空神」を示す Deiwos《ディヴォス》 がリトアニア語の Dievas《ディエヴァス》（ラトヴィア語 Dievs、古プロシア語 Deiwas）に保存されていることは、印欧諸族の宗教的・神話的世界の影響を示す。これは普通名詞では「神」を表すが、元来は「天空」、そして天と地上のすべての支配者、人間の運命を決める存在である「天空神」を表したと考えられる。上位の天界の神々には他に、太陽の女神サウレとその夫である月の男神メーヌオがいた。雷神ペルクーナスは悪を雷で打つ正義の神で、雨を司ることから農耕の守護神としてバルトで最も流布する神格だが、これもインド・ヨーロッパ諸族と共通の存在である。悪魔ヴェールネスはペルクーナスに敵対する地下の闇の力の支配者である。リトアニア神話の女性神として最初にあがるライマは、人々の運命を決定し、幸福と長寿、豊作、家畜繁殖などを司る神格である。地上の神を代表する大地女神ジェミーナ（語源は「大地」）は、生類一切の母であると同時に下位の神々の母でもある。農民の間では、土地と家を守る男神ジェメーパティス、家の火の女神ガビヤ、さらに、亜麻の守護神ヴァイジュガンタス、魔術を操る魔女ラーガナ、死の女神ギルティネー、森の女神メデイナ、蜜蜂の女神アウステーヤ、ギリシャ神話のラミアと言葉ならびに観念の双方で通じる女性の精霊ラウメ、そして、庭や野原、海や波、蛇の女神等が信仰された。

これら神格の他に各種の精霊や悪魔も含めた太古の汎神論的世界を長く維持していたリトアニアの神話と信仰は、キリスト教受容後は異教として排斥され、一部はキリスト教と習合しつつ、その後も数世紀にわたって強固に保存された。キリスト教伝道者にとって、バルトならびにリトアニアの原住民による、火葬、生まれ変わりや多神・精霊の信仰、聖なる森や木立、樹木や野原、火、水に対する信仰、人身御供や占いは、異教的行為として厳しく断罪すべきものとされた。バルト諸族の中でも、とくにリトアニアの宗教と神話は、古代印欧宗教の主要な汎神論的要素の多くを残し、印欧共通の遺産と同時にユーラシア大陸の基層的信仰を伺わせる点で、アルカイックな宗教形態を示す好例である。

バルト社会に対するキリスト教文化圏の働きかけは10世紀に開始された。11世紀に入ると、東西教会分裂後のローマ・カトリックと正教の両者からの布教活動が本格化した。バルト諸族で改宗の試みが記録され、リトアニアの名前が文献上で最初に言及された（クエドリンブルク修道院年代記１００９年の項）。13世紀には、異教徒との戦いとキリスト教化を掲げたドイツ騎士団がバルト地域への侵入を本格化した。リヴォニアとエストニアはこの「北の十字軍」の攻勢によってキリスト教化し、１２８３年にプロシアの征服が完了した。しかし、残るリトアニアは騎士団の攻撃に抵抗し、13世紀後半から

第52章

宗　教

15世紀初頭までは両者の激戦の時代である。錯綜する宗教・国際関係の中で、周囲とのバランスを保持すべくリトアニアが選択したのは自身の統合ならびにポーランドとの連合体制であり、そのためのカトリック受容だった。ミンダウガスは1251年に自らキリスト教へ改宗し、ローマ教皇から叙任され、リトアニア統一を実現した。その後、大公ゲディミナスとその子アルギルダスの時代に、リトアニアはバルト海から黒海に至る大国となる。ドイツ騎士団との激戦を継続しながらも、カトリックに寛容だったゲディミナスは商業と外交のため聖職者を受け入れ、キリスト教会建設を許可したが、多くのユダヤ人を招き入れたことは注目すべきである。彼らはとくにヴィータウタス大公期以降、大規模に入植し、そのほとんどが都市に定住した。リトアニアでは火葬は5世紀頃から南東部から他地域へ広まり定着していたが、キリスト教会により厳しく断罪された。14世紀後半に異教的伝統に従って火葬されたアルギルダス大公と息子のケストゥティス大公は、リトアニア最後の非キリスト教支配者である。こうした異教的信仰と儀礼は、一般民衆の間ではより強固に残存し、とりわけ農村では以後数世紀もの間存続した。

公式のカトリック受容は、大公ヨガイラがポーランド女王ヤドヴィガと結婚、カトリックの洗礼を受けてポーランド王となる1387年であり、カトリック国リトアニアの成立とポーランド化の始まりである。しかも、14世紀前半、西側だけでなく東方への進出・拡大も目指していた大公国リトアニアにとって、正教への対応は重要な課題だった。アルギルダスが教会聖別にロシアから聖職者を招き、妻をロシアから迎えた他、リトアニアの支配層はロシアに府主教座を置くようコンスタンチノープルに働きかけた。16～17世紀のプロテスタントの動きは、プロシア、ラトヴィア、エストニアでかなり功を奏したのに対して、リトアニアでは成功しなかった。一部新教徒が到来したとはいえ、むしろ反宗教改革運動が多くのリトアニア人の宗教的アイデンティティとしてカトリシズムを再構築させる契機となった。1569年のルブリンの合同によるポーランドとの王朝連合体制以後、4世紀の間、司教をはじめとして聖職者はポーランド人であり、ミサもポーランド語で行なわれた。また、1579年には、宗教改革運動への対抗措置としてヴィルニュスにイエズス会がアカデミー（大学）を開設した。

18世紀を通じてカトリック支配層は宗教的多様性に非寛容だった。1795年のポーランド＝リトアニア体制の崩壊（第三次ポーランド分割）はカトリック教会の宗教的・文化的優勢に直接的な影響を与えなかったが、1830～31年の蜂起後、宗主国ロシアによって、正教の強制を含むロシア化政策が進められた。カトリック信者が信仰の自由を認められたのは1905年革命後である。1918年のリトアニア共和国独立宣言後、すべての宗教団体が公的に認可され、カトリック教会の影響力も回復・増大した。だが、1940年にソ連政権が樹立されると、宗教団体は再び禁止された。続く1941～44年のナチス占領下のユダヤ人逮捕・虐殺、ユダヤ人社会・文化の破壊は一大悲劇であり、その後、現代までリトアニアに大きな傷跡を残したが、カトリック教会に対する抑圧は比較的緩かった。しかし、1944～45年に開始された第二次ソ連占領下では激しい宗教弾圧が進行し、大司教や司教のほとんどが逮捕され、虐殺・流刑された。1980年代後半には、ソ連で始まるペレストロイカに呼応して教会弾圧は緩み、教会は権威を回復した。1990年のリトアニア独立後、社会生活の多くの領域でカトリック教会が中心的役割を担っている。

（坂内徳明）

コラム15

十字架
――古の樹木信仰の名残をとどめる民衆芸術

坂内徳明

リトアニアはヨーロッパでキリスト教を受容した最後の国だが、キリスト教、とくにカトリックの国家的・社会的・文化的影響は現代においても絶大である。キリスト教の歴史が比較的浅いとはいえ、十字架はカトリックを中心としたキリスト教にたいするリトアニアの人々の深い信仰の証である。

リトアニアと十字架の関わりを知る上で衝撃的なのは、今や観光地として有名になった、無数の十字架で埋め尽くされた十字架の丘と呼ばれる場所である。ここは、カウナスの北140㎞の町シャウレイからさらに北10㎞に位置し、民族的アイデンティティとレジスタンスのシンボルとしてリトアニアの歴史と文化が凝縮された場所の一つとなっている。ここに最初の十字架がいつ現れたのか、正確には分からないが、1831年の反ロシア蜂起による死者の追悼後

十字架の丘（佐久間恭子撮影）

とも言われ、19世紀の記録によれば、高さ数十メートルのものもあったという。ソヴィエト政権下、十字架を建立した者は逮捕されたが、何千人もの死者や流刑者を悼む巡礼が絶えることはなかった。丘は何度も崩され、1961年にはソ連軍が小丘に聳える2000余の十字架をブルドーザーで破壊し、頂上に通じる小道を塞ぐが、翌朝にはそれ以上の数の十字架が聳えていたという。1990年までに4600平方mの土地に4万の十字架があったとされ、独立後は少なくともその数十倍となり、今も増え続けている。

キリスト教化以前から民衆の崇拝を集めたオークから作られた十字架は、樹木信仰の痕跡を残しながらも、キリスト教が浸透・定着する中で、リトアニアの生活空間の至るところに立てられた。墓地や教会敷地内、町・村の中心部、村入口や外れ、路傍や辻、畑の隅や野辺、川・湖岸、奇蹟が生じた場所等々である。それは、個人や家族、共同体、さらには民族全体の歴史にとって重大な出来事が生じたことを記念するためであり、また時には、村の若者がデート・スポットとなるべき場所に自らの小さな十字架を立てたり、農民が豊かな収穫を祈願すべく畑に立てることもあった。しかもこれら十字架は、フォルムと装飾の面から見ても十字架の丘に林立するものとは異なっている。ヴァリエーションとデザインが多種多様であること、より具体的には、装飾性と民衆的精神性を豊かに表現したフォークク ラフト作品としての十字架が多いことが大きな特徴である。それらは、日輪・光線模様や植物を象り、直線・曲線と幾何学模様を縦横に駆使した木彫品であり、屋根付や三、四層からなり、頂上部や柱の途中には礫像や聖母、多くの聖人像、さらに小さな祠や社(まるで郵便ポストのような)を備えた、時に5

mもの高さで屹立《きつりつ》する宗教的モニュメントである。木彫聖者・聖母像の入った祠箱が屋根部分に十字架をのせて木に据え付けられたものもあり、十字架が樹木崇拝とまさしく一体化した作品である。

素材や背景の文化こそ違うが、日本の地蔵や円空仏や道祖神の世界をも連想させるリトアニアの十字架は、人々の日常の生活と信仰の形を投影し、精神世界を体現した世界樹である。そこには、異教文化の残滓と、キリスト教受容後の手工芸とそのプリミティヴィズムおよびシンボリズム、さらに、19世紀末から20世紀初頭にかけて展開したバロック芸術の影響を伺うことができる。多数の名もなき民衆芸術家の手で作られ、その手法は長年にわたって伝承されたが、ヴィンツァス・スヴィルスキス（1835～1916年）は生涯で250点以上を残した名工として知られている。

十字架一例。聖ミカエル（左）と最後の晩餐（右）（出典：*Luthuanian Sacral Folk Art: Collection of the Luthuanian Art Museum*, Luthuanian Art Museum, Vilnius, 2007.）

この国の十字架の意義の大きさから、ユネスコは「リトアニアの十字架工芸とその象徴」を無形文化遺産に指定した（第一回「人類の口承及び無形遺産の傑作宣言」2001年5月18日付）。

53

伝統的な祝祭日

★古来の祭と融合したキリスト教の祭★

リトアニアはカトリックの国であり、その祝祭日の多くはキリスト教の教会暦（典礼暦）と関わっている。一方、リトアニアのキリスト教化は1387年とヨーロッパで最も遅く、民衆の中には異教的信仰がその後も根強く残った。リトアニアのいくつかの祝祭日には、古来の信仰の名残が、新しいキリスト教の伝統や慣習の中に生き残っている。19～20世紀の祝祭暦においては、かつて農業の守護神たちの占めた位置が、キリスト教信仰の聖人たちにとって代わった。だが、今日でもこの国の多くの祝祭日は、古くから親しまれてきたリトアニア的な名称によって呼ばれている。

リトアニアは古くから農業の国である。そのため、古い暦の祝祭日は、四季折々の農民の生活や農作業の周期と密接に関わっており、暦上の主な祝祭は、農業に携わる農民たちの仕事にとって重要な時期に重なっている。とくに重点が置かれていたのは、農作業の始まりと終わりである。今日、国における農村のコミュニティの結束力や、農村・農業文化の重要性が低下したため、古くから存在した祝祭は少なからず失われているが、現代の都市社会においてもよく保たれている祝祭もある。

最も重要な祝祭日の一つに、12月24日の**クリスマスイヴ**がある。リトアニア語では**クーチョス**と呼ばれ、もとは冬至祭を指した。リトアニア人にとって一年で最も大切な祝祭の一つで、家族が集まり和やかに過ごすための日だ。この日、家族は皆揃って、12種類の精進料理が並んだテーブルを囲み、イヴの晩餐を楽しむ。家は清潔に整えられて装飾が施され、クリスマスツリーが飾られる。供される料理は、クリスマスイヴにのみ食べられる特別なものばかりで、豆類（えんどう豆、そら豆）と穀物（オート麦、小麦）の料理、果樹園や菜園の収穫（りんご、ビーツ、キャベツ）、森の恵み（きのこ、木の実、クランベリー）、そして、ポピーシード、麻の実、蜂蜜など、リトアニア産の食品のみを用い、肉や乳製品は使わない。とりわけクリスマスイヴに欠かせないのは、ニシンなどの魚料理である。初めに祈りを捧げ、カトリック教会の聖体用のパンである聖餅カレダイティス（教会から持ち帰った小麦粉と水からできた無発酵の薄焼きウェーハス）を分け合い、互いに祝福と祈りの言葉を交わしてから、食事を始める。食事の後は、ゲームなどをして楽しむ。クリスマスイヴの夜、または、その翌朝には、子どもたちはもちろん、家族の皆が、クリスマスツリーの下に贈り物を見つける。

買い物客で賑わうクリスマスマーケット（佐久間恭子撮影）

リトアニア人にとって、**クリスマス**当日は、イヴほど重要な祝祭日ではない。この日は、豚肉、鶏肉、七面鳥などの肉の焼き物や、クリスマスの焼き菓子などを食べ、親戚の間で訪問し合う。

新年は、12月31日から1月1日にかけて祝う。近年とくに若者の間で人気があるが、伝統的なリトアニアの農村では、それほど重要な祝祭日ではなかった。新年を祝う習慣はソ連時代に急速に広まり、禁じられたキリスト教のクリスマスイヴとクリスマスに代わって一般化した。12月31日の夜はひたすら楽しく過ごす習慣で、夜中の12時の年越しの瞬間には、あちこちで花火が上がるのを眺め、新年の到来を祝う。

ウジュガヴェネスは、イースターの7週間前に祝う、一年で最も陽気な祝祭日の一つであり、他のカトリック諸国に見られる謝肉祭に類似する。本来は冬を追い出し春を招くためのお祭りで、シンボルとなるのは仮装と仮面だ。ウジュガヴェネスの日には、人々は、ユダヤ人、ジプシー、医者、乞食、馬、熊、悪魔、死神など、様々なものに仮装する。また、その日はご馳走をたらふく食べる習慣がある。ウジュガヴェネスの料理として最も一般的なのはパンケーキである。かつては、ウジュガヴェネスの後に7週間の断食が始まり、肉はもとより、乳製品さえ食べられなかった時代もあった。だが、現在のリトアニアでは断食は一般的ではない。

イースターは、キリストの復活を祝う移動祝日で、リトアニアでは、クリスマスイヴに次いで二番目に人気のある祝祭である。リトアニア語ではヴェリーコスという。日付は毎年異なるが、3月22日から4月25日の間の日曜日に祝われる。イースターにおいて最も重要なのは、日曜日の朝に教会に行き、イースターの朝食を食べることである。イースターのシンボルとも言える食べ物は、他のヨーロッ

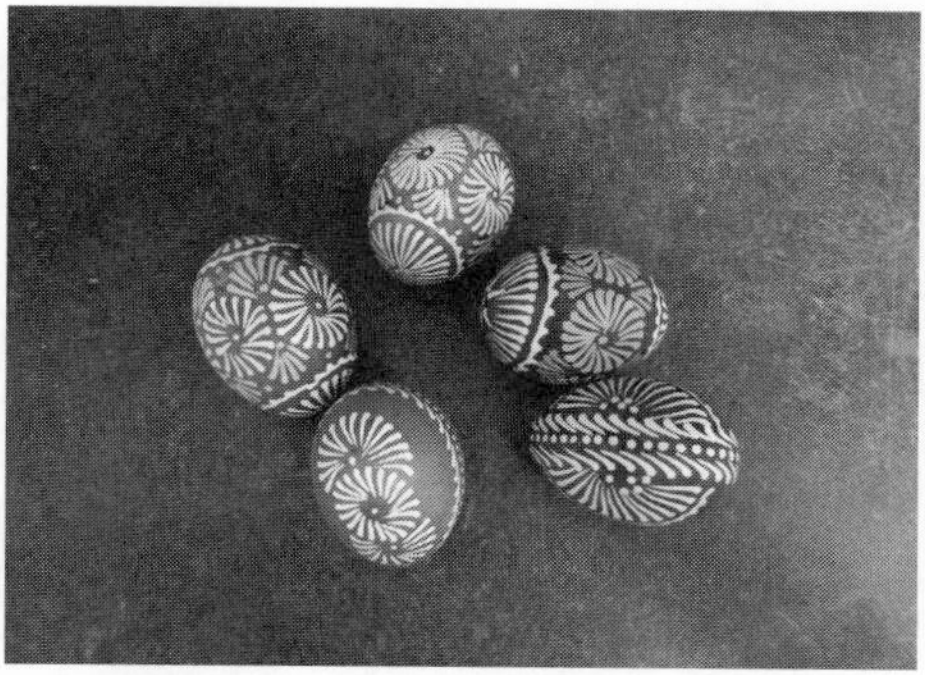
イースターエッグ（櫻井映子撮影）

パ諸国と同じく、イースターエッグ。蠟を塗ったり、塗装して削ったりと、様々な方法で彩色・装飾される。他にも、肉料理やパイなどの料理も供される。朝食後の人気の余興は、イースターエッグを転がしてぶつける遊びである。古くは、この日訪れる隣人や親類のために、ブランコが特別に備えつけられた。ブランコはゆりかごのシンボルであり、再生した命を育む意味が込められていた。

6月24日の**夏至祭**は、リトアニア語でヨーナス（聖ヨハネ）祭あるいは露の祭と呼ばれ、キリスト教化前の原始宗教の儀式的要素がきわめて強く残った祝祭である。この一年で最も夜が短い夏至の日を、リトアニア人はいつも自然の中で祝う。北国リトアニアの夏至祭のシンボルは、太陽と火、そして水と草原である。夏至祭の焚火の場所は、川や湖などの水辺に近い丘が選ばれる。娘たちは頭に花と草で編んだ花輪をかぶる。集まった若者たちは、ハーブを摘み、古くから伝わる民謡を歌い、手をつなぎ輪になって踊り、未来の結婚相手や婚期を占い、焚火の上を飛び越える。夜、花輪を川や湖に浮かべ、神秘のシダの花を探す。シダは実際には花の咲かない植物だが、その花を見つけた者は、全知の力を授かるという言い伝えがある。日の出前の早朝には、野原や穀物畑で朝露を集め、薬として体に塗ったり、美容のために顔を洗ったりする。そして、太陽が昇るのを待つのである。

8月15日の聖母マリアへの昇天を記念する**聖母昇天祭**は、リトアニア語では「草の束」を意味する**ジョリネ**の名で呼ばれ、大地の女神ジェミーナ信仰を引き継いでいる。それは、夏から秋への季節の移行を象徴する祝祭である。それゆえ、カトリックの儀式としてのみならず、農作業の終了を祝う収穫祭という色彩が濃い。リトアニアでは、だいたいこの時期に穀物の収穫が終わり、農民たちはとれたての実りを喜び合う。この日、清められた草の束や花束が教会に運ばれる。ジョリネは2000年に国の祝日となり、休日として登録された。農業と関わりのない現代人の間ではさほど人気があるとは言えないが、暖かい季節の最後の休日を楽しむため、戸外に出て自然の中で過ごす人が多い。

11月1日の**諸聖人の日**（万聖節）と11月2日の**ヴェルネス**は、リトアニアで最もよく保たれている伝統的な祝祭日の一つである。一般的にこの二つの祝祭日を合わせてヴェルネスと称する。それは死者を記念する祝日であり、何よりもまず、亡くなった家族・親族の墓参りの日である。この祝祭日の間、日本のお盆よろしくリトアニア中の人々が移動する。道という道は墓参りに向かう車で溢れ、人里離れた僻地の墓でさえきれいに整えられる。リトアニア人は皆亡くなった家族や親戚が埋葬された墓地を訪れる。墓にはろうそくの火が灯され、花が飾られる。この日選ばれる花は白い菊であり、リトアニア人はこの花を見ればヴェルネスと墓参りを想起する。

（ライマ・アングリツキエネ／櫻井映子訳）

54

フォークロア

★時代を超えて伝わりゆく口承★

フォークロアとは、広義には民間伝承であり、民衆の日常生活の中で受け継がれてきた知識・技術・習俗を指すが、ここでは狭義に口頭伝承、すなわち文字によらず口づてに伝えられてきた口承に話を絞ることにする。

リトアニアの農村社会において伝えられてきた口承は、農民の考え方や気質をよく反映している。その真髄を成すのは、**民謡**（いわゆるダイナ）であろう。民謡の歌い手はおもに女性であり、歌の中の世界は女性たちの目を通して描かれる。他民族の民謡と比較すると、リトアニア民謡は叙情的である点で際立っており、穏やかで控えめ、メランコリックなことを特徴とする。古くから伝わるリトアニア民謡において二つの柱をなすテーマは、自然と人の暮らしである。リトアニア民謡の主な登場人物は、兄弟／若者、姉妹／娘、父、母であり、民謡の中の人間関係は、昔のリトアニア文化における家族像のモデルを反映する。そして、民謡の歌詞は、多くの場合、若い人々の間の関係性や、平和な家庭を築くことへの願望を表している。

最初のリトアニア民謡集は、１８２５年にリトアニア人の血を引くケーニヒスベルク大学教授のルードヴィヒ・レーザにより出版された。以後、リトアニア民謡として最も多く記録されているのは、結婚式の歌である。歌詞は、嫁いでゆく娘に焦点を当て、概して相手の青年については多くを語らない。歌の中で歌われる夫あるいは妻選びの主な基準は、農民としての仕事の能力の高さと勤勉さである。結婚のシンボルである、ルタ（ヘンルーダ、リトアニアの国花）、花輪（娘の若さ、両親との幸せな生活、貞操の象徴）、そして、馬（青年の若さ、勇ましさの象徴）は、その儀式のみならず、歌においても重要な意味を持つ。

とくに起源の古い歌には、伝統的な祝祭暦の儀式の歌が多く含まれる。そのような古風な歌が最もよく保存されているのは、南東部のズキヤ地方である。冬至に関する歌は、祝祭暦の儀式の歌の中でも最も豊富に残されている。冬至の歌の中には、年の変わり目を象徴するものとして、かつて神の使いと考えられていた、九つに枝分かれした角で太陽を運ぶ鹿がよく登場する。仕事の歌にもまた、古風なものが多く含まれる。年齢と性別による仕事の役割分担のため、これらの歌の中には、子どものみ（牧童）、男性のみ（馬乗り、耕作）、女性のみ（製粉、紡績、機織り）に特化して歌われたものも珍しくない。最も古い軍事的・歴史的なリトアニアの歌は、十字軍との闘いが繰り広げられた時期（13世紀～15世紀）に遡る。ただし、古い歌の中には男性目線で勝利を賛美する歌などは存在せず、女性の立場から、兵士の出征、待望の帰還、戦死の知らせなどが歌われていた。戦争をより直接的に描いた歌は18世紀末に登場する。それらの歌の多くは兵士自身によって作られたものであった。愛国的傾向が最も顕著であるのは、20世紀に作られた戦争と歴史に関する歌――たとえば、1918年のリトアニア独立運動の歌、ソ連占領に抵抗したパルチザンの歌、そして、シベリア強制移住者の歌などである。

リトアニア民謡の中でもとりわけ古風なものは、スタルティネスと呼ばれる多声音楽（ポリフォニー）

である。これは、異なるメロディーと異なる歌詞を同時に演奏する稀有な合唱法である（第44章を参照）。その他、儀式の折に歌われる口承として、ラウドスと呼ばれる葬式のための泣き歌もよく知られている。かつては結婚式でも花嫁がこのラウドスを歌い泣くのが習わしだった。

リトアニアの**民話**にも、国外でよく知られているものがある。おそらく最初のリトアニア民話集は、１８３５年にリトアニアの歴史家・作家のシモナス・ダウカンタスが書いたものだが、これが出版されたのは20世紀に入ってからのことであった。最も有名でリトアニア人なら誰でも知っているのは、映画化やバレエ化もされた、神話的なおとぎ話「蛇の女王エーグレ」である。蛇王の妻になり子どもを授かった人間の娘エーグレは、里帰りの折に兄弟らの策略によって夫の蛇王を殺されてしまう。嘆き悲しんだエーグレは、子どもたちもろとも樹木に姿を変える。その他の人気のあるおとぎ語には、継母から虐待される継娘の話、ガラスの山に住む女王の話、竜退治の話などがある。民謡と同様に、民話においても、最も重要な価値は家族に置かれている。ただし、興味深いことに、民謡の中で兄弟は姉妹を守り保護する存在として描かれるのに対して、民話では、姉妹の方が兄弟の運命に対して責任を負っている（魔

絵本『蛇の女王エーグレ』（Salomėja Nėris, Paulius Augius [iliustracijos], Eglė žalčių karalienė, Vilnius: Lietus, 1998 [1940]）

女にさらわれた兄弟を取り戻す姉妹の語や、行方不明の兄弟を探す姉妹の話など）。動物に関するリトアニア民話のうち、広く伝わっているのは、賢い狐の話、狼と7匹の子やぎの話、嘘つきのやぎの話などである。笑い話のレパートリーでは、貧しいいたずら者の話、賢い泥棒の話、愚か者（馬鹿）の話などが広く知られている。

サクメーと呼ばれるリトアニアの**伝説**（世界と自然現象の起源や、神話上の神々や生き物についての短い伝承）は、きわめて豊富である。その中で、悪魔は常に人を笑いものにし、欺き、命を奪おうと企んでいる危険な存在として描かれる。轟音をとどろかせ空から下りてヴェールネスを倒す雷神ペルクーナスの伝説は、天の雷神と地上の悪の戦いについての他の印欧諸族の神話に類似する。金銭と穀物を主とする富と物質的豊かさをもたらすアイトヴァラスは、燃えながら空を飛ぶ火の蛇で、雄鶏などに姿を変えて人間の家に住みつく神話上の生き物である。森に住む精霊ラウメは、見た目は美しいが危険な存在で、男を誘惑し幼子を盗むとして恐れられた。信仰に関わる伝説には、他にも、ヨーロッパ全体に広く伝わる、魔女、魔法使い、狼男の話などがある（第52章を参照）。いわゆる因果的伝説は、古代の人々にとって理解不能な事象・現象を説明する伝説で、その主役となるのは神と悪魔である。それによれば、神は大地を創造し、水底から砂を運んでくるよう悪魔に命じた。そして、神によって粘土から人間が作られたという。歴史的伝説には、リトアニアならではの個性的な話が残る。湖の起源についての伝説によれば、その名前をいい当てられた雲が、空から地に下りて湖となったという。巨大な岩石の起源については、二つの言い伝えがあり、悪魔によって運ばれてきたという説、そして、呪われた人々（一般的には花嫁）が姿を変えて石になったという説がある。また、丘は巨人または戦士たちによって築か

第54章

フォークロア

れたとし、後者は集めた土を帽子に入れて運んだとされる。最も有名な歴史的伝説は、首都ヴィルニュスの起源に関するものである。後に首都となるこの街は、ゲディミナス大公が夢の中で見た、鉄の狼が遠吠えをしていた丘の上に建てられた、と伝えられている。

さらに、伝統的なリトアニアの**ことわざ**は、「養蜂は困難な仕事だが、果実（蜂蜜）は甘い」、「亜麻《リネン》は寝ると絹になる、羊毛《ウール》は寝ると狼になる」など、農民の実用的な知恵を反映している。また、「怠け者に食べられるとパンが泣く」、「自分の家のなら煙も甘い」、「母の言葉は天を突き破る」のように、人々の生活や家庭に関することわざが数多く残っている。

さて、フォークロアを広義に民間伝承ととらえると、それは過去だけのものではない。リトアニアのフォークロアは、あらゆる階層の人々によって現代もなお作られ続けていると言ってよい。グローバル化と現代的なコミュニケーション手段が、その新しい形態に多くの影響を及ぼしている。アネクドートや都市伝説といったジャンルに着目すれば、新しい伝承が今この時も盛んに生まれ続けていると言えるだろう。

（グラジナ・スカベイキーテ＝カズラウスキエネ／櫻井映子訳）

コラム16 フォークロアにおける他民族のイメージ
――タイプ化された異文化の表象

ライマ・アングリツキエネ

リトアニアにかつて住んでいたか、あるいは現在も住んでいる他民族は、かなり多様である――ユダヤ人（第二次世界大戦まで最大の多数派を成した）、ロシア人、ポーランド人、ドイツ人、ラトヴィア人、ロマ人（ジプシー）、タタール人など。リトアニア民族と他民族との関係、および、彼らに対する見方は、歴史的、政治的、経済的、文化的、宗教的、社会的、そして、心理的な要因によって形作られている。

現実の他民族は、当然ながら、フォークロアにおいて描かれる彼らの姿とは同一ではない。他民族やその文化を軽視する傾向は、リトアニア人に限らず、民族を超えて見られる現象であろう。とくに、フォークロアの中では、どの民族も自分たちのことは良く言う一方、他民族を嘲笑したり、卑下したりすることが多い。

他の民族の中に私たちが見出す異質性というものは、伝統的に、異なる宗教、慣習、社会的階級、言語、外観、立ち居振る舞いなどである。フォークロアは、異文化の本質を捉えるのではなく、タイプ（あるいはステレオタイプ）として描き出す。タイプ化する際には、一つ、時には二つから三つの類似した特徴が取り上げられる。このような他民族のタイプ化は、フォークロアの中でも、現実をよく反映するジャンル（民話、アネクドート、民謡、ことわざ、なぞなぞなど）において描かれる。他民族のパーソナリティは、リトアニアの幾つかの祝祭において変装の対象となる。最もよく登場するのは、ユダヤ人とジプシーのキャラクターである。彼らは、すべてのヨーロッパ諸国で馴染みのある民族グループであり、様々な民族のフォークロアにおいてほぼ同じようなイメージで描かれている。

リトアニアのフォークロアにおいて、他民族はそれぞれの典型的なイメージによって描かれる。ユダヤ人は商人または神話の中の生き物に似た人々、ジプシーはずる賢い道化者、ドイツ人はのんきな地主で手強い敵、ロシア人は貧しい人々、ポーランド人は誇り高い貴族、スウェーデン人とフランス人は敵、ハンガリー人は医者、ラトヴィア人は魔法使い、タタール人は戦士……。

ユダヤ人、ジプシー、ハンガリー人などの他民族に変装したり、彼らを模した仮面をかぶったりする習慣は、かつて、ウジュガヴェネス、イースター、そして結婚式でも見られた。19世紀の初めには、変装の習慣が残っているのはウジュガヴェネスのみで、変装の対象もユダヤ人とジプシーのキャラクターのみになっていた。互いに異なる他民族の仮面は、20世紀初めまで、様々な祝祭を通じて登場した。それらの仮面は、いわば異界のイメージが現出したものだった。様々な民族を表した仮面を統一する本質的な特徴は、それらがすべて、他の民族社会学的な共同体（コミュニティ）の代表者のイメー

1930～40年頃のウジュガヴェネスの仮装の様子（出典：Laima Anglickienė, *Kitataučių įvaizdis lietuvių folklore* (Vilnius: Versus aureus, 2006)）

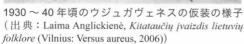

ジを表していることである。

さて、リトアニアの歴史と戦争に関する民謡の中に、じつは、日本人と日本も登場している。その背景には、1904~05年の日露戦争があった。当時ロシア帝国の一部であったリトアニアの男たちは、兵士としてロシア軍に従事し、この戦争に参加したのである。この短い歴史的なエピソードは、リトアニアの民謡の中にかなりはっきりした痕跡を残し、日本人と日本のイメージを形作るきっかけとなった。

〝遠く離れた日出ずるところ、日本人とロシア人が討ち合った
一年半の戦争の間に、リトアニア人は満州で戦死した〟

――このような日本人との戦いについての歌は、17種類を数える。

（櫻井映子訳）

様々な民族のイメージによる仮面（アルーナス・ヴァイツェカウスカス撮影）

55

リトアニアのモード

――★大国からの影響と独自のアイデンティティ発信の間で★――

２００６年11月９日に発行されたリトアニアの週刊誌『ヴェイダス（顔）』に、「リトアニアのモードに関する本」という記事が紹介された。そこで、ヴィルニュス芸術アカデミーのタイラ・ジリンスキエネが、「２００６年になってようやくリトアニアの読者がモードに関する本を見つけることができるようであること」と指摘するように２００６年は二つの対照的なリトアニアモードに関する本が出版された。リトアニアのデザイナー、ユオザス・スタトケーヴィチュスによって、西洋のモードを紹介しつつ、モードの着方を提言する本『美の衝撃』、そしてイルマ・シディシキエネによる『リトアニア女性であること』である。

欧州モードを様々な支配国経由で導入したリトアニアのモードの歴史

『美の衝撃』は先の記事において「リトアニア社会〔の衣服文化〕を批判し教育する態度が必要なのか」といってこの本に対する批判とともに紹介されていた本である。このスタトケーヴィチュスは自身の作品がリトアニアの切手になっているほどで、リトアニアを代表するデザイナーの一人といえる。この『美の衝撃』の序論として、「リトアニアにおけるモード：歴史的分析研究」が、ロシアのデザイナー兼服飾史家でアレクサンドル・ヴァシーリエフによって提示されている。彼は、パリモードを中心とする欧州モードを様々な支配国経由で導入してきたリトアニアのモードの歴史を、それ以前の傾向にも触れながら以下のようにまとめる。

まず、14世紀のリトアニアでは、カトリック教化前の様々な自然信仰を結びつく異教徒の影響が存在していたために、派手な色ではなく、グレーとか、緑、茶色といった自然の色を好む傾向があったこと、また、極寒地域であり、冬の洋服を買うときは暖かさを第一に考えると指摘する。

また、「地理的にも様々な大国の影響を受けてきたリトアニアの運命として」、海外からの影響をうけ形成されてきたリトアニアのモードについてヴァシーリエフは、以下のようにまとめている。欧州モードが、リトアニアにやってきたのは16世紀のポーランド・リトアニア同君・王朝連合期、ポーランド王ジグムンド二世アウグストの後妻となったリトアニア貴族の娘バルボラ・ラドヴィライテの時代である。この時、ヴィルニュスにはルネッサンススタイルのモードが広がったとする。以降、18世紀にかけては、西洋の影響および、トルコの影響を受けたポーランド趣味、ハンガリー趣味のモードが主流で、また18世紀末からの帝政ロシアの支配下では、ロシアのモードの影響を受け、1920〜1940年、ヴィルニュスがポーランド支配を受けていたときは、パリの影響を受けたポーランドモードの影響を受けていたとする。リトアニアにおける19世紀のモード雑誌は、サンクトペテルブルク経由でフランスやイギリスの男女のモード趣味を紹介し、旧ソ連時代は、リトアニア・ソビエト社会主義共和国のモード雑誌『バンガ（波）』なども出版されその影響を受けていたとしている。

その後リトアニアが独立を果たし、2004年にEU加盟すると、ZARAやH&M（2013年）などグローバル展開をしている欧州の「ファーストファッション」が導入されるようになる。ファッション雑誌においても、欧米の雑誌と提携している『ロフィシエル』（2010年～）、『コスモポリタン』（1998年～）も見られる。その他リトアニア独自のモード雑誌として、『イエヴァ』（1990～2013年、中1999～2001年はアメリカのモード雑誌ハーパーズマザーと提携）、『ライマ』（1993年～）、『パネーレ』（1994年～）、『エディタ』（1999年～）といった2015年現在で発刊されているモード雑誌などに、流行源であるパリなど欧州主要都市のモード情報とともに掲載され、販売が促進される。

このように、欧州モードが、ポーランド、旧ソ連、EUというように、時代ごとに「入口」を変え、リトアニアが属していた「枠組み」を通して影響が与えられていた様子が伺える。

リトアニア人アイデンティティ表明のモードの提言

しかし、リトアニアは大国のモードを受容するだけだったのであろうか。先に挙げたもう一つのリトアニアモードに関する本『リトアニア人女性であること』は、19世紀後半から20世紀初頭にかけて、民族的アイデンティティ表明の装置としてのリトアニア民族衣装の歴史研究の本で、そこでは、農民が着用していた地方の伝統的民族衣装の特徴を表すドレスが20世紀のリトアニアで支配的になり、祝祭や結婚式などの家族行事などで着られる傾向が多かったことを歴史的観点から論じられている。著者によると、1930年代頃まで、リトアニア人は、流行のモードを布から手作りする傾向が主流であったが、とくに世界恐慌のあとは、地方で生産されたリネン、コットン、ウール等家で織られた（または、売られた）布を織り、洋服を自ら縫う傾向が街に広がったとされる。このように、あらゆる地方文化遺産や手作り、リトアニア国家のアイデンティティをパターンや色の組み合わせによって表現するこの手作りというのは重要であったとされる。また、現代でもそのようなリネンを用いて自らのブランドを展開しているギエドレ・ラモナイテ＝ウシュパレによる現代スタイルのコレクション（House of Naive）等も展開されるなど、リトアニアらしさを追求するモードの展開も提言されている。

リトアニアのモードデザイナー

２０１０年に初めて『リトアニアのモード』という本が出版されたが、そこには22名のリトアニア人デザイナーが紹介されている。その中の解説でニヨーレ・アドモニーテは、旧ソ連時代に、すでにヴィルニュス芸術学院がデザイナー、パタンナーのスペシャリストを養成していたものの、彼ら学生が働ける場というのはなかったと指摘する。また、先に挙げた雑誌『バンガ』を挙げ、そこで紹介されていたのは、ディオール、ラクロワ、ケンゾーといったパリで活躍する世界的デザイナーの名前だけであったが、１９９０年、独立直前に初めて東欧で国際コンクールフォーラム21が開催され、そこでサンドラ・ストラウスカイテ、ヨランタ・グデリーテといったヴィルニュスのデザイナーが金賞を取り始めた時に状況が変わっていったとする。その後、１９９１年の1月13日事件の数カ月後、初めてヴィルニュスで「モード・デイズ」が開催され、１９９４年には、ヴィルニュス現代芸術センターで初めてのモード週間「デイ」が開催され、若いデザイナー集団「７＋」の初期メンバーのサンドラ・ストラウスカイテ、ユオザス・スタトケーヴィチュス、ユリヤ・ジリニエネ、セルジャス・ガンジュメナス（セルジュ・ガンジュミャン）、ヴィダ・シマナヴィチュテ、アレクサンドラス・ポグレブノーユス（アレクサンドル・ポグレブノーイ）、ダイヴァ・ウルボナヴィチュテらのコレクションが展開された。その後も続けられ、2001年には今に続くリトアニア若手デザイナーの登竜門として、また外国の若手デザイナーを招待し開催し、リトアニア発モードの発信を試みるショー「モード・インフェクション」（www.madosinfekcija.lt）へと発展している。

リトアニアモードは時代毎に大国の影響を受け、欧州モードを様々な経路から間接的、直接的に導入してきたといえよう。しかし、ただ、それに流されるだけではなく、静かに、そして力強く素材から手作りにこだわる民族衣装、また独立後から育ってきたリトアニア人モードデザイナーたちの活躍といったリトアニア独自のアイデンティティを示す装置としてのモードが展開されているのである。

（本章の内容は2015年執筆時の情報に基づいている。）（高馬京子）

モード・インフェクション（タウトヴィダス・ストゥカス撮影）

X

日本との関係

56

日本・リトアニアの外交および経済交流の歴史

★文久遣欧使節団から現代まで★

記録に残されているリトアニア人と日本人の最初の出会いは、1862年、江戸政府がヨーロッパに派遣した文久遣欧使節と考えられる。福沢諭吉を含む使節団は、サンクトペテルブルクからベルリンへの道中、リトアニアのカウナスに滞在したと記されている（筆者が率いる作成チームが作成したドキュメンタリー映画「カウナス、スギハラを、日本を想う」（2018年）は、福沢諭吉を始め、両国の交流史の初期段階に登場した、カウナスに縁ある人物を取り上げた）。また、1892年には、陸軍軍人の福島安正が、ベルリンからウラジオストクへのいわゆる「シベリア単騎横断」の中で、現在のリトアニアの領土を通ったと言われる。

一方、日本に入国した最初のリトアニア人は、日露戦争（1905～1906年）でロシア帝国海軍に従事した船員たちであった。日本で捕らえられた捕虜の中に、数人のリトアニア人がいたことが記録されている（コラム16を参照）。

1918年のリトアニアのロシア帝国からの独立後、1922年に日本はこれを正式に承認して両国間の外交関係が樹立された。1937年、リトアニアは最初の駐日名誉領事を任命した。一方、日本は1939年にリトアニアのカウナス（当時の

カウナスの杉原記念館　執務机（櫻井映子撮影）

暫定首都）に領事館を開設した。その際に、領事代理として赴任してきたのが、杉原千畝副領事である。杉原は、第二次世界大戦中、自らの判断でユダヤ人たちに日本通過査証を発給し、ナチ・ドイツの迫害からおよそ６０００人の命を救ったと言われる。その人道的行為により、杉原はリトアニアで最も有名な日本人となり、日本とリトアニア両国の人々の記憶に深く刻まれることとなった（コラム17と18を参照）。

カウナスの旧領事館の建物は、現在は杉原記念館となっており、ヴィルニュスには杉原の名を冠した通りと桜の公園がある。杉原ゆかりの地である岐阜県八百津町《やおつちょう》には、人道の丘公園と杉原千畝記念館が設立されている。

１９４０年にリトアニアが独立国としての地位を失うと、カウナスの日本領事館は閉鎖された。リトアニアは、もはや日本との外交関係を発展させることはかなわなくなった。その後、リトアニアがソ連からの独立復活を宣言する直前の１９８９年、リトアニアの港町クライペダ市が久慈市（岩手県）と姉妹都市の関係を結んだ。現在に至るまで、これは日本とリトアニアの都市間で結ばれた唯一の姉妹都市関係である（コラム19を参照）。１９９１年９月６月に日本はリトアニアの独立を認め、その年の10月10日に外交関係を回復させた。しかし、その後数年間は公式の外交使節団は派遣されず、リトアニアと日本の関係の発展は、リトアニア日本協会（1990年設立）、日本リトアニア協会（1991年設立）といった民間組織の主導により進められた。1995年には、ヴィルニュスに日本情報センターが開設され、リトアニアにおける日本との交流の拠点として、重要な役割を果たした。

その後、在ロシア日本国大使館、在デンマーク日本国大使館による兼轄を経て、1997年にリトアニアの首都ヴィルニュスに日本国大使館が開設された（これはバルト三国の中で最も早かった）。続く1998年の大使館移転に伴い、日本情報センターは大使館に統合された。そして、2008年には初代特命全権大使として明石美代子大使が派遣された。続いて、2012年に白石和子大使、2015年に重枝豊英大使、2018年に山崎史郎大使がヴィルニュスの日本国大使館に赴任している。

一方、リトアニアは、1999年、東京にリトアニア共和国大使館を開設した。暫定大使代理を務めたダイニュス・カマイティスに代わり、2001年にアルギルダス・クジース大使が（日本のみならずアジアにおける）初代リトアニア大使として赴任した。続いて、2006年にカマイティス大使、2012年にエギディユス・メイルーナス大使、2018年にゲディミナス・ヴァルブオリス大使が派遣された。

さらに、近年重要な活動を展開している組織としては、日本リトアニア友好協会（2001年設立）、日本在住リトアニア人協会（2005年）、リトアニア元日本留学生の会（2011年設立）、日本リトアニア交流センター（2013年設立）などが挙げられる。

現在まで、日本・リトアニア両国間では多くの公式訪問が行なわれてきた。リトアニアからは、ヴァルダス・アダムクス大統領（2001年）、ゲディミナス・ヴァーグノリュス首相（1991年）、アードルファス・シュレジェーヴィチュス首相（1994年）、アルギルダス・ブラザウスカス首相（2005年）、ゲディミナス・キルキラス首相（2006年）、アンドリュス・クビリュス首相（2012年）、アルギルダス・サウダルガス外相（1998年）、アウドローニュス・アジュバリス外相（2010年）、リナス・リンケーヴィチュス外相（2014年）らが訪日した。日本からは、天皇皇后両陛下（現上皇上皇后陛下、2007年）、安倍晋三首相（2018年）、麻生太郎外相（2006年）らがリトアニアを訪問した。

独立後、1996年にリトアニアがODA対象国となると、1997～2006年の間に、日本は文化無償協力および技術協力を中心として、リトアニアを非常に積極的に支援し、困難な経済状態にあった教育・文化への援助を行なった。その合計は1178万リタスに達した。援助対象としては、国立チュルリョーニス美術館、国立マージュヴィダス図書館、ヴィルニュス大学東洋学研究センター、ヴィータウタス・マグヌス大学日本研究センター（現在のアジア研究センター）、リトアニア音楽アカデミー、リトアニア国立博物館、オペラバレエ劇場などが挙げられる（第59章を参照）。2004年、リトアニアがEUおよびNATOに加盟し、急速な経済成長を遂げると、リトアニアは2006年度の文化無償資金協力を最後にODA対象国から外れた。他国を支援する立場となったリトアニアは、民主的な価値観を共有する日本とともに幾つかの国際プロジェクトに参加している。たとえば、2013年までリトアニアは日本と同様にアフガニスタン復興支援に協力した。また、両国はウクライナ支援においても協力関係にある。

2013年のリトアニアの日本への輸出は3520万ユーロであり、2013年において日本はリトアニアの輸出市場として41番目に位置した。リトアニアから日本への主要輸出品目は、光学、写真、測定、制御および医療機器（18・2%、レーザー機器が主な割合を占める）、乳製品（16・1%）、家具（15・4%）等である。2012年以降、リトアニアは、日本との貿易収支が黒字に転換している。2013年、日本からリトアニアへの輸入総額は2550万ユーロであった。日本からリトアニアへの主要輸出品目は、機械類（26・5%）、車両（26・0%）、ゴム類（14・4%）等を輸入している。

両国間における観光は発展を続けており、観光客の数は絶えず増加している。2013年にリトアニアを訪れた日本人観光客は1万2000人が訪れた。日本を訪問するリトアニア人観光客ははるかに少なく、2013年にはわずか1900人であった。

日本からリトアニアへの投資も増大しつつある。たとえば、2001年に日本の矢崎グループの海外拠点として設立された「矢崎ワイヤリング・テクノロジー・リトアニア有限会社」は、クライペダに拠点を置き、自動車およびトラック用のワイヤーハーネスを製造している。2006年にこの会社への投資は2500万ユーロに達し、3000人を雇用した。また、2003年にヴィルニュスに設立された「コーエー・バルティヤ」は、株式会社コーエーの関連会社として、コンピューターグラフィックス製品の開発を手掛けた。さらに、数年来ヴィサギナスに計画されている新しい原子力発電所の建設に際して、国際入札の結果、2011年に日立製作所が第一交渉権を獲得した（ただし、2016年にリトアニア政府が建設計画の延期を発表しており、今後実現の見通しは不透明である）。

（オウレリウス・ジーカス／櫻井映子訳）

日本とリトアニアの架け橋としての杉原千畝
——近年の顕彰を中心に

白石仁章

コラム17

2007年は、日本・リトアニア両国友好の記念すべき年であった。天皇皇后両陛下（現、上皇上皇后両陛下）がバルト三国御訪問の一環として初めてリトアニアを御訪問されたのだ。

天皇皇后両陛下（現、上皇上皇后両陛下）が訪れたネリス河畔にある通称桜公園内の杉原千畝記念碑

多忙な御日程にもかかわらず、5月26日、アダムクス大統領（当時）と共に両陛下はネリス河畔通称桜公園内の杉原千畝顕彰碑を御訪問されたのである。アダムクス大統領は両陛下をお迎えした昼食会のスピーチにおいて、杉原千畝が日本とリトアニア両国間の貴重な架け橋で「常にリトアニア国民の尊敬を集めている」と強調した（『朝日新聞』2007年5月27日朝刊）。また、彼の回想録である Valdas Adamkus *Likimo Valdas-Lietuva* 1998 が邦訳された（ヴァルダス・アダムクス、村田郁夫訳『リトアニア　わが運命』未知谷、2002年）際の日本語版序文にも「私たち二つの国は、数千キロメートルの距離をおいてありますが、二つの民族と国家の地理的ときに歴史的な隔たりは、両国を緊密に結びつける精神的な絆のまえに霞んで行きます」として、その「精神的な絆」こそ杉原千畝の人道的行為

であると賞賛している。

外交官が国家間の「架け橋」としての役割を果たすべきことは当然であるが、杉原はまさに没後30年以上も過ぎた今日なお「外交官の使命」を果たし続けていると言えよう。

彼の名前が広く知られることとなった契機は、1990年に幸子夫人が『六千人の命のビザ』（当初は朝日ソノラマから出版されたが、後に大正出版より『【新版】六千人の命のビザ』として改めて出版されている）を刊行したまさに同じ年に、リトアニアを含むバルト三国が再度の独立を果たし、世界の注目を集めたことであろう。多くの日本人にとって、バルト三国はなじみが薄かっただけに、数少ない重要な接点である杉原に対する関心もたかまったのである。さらに翌年、リトアニアの首都ヴィルニュスの通りの一つが「スギハラ通り」と命名されたことも、両国の親密化に大きく貢献した。ちなみに、2000年、杉原の生誕100周年を記念して外務省外交史料館に顕彰プレートが設置されたが、その除幕式は同年10月10日に挙行された。10月10日は、1990年に再独立を果たしたリトアニアと日本との間で国交が再び結ばれた記

カウナスにあるかつての領事館（現在は杉原記念館）。写真の人物は杉原記念館の館長

念日でもあった。このことは杉原千畝が両国友好の象徴的存在であることを端的に示していると言えよう。

そして今日、リトアニアのカウナスに残るかつての領事館の建物，現在では杉原記念館を訪れる日本人は年間2万人を超えている。また、領事館閉鎖後にビザに代わる渡航証明を発行した舞台でもあるホテル・メトロポリスやカウナス駅にも杉原を顕彰するプレートが設置され、彼の功績は広範にリトアニア人に伝わっている。その結果、今では彼の行なった人道的行為はリトアニアの教科書にまで採り上げられているほどである。

最後にいささか私的なエピソードを紹介し、本コラムを終えたい。映画「杉原千畝」は拙著『諜報の天才　杉原千畝』（新潮選書、２０１１年刊）を参考資料としたが、リトアニアでも大変好評であったと仄聞している。同映画について、本書では別コーナーが設けられているが（コラム18を参照）、一つだけあえてここで紹介したいことがある。映画の中で、リトアニア併合にあたりカウナスに進駐してきたソ連兵が軍服もよれよれで士気も低い様子が描かれていた。これは拙著執筆にあたりアダムクス元大統領の前記回想録を参考として書いた内容をそのまま映画の脚本家が再現してくれたシーンである。これも両国の精神的交流の一端を示しているのではなかろうか。

映画『杉原千畝　スギハラチウネ』（チェリン・グラック監督、２０１５年）

コラム18　木村護郎クリストフ

　在リトアニアの日本領事代理として、第二次世界大戦中、ユダヤ難民に日本へのビザを発行して数千人の命を救ったことで知られる杉原千畝は、『諜報の天才』（白石仁章著、新潮選書２０１１年）でもあった（コラム17を参照）。この映画では、ビザ発給はもちろん重要な要素となっているが、全体としてはむしろ、戦争が拡大する困難な状況下で懸命に外交による打開を図ろうとする杉原の姿に焦点があてられている。

　周到な情報収集で極秘情報を入手してソ連とナチス・ドイツの双方から危険人物として警戒され、国際情勢の正確な分析で日本の戦争遂行の無益さ・無謀さを指摘して軍部や上司から疎まれ、ついには外務省の指示に反したビザ発給のために戦後になって退職を余儀なくされてしまう……。自己保身を第一とする処世術の対極にあるような、大志への忠実を貫きとおす杉原のすがすがしい生き方を描き出すこの映画は、昔も今も変わらない事なかれ主義への痛烈な問題提起である。

　杉原の思想や行動を理解するうえで欠かせない二つの要素が、「宗教」と「言語」であろう。宗教について、この映画では、さりげなく、しかししっかりと描かれている。杉原が任地のロシア正教会の祭壇の前で十字を切る場面は、学生時代にキリスト教に接した杉原の後に成人してからロシア正教の洗礼を受けた杉原の背景を指し示す。宣伝文句にうたわれたように〝真実の物語〟を伝えようというこの映画の気概は、日本では避けられがちな宗教面を省かなかったことにも表れている。

コラム 18

映画『杉原千畝　スギハラチウネ』

『杉原千畝　スギハラチウネ』の一場面（©2015「杉原千畝　スギハラチウネ」製作委員会）

杉原の「人道性」を育んだ背景としては、彼が学んだハルピン学院の自治三訣

「人の御世話にならぬよう。
人の御世話をするよう。
そして報いをもとめぬよう。」

がしばしばあげられる。確かに学校の影響も重要な要素だろう。しかし、国家が至上の価値を持っていた当時、外交官の身でありながら、「お上」の命令よりも「人道愛」を優先する判断ができたということは、「国」を相対化する価値観を持っていたということなしには説明できない。

言語面については、映画のチラシにも杉原が「英語、ロシア語、ドイツ語、フランス語など数カ国語を操るインテリジェンス・オフィサー（諜報外交官）」であったことが真っ先に記され、その重要性が強調されていた。実際に、映像では舞台背景となる地域に応じて日本語、中国語、ロシア語、ドイツ語、リトアニア語の表記が用いられ、杉原が渡りぬいた多言語環境がうまく再現されていた。ナチス将校のドイツ語の号令から、難民となったユダヤ人たちの話すポーランド語、そして日本に向かうユダヤ人たちが船中で歌うヘブライ語の歌まで、多言語が効果的に用いられているのも、映画の聞きどころである。

ただ惜しむらくは、映画で杉原が日本人以外と話すのは、ほぼ英語のみだということである。情報収集に協力した白系ロシア人やポーランド人、接触したドイツ人、さらにはリトアニアのユダヤ人の子どもとも英語で会話している。これでは、この映画の焦点である杉原の諜報活動を支えていた根本にある多言語力がすっかり消えてしまう。それどころか、下手をすると、英語さえできればどんな情報も手に入るし世界中誰とでも話せる、という日本で蔓延している誤解を助長することになりかねない。杉原は、昨今はやりの英語オンリー「グローバル人材」とは違う。むしろ多言語を使いこなせたからこそ、あれだけの洞察を得ることができたのである。いずれにせよ字幕がついているのであるから、多言語にしても観客にとって問題にはならない。俳優には大きな負担になるが、説得的に杉原を演じた唐沢寿明ならば、多言語のセリフもこなせたにちがいない。ロケセットや衣装などの時代性にもこだわった本格派の映画だからこそ、肝心な言語面の迫真性にもこだわってほしかった。

57

日本・リトアニアの文化交流

★憧れと親近感によって結ばれた「両想い」★

日本・リトアニア両国間の交流の中でも、最も充実しているのは、文化交流である。19世紀末、ヨーロッパを魅了したジャポニズムの波がリトアニアに到達した。リトアニアにおけるジャポニズムの影響は、おそらくチュルリョーニスの作品においてのみ、はっきりした形で表れている。だが、文学の分野でも、20世紀前半に日本の短歌がロシア語から翻訳され、カジース・ボールタやカジース・ビンキスらリトアニアの文人が日本の詩形を用いた創作を試みたことが知られている。

1990年のリトアニアの独立回復後、日本との文化交流において最も重要な役割を果たしてきたのは、1997年にヴィルニュスに開設された日本国大使館と、1999年に東京に開設されたリトアニア共和国大使館である。その他、リトアニア柔道連盟、リトアニア極真空手道連盟、「縁《ゆかり》」エージェンシー（日本文化関連イベント・コースなどを主催）、盆栽スタジオ「先生」、日本文化会館、ヴィータウタス・マグヌス大学・学生クラブ「橋」など、様々な民間組織もまた、両国の文化交流に貢献してきた。リトアニア文化を紹介する初期の日本の組織としては、大学の研究者を中心に活動した「リェトゥヴァ（リトアニア）の会」が挙げられる。

リトアニアにおいてこれまでに開催された日本文化関係の催しの中でも、最大規模であったのは、1995年と2000年に行なわれた「日本文化週間」である。とくに一度目の開催時には、日本からの46人もの代表団が来日し、ダンス、音楽、茶道、生け花、書道、美術、盆栽など、日本文化を多角的に紹介した。また、2005年の「日EU市民交流年」は、互いの文化をよりよく知るための催しが多く実施され、両国にとって意義深い年となった。2006〜2007年には、在リトアニア日本大使館主催の「日本文化の日」が実施された。さらに、2011年から、盆栽家のケストゥティス・プタカウスカスの主導により、日本文化の芸術祭が毎年開催されている。そして、独立回復後、日本におけるリトアニア文化紹介の絶好の機会を提供したのは、2005年に愛知県で開催された国際博覧会「愛・地球博」であった。

美術　1992年、東京のセゾン現代美術館において、リトアニアの芸術家の中でも世界で最も広く名を知られているチュルリョーニスの展覧会が開催された（第42章を参照）。これは、国外におけるチュルリョーニスの作品展としては初めての規模の大きな展覧会であり、主要な作品の多くが展示されて話題となった。また、2005年には、東京でチュルリョーニスの生誕130周年が祝われた。

リトアニアは札幌で開催される「さっぽろ雪祭り」にも積極的に参加し、存在感を示している。「国際雪像コンクール」において、リトアニアのチームはこれまでに準優勝2回（2001年と2009年）と優勝2回（2002年と2011年）という好成績を収めている。2011年の優勝作品ではリトアニア人が愛してやまない蜜蜂の雪像に挑戦、「世界はミツバチの巣、責任を持とう」をテーマに、連帯感と責任感による共存を世界にアピールした。リトアニアチームは、２０１２年のフェスティバルにも同じメンバーで参加し、３位を獲得した。

日本美術もまた、リトアニアで広く紹介されている。独立回復後、日本の凧と独楽《こま》（１９９６年）、現代美術のポスター（１９９８年）、グラフィックデザイン（２０００年）、現代の手工芸品（２００１年）などの展覧会が、リトアニア各地で次々に催された。２０００年にはリトアニアの美術館が所蔵する葛飾北斎や歌川広重を含む版画作品を集めた「日本の古い版画百展」がヴィルニュス絵画美術館で開催された。２００５年には、リトアニアの16の図書館で、歌川広重による浮世絵「東海道五十三次」の移動展覧会が行なわれた。その他、１９７０年以降の日本の写真回顧展（２００７年）や、現代美術展「Big in Japan」（２００９年）がヴィルニュスなどで開催されている。

建築　建築に関する重要な文化プロジェクトとしては、リトアニアと日本、両国の建築家を結ぶフォーラム「イースト・イースト」が挙げられる。建築分野での二国間交流の道を開くことを目指し、第一回フォーラムが２００２年（カウナス）、第二回が２００９年（ヴィルニュス）、第三回は２０１１年（東京）、第四回は２０１３年（カウナス）において開催された。著名な建築家の作品が展示されるだけでなく、公開セミナーや学生たちのワークショップなども含んだ充実した内容で、両国の専門家から高く評価されている。

演劇　独立復活の興奮の冷めやらぬ１９９２年、劇団銅鑼が杉原千畝を主人公とした作品『センポ・スギハァラ』のリトアニア公演を行ない、観客を沸かせた。また、１９９６年には、リトアニアの女優エーグレ・ミクリョニーテによる、矢代静一原作の一人舞台『弥々』の日本公演が行なわれた。

二国間の共同演劇プロジェクトとしては、2004年のアイヴァラス・モーックスの戯曲に基づいた『sakura　イン・ザ・ウィンド』（直訳では『嵐の中の桜』）が日本で上演された。シベリアに強制移住させられたリトアニア人女性と日本人捕虜の愛の物語であり、ヨーナス・ヴァイトクス演出で、両国の俳優陣が出演した。また、伊香修吾の演出による、権代敦彦作曲のオラトリオ『桜の記憶』は、杉原千畝に捧げられた作品であり、2013年にカウナスにおいて初演された。

その他にも、リトアニアは、多種多様な日本演劇に触れる機会に恵まれてきた。1998年、国内外で評価の高い舞踏グループである山海塾の公演が、国立オペラ・バレエ劇場で行なわれた。さらに、2001年の歌舞伎役者の市村萬次郎の公演や、2004年の江戸糸あやつり人形結城座、2011年の八王子車人形劇団のヴィルニュス講演など、枚挙にいとまがない。

音楽　日本において、リトアニアの音楽は高い評価を得ている（第43章を参照）。これまでに、リトアニア国立交響楽団、国立室内管弦楽団、チュルリョーニス・カルテット、ピアニストのペートラス・ゲニュシャス、および、ムーザ・ルバツキーテら、リトアニアの一流の演奏家たちの来日コンサートが開催され、好評を博している。とりわけゲニュシャスは日本との関わりが深く、リトアニアの独立回復後の1992年から4年間ヤマハ音楽振興会で教師を務め、2001年のリトアニア大統領来日の折には東京でコンサートを開催した。

リトアニア人もまた、国の独立回復後、日本の作曲家の作品に触れる機会に恵まれた。1999年、伝説のヴァイオリン奏者ライムンダス・カティリュスとピアニストのゲニュシャスにより、日本の著名な現代音楽の作曲家である武満徹、湯浅譲二、吉松隆らの作品が演奏された。2000年には、和楽器の演奏家である吉村七重（二十絃箏）と三橋貴風（尺八）が、ヴィルニュスでクラシック音楽と現代音楽の演奏会を開いた。

庭園　リトアニアに紹介された日本文化の中には、景観建築も含まれる。とりわけ桜はリトアニアでも愛され、２００１年に杉原千畝生誕１００周年を記念して、ヴィルニュスに植えられた桜並木は市民の集いの場となっている。

リトアニアの盆栽人気の最大の功労者は、前述の盆栽家プタカウスカスである。プタカウスカスは国際的な盆栽展に積極的に参加し、数々の価値ある賞を獲得している他、２００３年にアリトゥスで始めた盆栽の展覧会を、広く日本文化の芸術祭に発展させた。

２０１２年には、０・５ヘクタールもの規模を持つリトアニアで最初の日本庭園が、ヴィルニュス大学の植物園に作られた。日本造園家らが計画に参加した、江戸時代の回遊園の原理で作られた本格的な日本庭園は、四季折々の日本文化の魅力を味わうことのできる貴重な空間となっている。

その他にも様々な分野において、日本とリトアニアの文化交流が展開されている。紙幅の都合によりここでは扱えなかった映画やポップカルチャーについては、第59章を参照されたい。

（オウレリウス・ジーカス／櫻井映子訳）

姉妹都市
――クライペダ市と久慈市の琥珀の絆

クライペダ市と久慈市（岩手県）の姉妹都市関係は、リトアニアと日本の間に結ばれた協力関係の中でも、最大の成功例の一つに数えられる。リトアニアが日本との外交関係を回復する以前の1989年、クライペダ市と久慈市は姉妹都市となった。両市がともに産出する琥珀を縁に始まった交流は、互いの危機を支え合い、友情を培ってきた。

クライペダ市章

コラム19　オウレリウス・ジーカス

1991年1月13日、リトアニアの分離独立宣言を認めないソ連の武力介入により、市民14人が犠牲となり多数の負傷者が発生した。これを知った久慈義昭市長率いる久慈市は、独自の判断でリトアニアの独立支持（および武力行使への抗議）を表明する電報をソ連政府に送った。そして、リトアニアの独立回復後の最も早い時期に、久慈市はクライペダ市への支援活動を開始した。救援募金によりおよそ12万ドルの支援金を集め、クライペダ市立病院に医薬品・医療機器を寄付した。

一方、2011年3月11日の東日本大震災により、久慈市は大打撃を受けた。クライペダ市とその市民たちは直ちに支援活動に着手し、救援募金およそ2万ユーロによって、久慈市の人々を支援した。クライペダの小学校は協力して「千羽鶴」キャンペーンを組織し、子どもた

久慈市章

ちが折った鶴をクライペダの中心広場に飾り、久慈の子どもたちへの友情と哀悼の意を表した。

　そうした非常時のみならず、両都市は恒常的に互いの文化の理解に向けた努力を積み重ねてきた。1992〜1993年に久慈市で日本語を学んだヴィータウタス・ドゥムチュスは、その中心的人物の一人である。帰国後、クライペダにおいて日本語と日本文化を教え、書道展、折り紙展、映画祭などの催しを組織し、日本の民話と俳句の翻訳に携わるなど、日本文化紹介のために尽力してきた。1994年には、久慈市の支援により、クライペダ大学に東洋学センター（現在の東洋学科）が設立された。また、毎年7月に開催されるクライペダの年中行事「海の祭り」では、久慈市から派遣された日本人アーティストたちが日本文化を紹介する役割を担っている。

　一方、久慈市においても、リトアニア文化が積極的に紹介されている。1998年の久慈市の「琥珀まつり」では、リトアニアの琥珀コレクションが展示された。2001年には、琥珀を始めとするリトアニアの民芸品、工芸品、食品などを扱う物産館「GINTARO《琥珀の》リトアニア館」が、日本国内で唯一の琥珀博物館である久慈琥珀博物館に併設された。開設当初はリトアニア料理のレストランも開かれた（おそらくこれが日本で最初のリトアニア料理レストランである）。また、久慈市では、これまで、リトアニア音楽のコンサートや芸術作品の展覧会、子どもたちの絵画展なども開催されている。

物産館「GINTARO リトアニア館」の外観（上）と館内の様子（久慈琥珀㈱提供）

このように、琥珀の縁によってソ連体制末期という特異な状況で友好関係を結んだ二つの都市は、国家とは別の次元の自治体外交に果敢に挑戦し、継続して相互援助と文化交流を推進することにより、両市民間に強い連帯感を育んできた。その取り組みは国際的にも注目を集め、１９９５年にハーグで開催された「地方自治体世界会議」において、自治体外交および国際協力の可能性を示す興味深い例として高く評価された。

姉妹都市締結20周年にあたる２００９年、クライペダ市の時計博物館において、両市は改めて姉妹都市提携継続の合意文書を取り交わした。また、今年２０１９年には、姉妹都市締結30周年記念式典が催された。

これまでに、札幌、岐阜、泉大津などが、リトアニアの都市との友好関係締結を希望しているが、いまだ実現には至っていない。クライペダ市と久慈市は、現在もなおリトアニアと日本の間で結ばれた唯一の姉妹都市であり続けている。

（櫻井映子訳）

58

リトアニアにおける日本研究

★日露戦争からグローバル化の現在まで★

リトアニアにおいて、地理的に遠く離れた日本への関心が芽生えたのは比較的遅く、19世紀と20世紀の変わり目、とりわけ日露戦争を契機としたものであった。リトアニアの日本人論の先駆けは、当時の著名人ステーポナス・カイリース（１８７９～１９６４）によるものである。カイリースは、「小国」である日本がはるかに大きなロシア帝国との戦争に勝利したことに衝撃を受け、「おじさん」というペンネームを用いて、日本の歴史、憲法、慣習に関する3冊の紹介書を出版した（１９０６年）。その目的は、日本の社会と文化の中に、強さの理由を探し求めることであった。

専門的な学問としての日本論の発展は、１９９０年のリトアニアの独立回復を待たねばならなかった。それまで、日本についての知識は、おもに日本を訪れたリトアニア人によってもたらされていた。おそらく、最初に日本にやって来たリトアニア人は宣教師である。そのうちの一人は、アルビナス・マルゲーヴィチュス（日本名は有美《あるび》野《の》仁《ひとし》）であり、およそ60年にもわたる日本での暮らしをリトアニアへの手紙に書き綴った。１９８７年には、著書『ワタシは日本人』を東京で出版している。また、ジャーナリストで旅行家のマータス・シャルチュスもまた、早くに日本を訪問したリトアニア人の一人である。シャルチュスは日本を二度訪れ（1914年と1933年）、リトアニアでベストセラーとなった著書『40の民族を訪ねて』（1936年）の中でその印象を書き記している。

ソ連時代も日本についての旅行記は変わらず人気を保った。ミーコラス・リュベツキスによる『黄海の向こう』（1960年）、アルベルタス・ラウリンチュカスの『台風の怒り』（1984年）、ロムアルダス・ランカウスカスの『東京のセミ』（1989年）といった、ジャーナリストらによる日本滞在記が書かれた。当時のリトアニア人を惹きつけたのは、日本の経済的繁栄、文化的発展、そして、古くから受け継がれてきた伝統であった。そのような関心に最もよく答えたのは、著名なジャーナリストであり科学者でもあるロムアルダス・ネイマンタスである。ネイマンタスは何度も日本を訪れ、『火山の上の暮らし』（1984年）、『茶碗の中の世界』（1994年）、『ネームナス川から富士山まで』（1992年、2003年）を執筆、後にリトアニアが独立を回復すると、学生たちに日本論の講義を行なった。

1970年代は、リトアニアにおける専門的な日本研究の萌芽期である。ちょうどこの頃、モスクワやレニングラード（現在のサンクトペテルブルク）で、アジア諸国について学んだリトアニア人たちが、国に戻り始めたのである。この世代の研究者の中でも、際立って多作であったのは、アジア諸国の芸術、美学、哲学を研究したアンターナス・アンドリヤウスカスである。彼の日本研究における最も重要な著作『日本の伝統的な美学と芸術』（2001年）では、伝統的な日本の美学、および、芸術的な動向、理念、ジャポニズム現象などについての分析がなされ、日本の詩、演劇、書道の美学を概説、さらに、日本人の日常的な生活文化の紹介が行なわれている。

第58章

リトアニアにおける日本研究

ソ連体制最後の数十年間には、アルヴィダス・アリシャウスカス、ダレ・シュヴァンバリーテ、ガビヤ・ジュカウスキエネ、ヴィータウタス・ドゥムチュスら、リトアニアの歴史上初めて、日本語能力を備え、直に日本文化に触れることのできるリトアニア人研究者が現れた。かくして、リトアニアの独立回復後、専門的な日本研究とそのための機関が整えられていった。ヴィルニュス大学(1992年)、ヴィータウタス・マグヌス大学(1993年)、クライペダ大学(1995年)において、日本語教育が開始された。それを基礎にリトアニアの三つの日本研究センターが作られ、最終的には、それぞれがより規模の大きなアジア研究(東洋研究)センターに発展した。小島亮、畑中幸子、高馬京子ら、リトアニアで教育・研究活動に従事した日本の学者たちも、この国の日本学研究の確立に大きく貢献した。彼らは日本語・日本文化の教師であると同時に研究者であり、日本学関係書籍のコレクションの充実のために尽力し、帰国後は日本のリトアニア「大使」として活躍している。

現在、リトアニアでは、ヴィルニュス大学の東洋学センターおよびヴィータウタス・マグヌス大学(カウナス)のアジア研究センターという二つの高等教育機関が、日本研究のプログラムを実施している。ヴィルニュス大学は1995年にリトアニアで最初の日本学の専門プログラムを作った。ここでは、古典的な日本の文化や歴史に重点が置かれ、2000年には、アジア比較研究専攻に統合された。2006年以降は、ヴィルニュス大学の修士課程の院生は、現代アジア研究専攻において日本研究を選択することができる。

一方、ヴィータウタス・マグヌス大学では、2007年に修士課程のプログラムとして、東アジア地域研究専攻が作られた。このプログラムでは、日本の歴史や文化よりも、現代日本の社会、政治、経済に重点が置かれている。また、2012年にヴィータウタス・マグヌス大学に開設された、学士過程の東アジア諸国の文化・言語専攻は、バルト諸国で最大のアジア研究プログラムである。常に350人にのぼる学生を抱えており、そのうち150人が第一言語として日本語を選択している。

その他の日本語を学ぶことができる施設としては、まず、ヴィルニュス大学の東洋言語学校およびヴィータウタス・マグヌス大学外国語学院が挙げられる。また、ヴィルニュスのいくつかの中学校でも日本語が教えられている。さらに、日本のポップカルチャーを好む若者たちは、インターネットなどを介して、日本語を独学で学ぶことが多い。リトアニアで最初の日本語の電子教科書『日本語』(http://japonukalba.vdu.lt/) は、そのような独学の日本語学習者を支援している。また、日本語学習者・研究者の助けとなる新しい辞書としては、2002年に出版された最初のリトアニア語による日本語漢字辞典であるダレ・シュヴァンバリーテ編纂の『漢リ字典』と、筆者が編纂し2016年から電子版をオンラインで無料公開している『リトアニア語・日本語/リトアニア語・日本語辞典』(http://jishokun.lt/) が挙げられる。

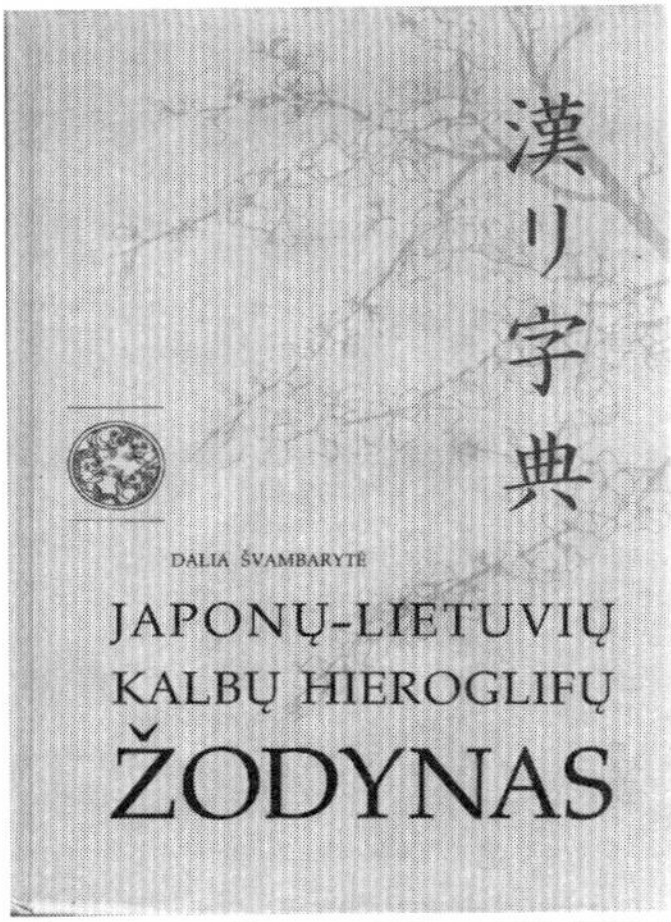

ダレ・シュヴァンバリーテ編『漢リ字典』(Dalia Švambarytė, *Japonų-Lietuvių kalbų Hieroglifų žodynas*, Vilnius: Alma Littera, 2002)

ヴィルニュス大学の東洋学センターとヴィータウタス・マグヌス大学のアジア研究センターは、日本関連の書籍を蓄積し、図書館を拡大し続けている。リトアニアで最大の

オウレリウス・ジーカス編『リトアニア語・日本語／リトアニア語・日本語辞典』

アジア研究関連の蔵書数を誇るヴィルニュス大学には、1万冊以上の書籍が収められている。ヴィータウタス・マグヌス大学の杉原千畝図書室には、アジア諸国に関する書籍が約6千冊蓄積されているが、そのうち最も大きな割合を占めるのは、日本研究の専門書である。

1995年以降、リトアニアの大学は日本の大学と積極的な交流を行なっている。最も重視されているのは、交換留学のプログラムである。当初は、リトアニアから日本に派遣留学する学生は1年に1〜2人に過ぎなかったが、近年は年に合計数十人の学生が大阪大学、東京外国語大学、筑波大学、国際教養大学、早稲田大学、国際基督教大学などの日本の大学に留学している。リトアニアに来る日本人留学生の数も急増しており、年に数十人にのぼる。リトアニアの大学の博士課程には、日本学またはアジアに関する研究の専門的プログラムがないため、博士課程の院生は、他の人文・社会科学系の専攻に所属し、日本語や日本文化に関する学位論文を執筆している。日本の大学の博士課程で博士号を取得する者もいる。また、国際的な共同研究の実施やシンポジウムの共同開催など、教育活動に加えて学術研究においても、両国の協力関係はいっそう充実しつつある。

（オウレリウス・ジーカス／櫻井映子訳）

59

日本ブーム

★リトアニアで注目を浴びる日本文化★

ビルテ・ライリエネによれば、1891年に新聞『ジャマイティヤ・リトアニア時評』に掲載された、日本におけるカトリック師団の活動についての情報が、日本に関する最初の情報とされている。その後、リトアニアの日本研究書でも述べられている通り、ステーポナス・カイリースによって書かれた日本人論も、日本に興味を持たれた最初の出来事の一つといえるだろう（第58章を参照）。

日本機関によって日本文化の紹介がなされるのは、独立回復を待たねばならないが、旧ソ連時代にも、後述のように、人気を博した阿部公房の『砂の女』の翻訳が広く読まれている（第60章を参照）。また、1975年の宝塚のソ連海外公演は、最初リトアニアのヴィルニュス、カウナスで開催され（北村2018）、1975年9月30日付のリトアニア・ソ連共産党新聞、『カウナスの真実』等にも、好意的記事が掲載されていた。このように、当時は、日本文化は、ソ連経由で紹介されていたともいえよう。

独立回復後、1992年度より、政府ベースによる文化交流事業が実施されてきた。文部省国費留学生の受け入れ、日本語関係図書寄贈、大学等に対する日本関係の施設設備およびテレ

第59章

日本ブーム

ビ局への放映材料等の協力を行ない、文化交流の足掛かりが作られている。また、在リトアニア日本大使館が公表しているように、日本の対リトアニア文化無償協力として、1997年にチュルリョーニス国立美術館に対する視聴覚機材の提供が行なわれたことを皮切りに様々な文化的に支援されている。そのような日本のリトアニア文化支援や、また2000年のヴィルニュス大学、2001年のヴィータウタス・マグヌス大学に日本語教育のための学習教材を提供したことは、間接的、直接的に日本ブームを支えるリトアニアの若者の育成に貢献に繋がったといえるだろう。

1992年に劇団銅鑼が日本で上演した『センポ・スギハァラ』という劇が、1994年8~9月にヴィルニュスとカウナスで既に上演された。また、同劇団は、2004年には、『Sakura イン・ザ・ウインド』という作品をリトアニア人演出家や俳優と協力して上演し、2005年9月にリトアニアでも上演された。

リトアニア日本友好協会 Lietuvos Japonijos draugystės asociacija が設立され、1995年には、日本リトアニア友好協会と協力し、「日本文化週間」を実施した。96年1月には、矢代静一原作の一人舞台『弥々』がリトアニアの女優ミクリョニーテにより演じられた、継続的に演じられている。

大使館主導の日本文化紹介が始まったのは、97年2月には日本大使館が開設したときである。開設を記念して、ヴィルニュスにおいて日本映画週間が、同年12月にはカウナスにて映画祭が実施され、現在でもヴィルニュスで日本映画祭は開催され続けている（国際交流基金主催）。また、同年3~4月には「あなたはいかに日本をイメージしますか」をテーマとするリトアニア児童絵画展がヴィルニュスにおいて開催された。98年には国際交流基金巡回展「現代日本ポスター展」（於ヴィルニュス、9月）、「折り紙ワークショップ及び展示会」（於ヴィルニュス、10〜12月）、劇団「山海塾」公演（10月）、「日本映画祭」（於クライペダ、12月）等が開催された。その後、国際交流基金主催・助成の定期的な文化事業を中心に、今日に至るまで拡大傾向にあるとされている。日本文化関連行事には毎回多くのリトアニア人が集まることから、日本文化への高い関心が窺える

21世紀に入り民間レベルでも日本文化の紹介されるようになるが、大きな民間の日本文化イベントとして代表的なものが二つ挙げられる。一つは盆栽家であるケストゥティス・プタカウスカスによって２００３年からアリトゥス、昨今ではヴィルニュスで開催されている盆栽や日本庭園をテーマとした日本文化のイベントである。もう一つは２００８年からマンガのコスプレ大会として始まったNOW JAPANで、現在では在リトアニア大使館を筆頭に様々な支援協力を受けながら、日本の現代大衆文化のみならず伝統文化も紹介する日本ポップカルチャー全般に触れられる機会となっている。筆者が２０１４年のNOW JAPANで来場者にアンケート調査をした際、大衆文化というと、リトアニアで普及しているものは、リトアニア独自の文化ではなく、テレビ等で流れるアメリカなど海外の文化事象が多いが、「リトアニアにはない」日本の大衆文化もその一つという回答を多く得たことからも人気の秘密も伺える。また、イベントではないが、リトアニアのパランガに17万平方メートルという欧州最大級の日本庭園造りも進められ、日本庭園もリトアニアにとっての人気の日本文化の一つとなりつつある。

また、日本ブームという点では、食についても言及すべきであろう。スシをはじめとする世界の日本食ブームは、リトアニアでも健在だ。２０１５年6月時点における在リトアニア日本大使館の調査

によると、ヴィルニュスに存在する日本食レストランは25件に及ぶ。中には日本人料理人による店もあるが、だいたいがリトアニア風にアレンジされ、理解された寿司「スシス」が中心である。店のレベルも会食に使えそうな高級の部類に入るであろうレストランから、気軽にファーストフード感覚で食べれる店まである。また、リトアニア内にあるスーパーマーケットでも、リトアニア風寿司や日本製の寿司酢、ワサビ、のりといった食材も購入できる程、寿司の人気は高い。

また、ハローキティーの絵のついた自転車にのってヴィルニュス郊外のアパートの中庭を遊ぶ子ども達を見られるようにハローキティー製品も展開されている。しかし、それが日本のキャラクターと知らない可能性もあり、日本のものと知らずに享受する、明示的ではない日本ブームの一種とも存在するといえよう。

ガリが中に入ったリトアニア風のお寿司

冒頭で書いたカイリースの日本人論が示すように、日本に対するイメージは、好意的イメージからスタートしたといえる。大衆メディアレベルで見てみると、たとえば、リトアニアのニュースサイト「デルフィ」で提示された日本に関するステレオタイプとして「日本は世界で最も技術的に進んだ国である」「日本の会社はいい職場ではない」「日本女性は男性の後にいる」「日本は物価が高い」「日本のインターネットは早い」

「日本は小さい国だ」等が挙げられそれに対して日本在住のリトアニア人が「実際の体験」を通してその日本に関する「神話」に対する個人的意見が掲載されている。一例として、筆者がフランスとの比較で1995年から2005年のリトアニアの新聞における日本女性に関する記事を調べた際、フランスではゲイシャという言葉は「日本人女性」の比喩表現として皮肉的使用に留まるほど浸透しているのに対し、リトアニアではゲイシャとは何かを丁寧に説明する特集が目立っていた。さらに2012年の「デルフィ」の記事でもまだ同様のゲイシャ特集が紹介されるように、リトアニアにはない盆栽、庭園、スシ、ゲイシャ、コスプレといった、エキゾチックな遠い国としての日本のイメージが形成されている。

リトアニアが日本に興味を持って以来、自発的に、また戦略的に様々な形で日本文化がリトアニアで広がり、受け入れられ、育まれてきた。「親日家」が多いとされるが、まだ日本企業の進出も本格的ではない状況で、日本文化が「リトアニアの文脈で」異文化受容され、ブームとなることは両国の交流、関係を築く上でも重要な媒介となるだろう。（本章は2015年の情報に基づいている。）（高馬京子）

60

リトアニア語に訳された日本文学

★安倍公房から村上春樹まで★

「親日家」が多い国として知られるリトアニアだが、日本文学はリトアニア語にどれほど訳されているのであろうか。2015年3月現在、リトアニア国会図書館の著書カタログで「日本文学――リトアニア語翻訳」（単行本のみ）をキーワードに調査したところ、52タイトル（5タイトルのマンガを含む）であった。1950年代から今日までリトアニアでどのような日本の文学のリトアニア語翻訳が出版されてきたか、見ていこう。

独立前――共産主義作家（1950年代）から『砂の女』まで

先に挙げたリトアニア国会図書館のリトアニア語に翻訳された最初の日本文学の単行本は、1954年にリトアニアの出版社ヴァガ（Vaga）から出版された高倉テル（タカクラ・テル）の『ぶたの歌』であった。1947年に高倉が書いた『ミソクソ』の中で紹介されている経歴によると、ロシア革命とマルクス主義に影響をうけ、中国や旧ソ連を訪れた高倉の本は、当時スターリン政権の下、リトアニアで準備されたのである。文学や芸術に対するイデオロギー検閲が緩んだ1956年頃から、ヴァガによって日本文学が出版されるようになった。1965年には芥川龍之介の『羅生門』、1970年には遠藤周作の『私が棄てた女』、川端康成の作品として、1971年の『雪国』、1976年には『山の音』、1973年には安倍公房の『砂の女』、1982年には菊池寛の『真珠夫人』の翻訳が出版されている。リトアニア日本文学の短編分類の図書カードを見ていると、「Kobo Abe」「Yasunari Kawabata」とその他とあるように、この二人が独立前は注目されていたことが伺える。川端康成は言うまでもなくノーベル賞作家として名を世界に馳せていたことからも日本文学の代表的存在としてリトアニアでも見なされていたことが分かる。文芸評論家の佐伯彰一によれば、安倍公房は、共産主義に興味を持ち、1956年に東欧を訪れているが、実際の姿を見て、政治姿勢を変えたといわれている。安倍公房の『砂の女』は外国語訳としては、初めて1964年に英語訳が刊行しているが、リトアニアでは、まずこの小説の最後の部分が、1966年11月に発行されたリトアニアの文芸週刊誌「全国のプロレタリアートのためのリトアニアのソヴィエト社会主義共和国同盟の週刊誌」である『文学と芸術』に紹介された。この週刊誌の性格からも、『砂の女』は、プロレタリアートのための小説としてリトアニアでは位置づけられていたことが読み取れる。リトアニアのみならず、佐伯は1960年以降、東欧諸国で『砂の女』が読まれた理由として、日本の読者には政治的要素は関与しないものの、社会コンテクストによって政治的要素を含み、共産主義システムの批判を暗示しているアレゴリーとして特徴づけている。『砂の女』の翻訳を出版したヴァガの元編集長ヤニナ・リシュクテによると、外国文学の情報などほとんどなかったソ連時代、文学・芸術活動に関する検閲機関が存在し、編集委員会が文面を訂正するのみならず、社会主義の価値観に相応しい言葉を加えられており、そのようなプロセスなしには、本は決して出版されなかったとしている。

たとえば、ロシアの文芸評論家のアレクサンドル・A・ドーリンが指摘するように、西欧で人気のある三島由紀夫は、作家の政治的志向のため、旧ソ連では、出版が禁止されており、リトアニアもその影響を受けたが、三島の翻訳が初めてリトアニアで出版されたのは、リトアニアのEU加盟の年、2004年のことであった。『砂の女』は、中国では中国共産党社会のメタファーとして描かれ、アメリカ人の学生からは、アメリカの自由のない社会として捉えられるとするように、この『砂の女』の様々な解釈を生成する特徴が、リトアニアでも多くの受容に繋がったのかもしれない。

独立後、およびEU加盟後のリトアニア語に翻訳された日本文学――村上春樹人気

独立後、リトアニア語に翻訳された日本文学の作家として、有島武郎、吉本ばなな、大江健三郎などが挙げられる。また、EU加盟直後から、三島由紀夫、江國香織、村上龍、谷崎純一郎、鈴木光司、また2007年には清少納言、2009年には井原西鶴などの翻訳も見られる。冒頭で示したように、リトアニア語に翻訳されたマンガも2007年に翻訳出版が始まった『ドラゴンボール』を皮切りに『NARUTO　―ナルト―』や『Hellsing（ヘルシング）』5タイトル訳されているが、出版巻は途中までで、2010年以降は出版されていない。それに対して、独立前の安倍公房のように人気を博しているのが村上春樹の小説である。2016年3月30日現在、『羊をめぐる冒険』から『女のいない男たち』まで14タイトルの村上春樹の小説がすでに翻訳され、大抵のこれらの村上小説は重版され続けている。マンガの翻訳出版の低下は、2008年以降の経済の減速や、またアニメなどの非合法手段でのネット公開普及なども考えられ得るのに対し、村上春樹の翻訳は、重版も含む全80タイトルのリ

トアニア語への日本文学翻訳のうち38タイトルを占め、２０１５年にも新タイトルの出版、重版され続けている。

それにしても、村上の小説はどのように、リトアニアに紹介されたのであろうか。『羊をめぐる冒険』が出版されるにあたってリトアニアのEU加盟前年の２００３年の11月21日付けインターネットニュースサイト「デルフィ」に掲載された記事抜粋を見てみたい。

リトアニアの本屋の村上春樹コーナー（櫻井映子撮影）

「ハルキ・ムラカミは、レアリスムの日本文学の潜在的ノーベル賞候補者の一人である。コーヒーショップや、レストランなどでムラカミの新刊は議論される。この考え方は、ムラカミの成功した翻訳が今までみたことがないほど大きなスケールで売られている西洋によって支持される。アメリカ人批評は、今日のムラカミに匹敵する作家はいないという。ムラカミは、この地球の最も人気のある日本人作家になった。」

注目すべきは、村上は単なる日本の作家としてではなく、西洋で支持されている日本人作家として描かれていることである。２００５年10月３日付けの朝日新聞の書評で村上文学が国境を越えて読まれる理由として、村上作品が生まれた日本の70年代のように、急激な経済成長を迎えた中国社会の喪失感を抱く登場人物に感情移入できる、また、アメリカでは村上文学の現代感覚が惹きつけるとしている。このことは、リトアニア独立以前の安倍公房と同様で、様々な国がその国独特の様々な問題を、村上の物語や登場人物に反映させていることが共通点として挙げられる。このように、村上春樹自身が述べるように「社会のカオスのアバンギャルド」である日本は、社会のカオスを有する「後進」国にとってのある種お手本になっているとも考えられる（朝日新聞夕刊、２００５年10月３日）。リトアニアでも同様で、ベルリンの壁が崩壊し、１９９０年代独立、そしてＥＵに加盟するなど社会体制の大きな移行期を迎えた独立後のリトアニア社会の「カオス」の中で生きる人々たちの共感を呼んだともいえるのではないか。いわゆる「ゲイシャ・サムライ」という紋切り型の日本が散りばめられる本ではない。あるリトアニアの村上ファンにインタビューしたとき、彼女は、「私達欧州人にも理解できる」と述べたが、村上春樹の小説は、エキゾチシズムなど19世紀～20世紀初頭的な西洋上位を前提とする（自己）オリエンタリスムを醸し出すものではなくて、「私達に近くて、独創的だから」とする。このように、阿部公房も村上春樹も、「文化的無臭」（岩渕２００２）ではあるが、ある意味ポストモダンの最先端をいく日本独自の特徴としての日本性を提言し、深く、多くの読者を魅了するともといえよう。（本章は２０１６年時点の調査に基づき執筆されている。）

（高馬京子）

もっとリトアニアを知りたい人のために

Ⅰ　リトアニアのあらまし

Paltanavičius, Selemonas, *Lithuanian Nature*, Vilnius: Baltos lankos, 2005.〔1、コラム7〕

Semaška, Algimantas and Ingrida Semaškaitė, *LITHUANIA – a state at the center of Europe*, Vilnius: Algimantas, 2013.〔1、2、3〕

口尾麻美『旅するリトアニア』グラフィック社、2014年。〔2、3、46、コラム13、51〕

Mildažytė, Edita, *Lithuania on a First Date*, Vilnius: Tyto alba, 2012.〔2〕

「地球の歩き方」編集室『地球の歩き方 バルトの国々　エストニア ラトヴィア リトアニア』改訂第12版、ダイアモンド社、2019年。〔3、45〕

Venclova, Tomas, *Vilnius*, Vilnius: R. Paknio leidykla, 2001.〔3〕

古田陽久著／世界遺産総合研究所企画・編集『世界遺産ガイド　バルト三国編』シンクタンクせとうち総合研究機構、2018年。〔コラム1〕

Ⅱ　言　語

村田郁夫「リトアニア語」『言語学大辞典』三省堂。〔4、5、コラム3〕

櫻井映子『ニューエクスプレスプラス　リトアニア語』白水社、2019年（『ニューエクスプレス　リトアニア語』の増補版）。〔5〕

三谷惠子「環バルト海地域の言語接触と言語変化」『スラヴ学論集』21号、2018年。〔5、6〕

村田郁夫『リトアニア語基礎1500語』大学書林、1994年。〔5〕

風間喜代三『言語学の誕生――比較言語学小史』岩波新書、1978年。〔6〕

神山孝夫『印欧祖語の母音組織――テキストの読解と分析』大学教育出版、2006年。〔6〕

吉田和彦『比較言語学の視点――研究史要説と試論』（シリーズ・言語学フロンティア02）大修館書店、２００５年。〔6〕
小森宏美「バルト三国の言語政策」山本忠行・河原俊昭編著『世界の言語政策　第３集――多言語社会を生きる』くろしお出版、２０１０年。〔7、8、36〕
小森宏美・橋本伸也『バルト諸国の歴史と現在』（ユーラシア・ブックレット№37）東洋書店、２００２年。〔7、8、12〜18〕
伊東孝之「クレスイ kresy」『世界民族問題事典（新訂増補）』平凡社、２００２年。〔9〕
森田耕司「ポーランド語」『事典 世界のことば１４１』大修館書店、２００９年。〔9〕
森田耕司「クレスイ（Kresy）のポーランド語――歴史と現在」『言葉とその周辺をきわめる⑷』東京外国語大学語学研究所、２０１７年。〔9〕
栗林　裕「バルト・スラヴ語世界におけるチュルク系少数言語――カライム語とガガウズ語」『スラヴ学論集』21号、２０１８年。〔10〕
Csató, Éva. Lithuanian Karaim. *Tehlikedeki Diller Dergisi*, Cilt 1 Sayı 1, 33-45, 2012.〔10〕
Firkovičius, Mykolas. *Mień karajče ürianiam* [I learn Karaim] : aš mokausi karaimiškai. Vilnius: Danielius, 1996.〔10〕

Ⅲ　歴史

Gimbutas, Marija., *The Balts*, London: Thamas and Hudson, 1963.〔11、52〕
Suziedelis, Saulius A., *Historical Dictionary of Lithuania, Second Edition*, Lanham: The Scarecrow Press, 2011.〔11、52〕
ヴェルナツキー、ジョージ著／松木栄三訳『モスクワ公国とリトアニア公国：東西ロシアの黎明』風行社、１９９９年〔１９５９年〕。〔12〕
三浦清美『ロシアの源流――中心なき森と草原から第三のローマへ』（講談社選書メチエ２７４）、講談社、２００３年。〔12〕
山内　進『北の十字軍――「ヨーロッパ」の北方拡大』（講談社選書メチエ１１２）、講談社、１９９７年（２０１１年、講談社学術文庫として復刊）。〔12〕
ローウェル、S・C「祈りは聞き届けられたのか――一五世紀リトアニアとポーランドの聖人崇敬」大津留厚編著『中央ヨーロッパの可能性――揺れ動くその歴史と社会』昭和堂、２００６年。〔12〕
Snyder, Timothy. *The Reconstruction of Nations: Poland, Ukraine, Lithuania, Belarus, 1569-1999*. New Haven: Yale University

Press, 2003.〔12、13、38〕
カセカンプ、アンドレス著／小森宏美・重松尚訳『バルト三国の歴史――エストニア・ラトヴィア・リトアニア　石器時代から現代まで』明石書店、２０１４年。〔13、15・16・17・18〕
小山　哲「近世ヨーロッパの複合国家――ポーランド・リトアニアから考える」近藤和彦編著『西洋史講義』山川出版社、２０１５年。〔13〕
福嶋千穂「古儀式派周辺のキリスト教各宗派」阪本秀昭・中澤敦夫編著『ロシア正教古儀式派の歴史と文化』明石書店、２０１９年。〔13〕
梶さやか「ナポレオン時代のポーランドとリトアニア――１８１２年ポーランド王国総連盟にみる国家像」『史林』第86巻第5号、２００３年。〔14〕
梶さやか「ロシア帝国リトアニアにおける自治・憲法計画（１８１１～12年）――国家観と「国民」概念」『東欧史研究』第31号、２００９年。〔14〕
梶さやか「ヴィルノ大学とロマン主義知識人」橋本伸也編著『ロシア帝国の民族知識人――大学・学知・ネットワーク』昭和堂、２０１４年。〔14〕
エイディンタス、アルフォンサスほか著／梶さやか・重松尚訳『リトアニアの歴史』明石書店、２０１８年。〔11～18、コラム４〕
梶さやか「近年のリトアニアの歴史的自己像――記念行事をめぐって」橋本伸也編著『ＥＵ拡大後のエストニア・ラトヴィアにおける国家統合と複合民族社会形成に関する研究（研究成果報告書）』関西学院大学、２００９年。〔コラム４〕
志摩園子『物語バルト三国の歴史』（中公新書１７５８）、中央公論新社、２００４年。〔15・16・17・18〕
野村真理「自国史の検証――リトアニアにおけるホロコーストの記憶をめぐって」野村真理・弁納才一編『地域統合と人的移動――ヨーロッパと東アジアの歴史・現状・展望』御茶の水書房、２００６年。〔コラム５〕
ロリニカイテ、マーシャ著／清水陽子訳『マーシャの日記――ホロコーストを生きのびた少女』新日本出版社、２００７年。〔コラム５〕
Nikžentaitis, Alvydas, Stefan Schreiner, Darius Staliūnas (eds.) *The Vanished World of Lithuanian Jews*, Amsterdam/New York: Rodopi, 2004.〔コラム５〕
畑中幸子『リトアニア　小国はいかに生き抜いたか』（ＮＨＫブックス７７６）、日本放送出版協会、１９９６年。〔コラム６〕
畑中幸子、ヴィルギリウス・チェパイティス『リトアニア　民族の苦悩と栄光』中央公論社、２００６年。〔コラム６〕

Ⅳ 政治

Krickus, Richard J. *Showdown: The Lithuanian Rebellion and the Breakup of the Soviet Empire*, Washington/London: Brassey's Inc., 1997.〔19〕
中井 遼「バルト諸国」松尾秀哉他編『教養としてのヨーロッパ政治』ミネルヴァ書房、２０１９年。〔19、20、21、22〕
Auers, Daunis. *Comparative Politics and Government of the Baltic States: Estonia, Latvia and Lithuania in the 21st Century*, London: Palgrave McMillan, 2015.〔19、20、21、22、38〕
Purs, Aldis. *Baltic Facades: Estonia, Latvia and Lithuania since 1945*, London: Reaktion Books, 2012.〔19、20、21、22、38〕
Budryte, Dovile. The Dilemma of 'Dual Loyalty': Lithuania and Transatlantic Tensions, in: Tom Lansford and Blagovest Tashev (eds.) *Old Europe, New Europe and the US*, Hampshire/Burlington: Ashgate, 2005.〔20〕
中井 遼「断片化するリトアニア政党システム――定量的特徴と小選挙区比例代表並立制の影響」『ロシア・東欧研究』38号、２０１０年。〔22〕
Lietuvos Respublikos Konstitucija: 1992 m. spalio 25 d. [The Constitution of the Republic of Lithuania, October 25, 1992, in 13 Languages]. Vilnius: Mykolo Romerio Universitetas, 2013.〔23〕
Dahl, Ann-Sofie (ed.) *Strategic Challenges in the Baltic Sea Region: Russia, Deterrence, and Reassurance*, Washington, DC: Georgetown University Press, 2018.〔24〕
斎木伸生「現地取材：21世紀の北欧安全保障　徴兵制は廃止でなく停止　独立回復リトアニアの国防政策」『軍事研究』第47巻4号、２０１２年。〔24〕
湯浅 剛「北欧諸国にとってのＮＡＴＯ拡大問題――バルト諸国安全保障プログラムをめぐる交渉過程を中心に」『国際学論集』第43号、上智大学国際関係研究所、１９９９年。〔24〕

Ⅴ 近隣諸国との関係

パステルナーク、ボリス著／草鹿外吉訳『パステルナーク自伝』虎見書房、１９６９年。〔25〕
バルトルシャイティス、ユルギス『バルトルシャイティス著作集』全4巻、国書刊行会、１９９１～１９９４年。〔25〕
伊東孝之・井内敏夫・中井和夫編著『ポーランド・ウクライナ・バルト史』山川出版社、１９９８年。〔26〕
関口時正・沼野充義編『チェスワフ・ミウォシュ詩集』成文社、２０１１年。〔26〕

早坂眞理『リトアニア――歴史的伝統と国民形成の狭間』彩流社、２０１７年。〔26〕

小森宏美編著『エストニアを知るための59章』（エリア・スタディーズ１１１）、明石書店、２０１２年。〔27〕

志摩園子『物語　バルト三国の歴史――エストニア・ラトヴィア・リトアニア』（中公新書１７５８）中央公論新社、２００４年。〔28〕

志摩園子編著『ラトヴィアを知るための47章』（エリア・スタディーズ１４５）、明石書店、２０１６年。〔28〕

服部倫卓『不思議の国ベラルーシ――ナショナリズムから遠く離れて』岩波書店、２００４年。〔29〕

服部倫卓『歴史の狭間のベラルーシ』（ユーラシア・ブックレット68）、東洋書店、２００４年。〔29〕

服部倫卓・越野剛編著『ベラルーシを知るための50章』（エリア・スタディーズ１５８）、明石書店、２０１７年。〔29〕

Ⅵ　経済・産業

小山洋司「リトアニアからの移住と過疎化」『ロシア・ユーラシアの経済と社会』１０４７号、２０１９年。〔30～35〕

蓮見　雄「リトアニアの欧州エネルギー・ネットワークへの接合」『ロシア・ユーラシアの経済と社会』１００６号、ユーラシア研究所、２０１６年。〔30～35〕

蓮見　雄「ユーロ導入とリトアニア経済」『ロシア・ユーラシアの経済と社会』１０４７号、ユーラシア研究所、２０１９年。〔30～35〕

European Commission, *Country Report Lithuana 2019*, SWD (2019) 1014 final.〔30～35〕

LITETUVOS BANKAS, *Lithuanina Economic Review*, varous issues.〔30～35〕

OECD Economic Surveys LITHUANIA, 2019.〔30～35〕

Ⅶ　教育・社会

文部科学省編著『諸外国の初等中等教育』（文部科学省「教育調査」シリーズ第１５０集）明石書店、２０１６年。〔36〕

里見悦郎『最新ソビエトスポーツ研究――その歴史と制度』不昧堂出版、１９９１年。〔40〕

Ⅷ　文化・芸術

Lithuanian Culture Guide, Vilnius: Lithuanian Culture Institute, 2018 [2014].〔41～50〕

Silbajoris, Rimvydas, *A Short History of Lithuanian Literature*, Vilnius: baltos lankos, 2002.〔41、コラム10〕

沼野充義「歴史と民族の交差する場所で――カントとリトアニア・ロシア文化」『現代思想』臨時増刊号、１９９４年。〔コラム11〕
『チュルリョーニス展』（カタログ）、セゾン美術館、１９９２年。〔42、57〕
ランズベルギス、ヴィータウタス著／佐藤泰一訳『チュルリョーニスの時代』ヤングトゥリープレス、２００８年。〔42〕
「チュルリョーニス：ピアノ曲集」ヴィータウタス・ランズベルギス（ピアノ）（リトアニア Lirtuvos Nacionaline Filharmonia 輸入盤。記号番号なし。2CD）〔43〕
「バルカウスカス：ヴァイオリン、ヴィオラのための二重協奏曲『杉原千畝に捧ぐ』」フィリップ・グラフィン（ヴァイオリン）、今井信子（ヴィオラ）、ロベルタス・シェルヴェニカス指揮ヴィルニュス祝祭管弦楽団（Avie 輸入盤。AV2073。1CD）〔43〕
「ペトラウスカス：歌劇「ビルテ」」アスタ・クリクシチューナイテ（ビルテ）、モデスタス・ピトレナス指揮カウナス市交響楽団、合唱団ほか（リトアニア Cantus Firmus 輸入盤。記号番号なし。1CD）〔43〕
「クルンパコイス～リトアニアの歌と踊り」ダイナヴァ（ARC 輸入盤。EUCD1609。1CD）〔コラム12〕
「手をたたきましょう～こどものうた」安田章子、コロムビアひばり児童合唱団（COCP39204。3CD）〔コラム12〕
Sanna『バルト三国　愛しきエストニア、ラトビア、リトアニアへ』肆侃侃房、２０１６年。〔45、46、コラム13〕
Jurkuvienė, Teresė. *Lietuvių tautinis kostiumas / Lithuanian National Costume* [in English], Vilnius: Baltos lankos, 2008 [2006].〔46、コラム13〕
渋谷智子『おとぎの国をめぐる旅 バルト三国へ』イカロス出版、２０１８年。〔コラム13〕
レ・ドゥ（les deux）『旅のコラージュ――バルト３国の雑貨と暮らし』ピエブックス、２００７年。〔コラム13〕
Šabasevičius, Helmutas, *A Concise History of Lithuanian Ballet* [in English], Vilnius: Krantų redakcija, 2010.〔47〕
ジョナス・メカス著／木下哲夫訳『ジョナス・メカス――ノート、対話、映画』せりか書房、２０１２年。〔50〕
ジョナス・メカス著／村田郁夫訳『ジョナス・メカス詩集』書肆山田、２０１９年。〔50〕

Ⅸ　生活・習慣

沼野恭子編著『世界を食べよう！　東京外国語大学の世界料理』東京外国語大学出版会、２０１５年。〔51、コラム14〕
Greimas, Algirdas J., *Of Gods and Men: Studies in Lithuanian Mythology*, Translated by Milda Newman, Bloomington: Indiana

University Press, 1992.〔52〕
Bernotaitė-Beliauskienė, Dalia, *et al.*, *Lithuanian Sacral Folk Art: Collectionof Lithuanian Art Museum*, Lithuanian Art Museum, 2007.〔コラム15〕
Vaicekauskas, Arūnas, *Ancient Lithuanian calendar festivals*, Kaunas: Vytauto Didžiojo universitetas, Versus aureus, 2014.〔53、54〕

X　日本との関係

アダムクス、ヴァルダス著／村田郁夫訳『リトアニア　わが運命——時代・事件・人物』未知谷、２００２年。〔コラム17、コラム18〕
白石仁章『杉原千畝　情報に賭けた外交官』新潮文庫、２０１５年。〔コラム17、コラム18〕
杉原幸子『新版　六千人の命のビザ』大正出版、１９９３年。〔コラム17、コラム18〕
イグノティエネ、ユルギタ、櫻井映子「「日本に親しむ道がある」——リトアニアにおける日本文学の受容」野中進・籾内裕子・沼野恭子編『世界のなかの日本文学——旧ソ連諸国の文学教育から』埼玉大学教養学部・人文社会科学研究科発行、松籟社、２０１６年。〔57〜60〕
平野久美子『坂の上のヤポーニア』産経新聞出版、２０１０年。〔58〕
北村　卓「文化外交としての宝塚歌劇」高馬京子・松本健太郎編著『越境する文化・コンテンツ・想像力——トランスナショナル化するポピュラー・カルチャー』ナカニシヤ出版、２０１８年。〔59〕

ウエブサイト

・リトアニア基本情報
在リトアニア日本国大使館　www.lt.emb-japan.go.jp
駐日リトアニア共和国大使館　www.jp.mfa.lt
リトアニア公式統計　www.osp.stat.gov.lt/pradinis（英語版もあり、詳細な最新の統計データがテーマ別、地域別にも簡単に入手できる。）
日本外務省リトアニア関連情報　www.mofa.go.jp › mofaj › area › Lithuania

・観　光

公営企業リトアニア観光（Lithuania Travel）　www.lithuania.travel

リトアニア政府観光局　www.tourism.lt

DTACリトアニア観光情報局　www.dtac.jp/baltic_eeurope/lithuania

・リトアニア関連ショップ

久慈琥珀博物館併設 GINTARO（ギンタロ）リトアニア館　www.kuji.co.jp/lithuania

LTshop　www.ltshop.net

・ニュース

インターネットポータル Delfi　www.delfi.lt

リトアニア国営ラジオ・テレビ放送　www.lrt.lt

・リトアニア語オンライン辞書（無料）

リトアニア語・日本語／リトアニア語・日本語辞典　www.jishokun.lt

森田　耕司（もりた　こおじ）［9］
東京外国語大学准教授。

【主要著作】
Przemiany socjolingwistyczne w polskich społecznościach na Litwie i Białorusi. Studium porównawcze（Warszawa: Slawistyczny Ośrodek Wydawniczy, Instytut Slawistyki PAN, 2006）、*Spotkania Polonistyk Trzech Krajów – Chiny, Korea, Japonia. Rocznik 2014/2015*（東京外国語大学ポーランド語専攻、2015 年）、『文化財の保護及び文化財の管理に関する 2003 年 7 月 23 日付の法律（各国の文化財保護法令シリーズ［23］ポーランド）』（独立行政法人国立文化財機構東京文化財研究所文化遺産国際協力センター、2019 年）。

湯浅　剛（ゆあさ　たけし）［24］
上智大学外国語学部ロシア語学科教授。

【主要著作】
『平和構築へのアプローチ――ユーラシア紛争研究の最前線』（広瀬佳一との共編、吉田書店、2013 年）、『現代中央アジアの国際政治』（明石書店、2015 年）、「ポスト・ソ連空間と周辺世界――冷戦終結から国際テロの時代の中で」（松戸清裕ほか編『ロシア革命とソ連の世紀 3――冷戦と平和共存』岩波書店、2017 年）。

ラモーニエネ、メイルーテ（Ramonienė, Meilutė）［コラム 2］
ヴィルニュス大学文学部リトアニア研究科教授、応用言語学研究所所長。

リハチョーヴァ、アーラ（Lichačiova, Ala）［8］
ヴィルニュス大学文学部ロシア語学科教授。

野村　真理（のむら　まり）［コラム5］
金沢大学名誉教授。
【主要著作】
『ウィーンのユダヤ人――19世紀末からホロコースト前夜まで』（御茶の水書房、1999年）、『ガリツィアのユダヤ人――ポーランド人とウクライナ人のはざまで』（人文書院、2008年）、『ホロコースト後のユダヤ人――約束の土地は何処か』（世界思想社、2012年）。

蓮見　雄（はすみ　ゆう）［30, 31, 32, 33, 34, 35］
立教大学経済学部教授。
【主要著作】
『拡大するEUとバルト経済圏の胎動』（編著、昭和堂、2009年）、『北東アジアのエネルギー安全保障』（共著、日本評論社、2016年）、『揺らぐ世界経済秩序と日本――反グローバリズムと保護主義の深層』（共著、文眞堂、2019年）。

畑中　幸子（はたなか　さちこ）［コラム6］
中部大学名誉教授。
【主要著作】
『リトアニア――小国はいかに生き抜いたか』（NHKブックス、1996年）、『リトアニア――民族の苦悩と栄光』（V・チェパイティスとの共著、中央公論新社、2006年）、『ニューギニアから石斧が消えていく日――人類学者の回想』（明石書店、2013年）。

服部　倫卓（はっとり　みちたか）［29］
一般社団法人ロシアNIS貿易会・ロシアNIS経済研究所副所長。
【主要著作】
『不思議の国ベラルーシ――ナショナリズムから遠く離れて』（岩波書店、2004年）、『ベラルーシを知るための50章』（越野剛氏との共編著、明石書店、2017年）、『ウクライナを知るための65章』（原田義也氏との共編著、明石書店、2018年）。

坂内　徳明（ばんない　とくあき）［11, 52, コラム15］
一橋大学名誉教授。
【主要著作】
『ロシア文化の基層』（日本エディタースクール、1991年）、『ルボーク　ロシアの民衆版画』（東洋書店、2006年）、「リトアニア人考古神話学者マリヤ・ギンブタスの仕事――生命の木と蛇に憑かれて」『言語文化』Vo.48（一橋大学語学研究室、2011年）。

ビンゲリエネ、ラムテ（Bingelienė, Ramutė）［36, コラム3, 14］
ヴィルニュス大学文学部応用言語学研究所講師。

ベイノラーヴィチュス、ダーリユス（Beinoravičius, Darijus）［23, コラム10］
ミーコラス・ロメリス大学法科大学院公法研究所教授。

ベルノタイテ＝ベリャウスキエネ、ダレ（Bernotaitė-Beliauskienė, Dalia）［46］
リトアニア美術館民族芸術科長、民族誌学者。

宮山　幸久（みややま　ゆきひさ）［43, コラム12］
株式会社キングインターナショナル　プロデューサー。

志摩　園子（しま　そのこ）［28］
昭和女子大学人間社会学部現代教養学科教授。
【主要著作】
『物語バルト三国の歴史』（中央公論社、2004 年）、『ラトヴィアを知るための 47 章』（編著、明石書店、2016 年）。

シャバセーヴィチュス、ヘルムタス（Šabasevičius, Helmutas）［47］
ヴィルニュス美術アカデミーヴィルニュス学部美術史・美術論学科准教授。

シャポカ、ケストゥティス（Šapoka, Kęstutis）［50］
リトアニア文化研究所現代哲学科上級研究員、リトアニア国立マルティーナス・マージュヴィダス図書館上級研究員。

白石　仁章（しらいし　まさあき）［コラム 17］
外務省外交史料館課長補佐。
【主要著作】
『プチャーチン――日本人が一番好きなロシア人』（新人物往来社、2010 年）、『諜報の天才　杉原千畝』（新潮選書、2011 年）。同書の増補・改訂版が『杉原千畝――情報に賭けた外交官』（新潮文庫、2015 年）、『戦争と諜報外交――杉原千畝たちの時代』（角川選書、2015 年）。

スカベイキーテ＝カズラウスキエネ、グラジナ（Skabeikytė-Kazlauskienė, Gražina）［54］
ヴィータウタス・マグヌス大学人文学部文化研究科教授。

ディドヴァリス、リナス（Didvalis, Linas）［コラム 7］
ヴィータウタス・マグナス大学人文学部アジア研究センター准教授。

中井　遼（なかい　りょう）［19, 20, 21, 22, 38］
北九州市立大学法学部准教授。
【主要著作】
『デモクラシーと民族問題――中東欧・バルト諸国の比較政治分析』（勁草書房、2015 年）、*Europeanization and Minority Political Agency: Lessons from Central and Eastern Europe*,（共著、Routledge、2018 年）、『教養としてのヨーロッパ政治』（共著、ミネルヴァ書房、2019 年）。

沼野　充義（ぬまの　みつよし）［25, 42, コラム 11］
東京大学大学院人文社会系研究科・文学部教授。
【主要著作】
『チェーホフ――七分に絶望と三分の希望』（講談社、2016 年）、『ロシア文化事典』（共同編集代表、丸善出版、2019 年）、『徹夜の塊――世界文学論』（作品社、2020 年）。

栗林　裕（くりばやし　ゆう）［10］
岡山大学大学院社会文化科学研究科教授。
【主要著作】
『チュルク南西グループの構造と記述――トルコ語と周辺言語の言語接触』（くろしお出版、2010年）、Chapter 7: Verb-Verb compounding in Japanese and Turkish, In: Prashant Pardeshi and Taro Kageyama (eds.) *Handbook of Japanese Contrastive Linguistics*. (Mouton de Gruyter, 2018)、『トルコ語とチュルク諸語の研究と日本語との対照』（日中言語文化出版社、近刊）。

高馬　京子（こうま　きょうこ）［37, 39, 55, 59, 60, コラム 8］
明治大学情報コミュニケーション学部准教授。
【主要著作】
Japan and Europe in Global Communication（Gražina Gulladienė との共編著、Vilnus: Mykolas Romeris University Press、2014年）、『越境する文化、コンテンツ、想像力――トランスナショナル化するポピュラー・カルチャー』（松本健太郎との共編著、ナカニシヤ出版、2018年）。

小森　宏美（こもり　ひろみ）［27］
早稲田大学教育・総合科学学術院教授。
【主要著作】
『エストニアの政治と歴史認識』（三元社、2009年）、『エストニアを知るための59章』（編著、明石書店、2012年）、『バルト三国の歴史――エストニア・ラトヴィア・リトアニア　石器時代から現代まで』（アンドレス・カセカンプ著、重松尚との共訳、明石書店、2014年）。

＊**櫻井　映子**（さくらい　えいこ）［1, 2, 3, 4, 5, 41, 49, 51, 訳 7, 8, 23, 36, 44, 46, 47, 48, 50, 53, 54, 56, 57, 58, コラム 2, 3, 7, 10, 13, 14, 16, 19］
編著者紹介参照。

佐藤　浩一（さとう　こういち）［40, 45, コラム 1, 9］
サッカーコーチ、通訳・コーディネーター、リトアニア政府観光局ガイド。リトアニア在住。

ジーカス、オウレリウス（Zykas, Aurelijus）［56, 57, 58, コラム 19］
ヴィータウタス・マグヌス大学人文学部文化研究科准教授、カウナス・日本友好協会会長。

重松　尚（しげまつ　ひさし）［15, 16, 17, 18］
東京大学大学院総合文化研究科助教。
【主要著作】
『せめぎあう中東欧・ロシアの歴史認識問題――ナチズムと社会主義の過去をめぐる葛藤』（分担執筆、橋本伸也編著、ミネルヴァ書房、2017年）、訳書として『バルト三国の歴史――エストニア・ラトヴィア・リトアニア　石器時代から現代まで』（アンドレス・カセカンプ著、小森宏美との共訳、明石書店、2014年）、『リトアニアの歴史』（共訳、アルフォンサス・エイディンタスほか著、明石書店、2018年）。

【執筆者紹介】（［　］は担当章・コラム、50 音順、＊は編著者）

アングリツキエネ、ライマ（Anglickienė, Laima）［53, コラム 16］
ヴィータウタス・マグヌス大学人文学部文化研究科准教授。

井上　幸和（いのうえ　としかず）［6］
神戸市外国語大学名誉教授。

【主要著作】
『バルト・スラヴ語彙対応の研究』研究叢書第 17 冊（神戸市外国語大学外国学研究所）1986 年。Лексические «дивергенция» и «конвергенция» между балтийскими и славянскими языками. Статистийческий анализ материалов Словаря Р. Траутмана [Lexical «Divergence» and «Convergence» between Baltic and Slavic Languages (A Statistic Analysis of Materials in R. Trautmann's Dictionary]. *Baltistica* 25(1), 1989. On the Reflex of PIE Syllabic Sonants in Balto-Slavic and other IE Languages. A Hypothesis of the «Isogloss/Free Choice» Principle. *General Linguistics* 28 (2), 1988.

ヴァイシニエネ、ダイヴァ（Vaišnienė, Daiva）［7］
ヴィータウタス・マグヌス大学教育アカデミー（旧リトアニア教育大学）准教授、リトアニア国立博物館員。元国家リトアニア語委員会委員長。

ヴァイニュテ、ミルダ（Vainiutė, Milda）［23, コラム 10］
ミーコラス・ロメリス大学法科大学院公法研究所教授。

ヴィーチニエネ、ダイヴァ（Vyčinienė, Daiva）［44］
リトアニア音楽・演劇アカデミー音楽学部民族音楽学科長、スタルティネス歌手・研究者、スタルティネス・グループ「トゥリース・ケトゥリョセ」リーダー。

梶　さやか（かじ　さやか）［12, 13, 14, 26, コラム 4］
岩手大学人文社会科学部准教授。

【主要著作】
『ポーランド国歌と近代史 ―― ドンブロフスキのマズレク』（群像社、2016 年）、*Kintančios Lietuvos visuomenė: struktūros, veikėjai, idėjos*（共著、Vilnius、2015 年）、『リトアニアの歴史』（共訳、アルフォンサス・エイディンタスほか著、明石書店、2018 年）。

木村　護郎クリストフ（きむら　ごろう くりすとふ）［コラム 18］
上智大学外国語学部ドイツ語学科教授。

【主要著作】
『節英のすすめ ―― 脱英語依存こそ国際化・グローバル化対応のカギ！』（萬書房、2016 年）、『多言語主義社会に向けて』（共編著、くろしお出版、2017 年）、『行動する社会言語学』（共著、三元社、2017 年）。

クオディエネ、マリヤ（Kuodienė, Marija）［コラム 13］
リトアニア美術館民族芸術科職員、美術研究者。

クリシエネ、ネリンガ（Klišienė, Neringa）［48］
ヴィルニュス大学文学・文化・翻訳研究所リトアニア文学科助教。

【編著者紹介】

櫻井　映子（さくらい　えいこ）

名古屋大学卒業、名古屋大学大学院博士課程修了（文学博士）。日本学術振興会特別研究員を経て、現在、東京外国語大学・大阪大学講師。専門は、リトアニア語学・リトアニア文学、バルト・スラヴ学。

【主要著作】

『ニューエクスプレス　リトアニア語』（白水社、2007 年）、Combination of past participles functioning as adverbials with main verbs in Lithuanian: Aspect and transitivity, *Acta Linguistica Lithuanica* 59（Vilnius: Lietuvių kalbos institutas, 2008）、「リトアニア語の自他交替：反使役を中心に」『有対動詞の通言語的研究 ── 日本語と諸言語の対照から見えてくるもの』（パルデシ・プラシャント、ナロック・ハイコ、桐生和幸編、くろしお出版、2015 年）、Past habitual tense in Lithuanian, in: Peter Arkadiev, Axel Holvoet, Bjorn Wiemer (eds.) *Contemporary Approaches to Baltic Linguistics* (Berlin/New York: Mouton de Gruyter, 2015)、The perfect in Lithuanian: an empirical study, *Valoda: nozīme un forma* 7（Riga: Latvijas Universitātes Akadēmiskais apgāds, 2016）、「「日本に親しむ道がある」── リトアニアにおける日本文学の受容」『世界のなかの日本文学 ── 旧ソ連諸国の文学教育から』（ユルギタ・イグノティエネとの共著、野中進、籾内裕子、沼野恭子編、埼玉大学教養学部・人文社会科学研究科発行、松籟社、2016 年）、『ニューエクスプレスプラス　リトアニア語』（白水社、2019 年；『ニューエクスプレス　リトアニア語』の増補版）他。

エリア・スタディーズ 177

リトアニアを知るための 60 章

2020年 3 月 5 日　初版 第 1 刷発行

編著者　櫻井映子

発行者　大江道雅

発行所　株式会社 明石書店

〒 101–0021 東京都千代田区外神田 6-9-5

電話 03（5818）1171

FAX 03（5818）1174

振替　00100-7-24505

http://www.akashi.co.jp/

組版／装丁　明石書店デザイン室

印刷／製本　日経印刷株式会社

（定価はカバーに表示してあります）　ISBN978-4-7503-4831-5

エリア・スタディーズ

エリア・スタディーズ

36 マラウィを知るための45章【第2版】
栗田和明 著

37 コスタリカを知るための60章【第2版】
国本伊代 編著

38 チベットを知るための50章
石濱裕美子 編著

39 現代ベトナムを知るための60章【第2版】
今井昭夫、岩井美佐紀 編著

40 インドネシアを知るための50章
村井吉敬、佐伯奈津子 編著

41 エルサルバドル、ホンジュラス、ニカラグアを知るための45章
田中高 編著

42 パナマを知るための70章【第2版】
国本伊代 編著

43 イランを知るための65章
岡田恵美子、北原圭一、鈴木珠里 編著

44 アイルランドを知るための70章【第3版】
海老島均、山下理恵子 編著

45 メキシコを知るための60章
吉田栄人 編著

46 中国の暮らしと文化を知るための40章
東洋文化研究会 編

47 現代ブータンを知るための60章【第2版】
平山修一 著

48 バルカンを知るための66章【第2版】
柴宜弘 編著

49 現代イタリアを知るための44章
村上義和 編著

50 アルゼンチンを知るための54章
アルベルト松本 著

51 ミクロネシアを知るための60章【第2版】
印東道子 編著

52 アメリカのヒスパニック＝ラティーノ社会を知るための55章
大泉光一、牛島万 編著

53 北朝鮮を知るための55章【第2版】
石坂浩一 編著

54 ボリビアを知るための73章【第2版】
真鍋周三 編著

55 コーカサスを知るための60章
北川誠一、前田弘毅、廣瀬陽子、吉村貴之 編著

56 カンボジアを知るための62章【第2版】
上田広美、岡田知子 編著

57 エクアドルを知るための60章【第2版】
新木秀和 編著

58 タンザニアを知るための60章【第2版】
栗田和明、根本利通 編著

59 リビアを知るための60章
塩尻和子 著

60 東ティモールを知るための50章
山田満 編著

61 グアテマラを知るための67章【第2版】
桜井三枝子 編著

62 オランダを知るための60章
長坂寿久 著

63 モロッコを知るための65章
私市正年、佐藤健太郎 編著

64 サウジアラビアを知るための63章【第2版】
中村覚 編著

65 韓国の歴史を知るための66章
金両基 編著

66 ルーマニアを知るための60章
六鹿茂夫 編著

67 現代インドを知るための60章
広瀬崇子、近藤正規、井上恭子、南埜猛 編著

68 エチオピアを知るための50章
岡倉登志 編著

69 フィンランドを知るための44章
百瀬宏、石野裕子 編著

70 ニュージーランドを知るための63章
青柳まちこ 編著

71 ベルギーを知るための52章
小川秀樹 編著

エリア・スタディーズ

72 **ケベックを知るための54章**
小畑精和、竹中豊 編著

73 **アルジェリアを知るための62章**
私市正年 編著

74 **アルメニアを知るための65章**
中島偉晴、メラニア・バグダサリヤン 編著

75 **スウェーデンを知るための60章**
村井誠人 編著

76 **デンマークを知るための68章**
村井誠人 編著

77 **最新ドイツ事情を知るための50章**
浜本隆志、柳原初樹 著

78 **セネガルとカーボベルデを知るための60章**
小川了 編著

79 **南アフリカを知るための60章**
峯陽一 編著

80 **エルサルバドルを知るための55章**
細野昭雄、田中高 編著

81 **チュニジアを知るための60章**
鷹木恵子 編著

82 **南太平洋を知るための58章** メラネシア ポリネシア
吉岡政德、石森大知 編著

83 **現代カナダを知るための57章**
飯野正子、竹中豊 編著

84 **現代フランス社会を知るための62章**
三浦信孝、西山教行 編著

85 **ラオスを知るための60章**
菊池陽子、鈴木玲子、阿部健一 編著

86 **パラグアイを知るための50章**
田島久歳、武田和久 編著

87 **中国の歴史を知るための60章**
並木頼壽、杉山文彦 編著

88 **スペインのガリシアを知るための50章**
坂東省次、桑原真夫、浅香武和 編著

89 **アラブ首長国連邦（UAE）を知るための60章**
細井長 編著

90 **コロンビアを知るための60章**
二村久則 編著

91 **現代メキシコを知るための70章【第2版】**
国本伊代 編著

92 **ガーナを知るための47章**
高根務、山田肖子 編著

93 **ウガンダを知るための53章**
吉田昌夫、白石壮一郎 編著

94 **ケルトを旅する52章** イギリス・アイルランド
永田喜文 著

95 **トルコを知るための53章**
大村幸弘、永田雄三、内藤正典 編著

96 **イタリアを旅する24章**
内田俊秀 編著

97 **大統領選からアメリカを知るための57章**
越智道雄 著

98 **現代バスクを知るための50章**
萩尾生、吉田浩美 編著

99 **ボツワナを知るための52章**
池谷和信 編著

100 **ロンドンを旅する60章**
川成洋、石原孝哉 編著

101 **ケニアを知るための55章**
松田素二、津田みわ 編著

102 **ニューヨークからアメリカを知るための76章**
越智道雄 著

103 **カリフォルニアからアメリカを知るための54章**
越智道雄 著

104 **イスラエルを知るための62章【第2版】**
立山良司 編著

105 **グアム・サイパン・マリアナ諸島を知るための54章**
中山京子 編著

106 **中国のムスリムを知るための60章**
中国ムスリム研究会 編

107 **現代エジプトを知るための60章**
鈴木恵美 編著

エリア・スタディーズ

108 **カーストから現代インドを知るための30章**
金基淑 編著

109 **カナダを旅する37章**
飯野正子、竹中豊 編著

110 **アンダルシアを知るための53章**
立石博高、塩見千加子 編著

111 **エストニアを知るための59章**
小森宏美 編著

112 **韓国の暮らしと文化を知るための70章**
舘野皙 編著

113 **現代インドネシアを知るための60章**
村井吉敬、佐伯奈津子、間瀬朋子 編著

114 **ハワイを知るための60章**
山本真鳥、山田亨 編著

115 **現代イラクを知るための60章**
酒井啓子、吉岡明子、山尾大 編著

116 **現代スペインを知るための60章**
坂東省次 編著

117 **スリランカを知るための58章**
杉本良男、高桑史子、鈴木晋介 編著

118 **マダガスカルを知るための62章**
飯田卓、深澤秀夫、森山工 編著

119 **新時代アメリカ社会を知るための60章**
明石紀雄 監修　大類久恵、落合明子、赤尾千波 編著

120 **現代アラブを知るための56章**
松本弘 編著

121 **クロアチアを知るための60章**
柴宜弘、石田信一 編著

122 **ドミニカ共和国を知るための60章**
国本伊代 編著

123 **シリア・レバノンを知るための64章**
黒木英充 編著

124 **EU（欧州連合）を知るための63章**
羽場久美子 編著

125 **ミャンマーを知るための60章**
田村克己、松田正彦 編著

126 **カタルーニャを知るための50章**
立石博高、奥野良知 編著

127 **ホンジュラスを知るための60章**
桜井三枝子、中原篤史 編著

128 **スイスを知るための60章**
スイス文学研究会 編

129 **東南アジアを知るための50章**
今井昭夫 編集代表　東京外国語大学東南アジア課程 編

130 **メソアメリカを知るための58章**
井上幸孝 編著

131 **マドリードとカスティーリャを知るための60章**
川成洋、下山静香 編著

132 **ノルウェーを知るための60章**
大島美穂、岡本健志 編著

133 **現代モンゴルを知るための50章**
小長谷有紀、前川愛 編著

134 **カザフスタンを知るための60章**
宇山智彦、藤本透子 編著

135 **内モンゴルを知るための60章**
ボルジギン・ブレンサイン 編著　赤坂恒明 編集協力

136 **スコットランドを知るための65章**
木村正俊 編著

137 **セルビアを知るための60章**
柴宜弘、山崎信一 編著

138 **マリを知るための58章**
竹沢尚一郎 編著

139 **ASEANを知るための50章**
黒柳米司、金子芳樹、吉野文雄 編著

140 **アイスランド・グリーンランド・北極を知るための65章**
小澤実、中丸禎子、高橋美野梨 編著

141 **ナミビアを知るための53章**
水野一晴、永原陽子 編著

142 **香港を知るための60章**
吉川雅之、倉田徹 編著

143 **タスマニアを旅する60章**
宮本忠 著

エリア・スタディーズ

144 **パレスチナを知るための60章**
臼杵陽、鈴木啓之 編著

145 **ラトヴィアを知るための47章**
志摩園子 編著

146 **ニカラグアを知るための55章**
田中高 編著

147 **台湾を知るための60章**
赤松美和子、若松大祐 編著

148 **テュルクを知るための61章**
小松久男 編著

149 **アメリカ先住民を知るための62章**
阿部珠理 編著

150 **イギリスの歴史を知るための50章**
川成洋 編著

151 **ドイツの歴史を知るための50章**
森井裕一 編著

152 **ロシアの歴史を知るための50章**
下斗米伸夫 編著

153 **スペインの歴史を知るための50章**
立石博高、内村俊太 編著

154 **フィリピンを知るための64章**
大野拓司、鈴木伸隆、日下渉 編著

155 **バルト海を旅する40章** 7つの島の物語
小柏葉子 著

156 **カナダの歴史を知るための50章**
細川道久 編著

157 **カリブ海世界を知るための70章**
国本伊代 編著

158 **ベラルーシを知るための50章**
服部倫卓、越野剛 編著

159 **スロヴェニアを知るための60章**
柴宜弘、アンドレイ・ベケシュ、山崎信一 編著

160 **北京を知るための52章**
櫻井澄夫、人見豊、森田憲司 編著

161 **イタリアの歴史を知るための50章**
高橋進、村上義和 編著

162 **ケルトを知るための65章**
木村正俊 編著

163 **オマーンを知るための55章**
松尾昌樹 編著

164 **ウズベキスタンを知るための60章**
帯谷知可 編著

165 **アゼルバイジャンを知るための67章**
廣瀬陽子 編著

166 **済州島を知るための55章**
梁聖宗、金良淑、伊地知紀子 編著

167 **イギリス文学を旅する60章**
石原孝哉、市川仁 編著

168 **フランス文学を旅する60章**
野崎歓 編著

169 **ウクライナを知るための65章**
服部倫卓、原田義也 編著

170 **クルド人を知るための55章**
山口昭彦 編著

171 **ルクセンブルクを知るための50章**
田原憲和、木戸紗織 編著

172 **地中海を旅する62章** 歴史と文化の都市探訪
松原康介 編著

173 **ボスニア・ヘルツェゴヴィナを知るための60章**
柴宜弘、山崎信一 編著

174 **チリを知るための60章**
細野昭雄、工藤章、桑山幹夫 編著

175 **ウェールズを知るための60章**
吉賀憲夫 編著

176 **太平洋諸島の歴史を知るための60章** 日本とのかかわり
石森大知、丹羽典生 編著

177 **リトアニアを知るための60章**
櫻井映子 編著

——以下続刊

◎各巻2000円
（一部1800円）

〈価格は本体価格です〉